40단어×50일

구성과 특징 한눈에 보기

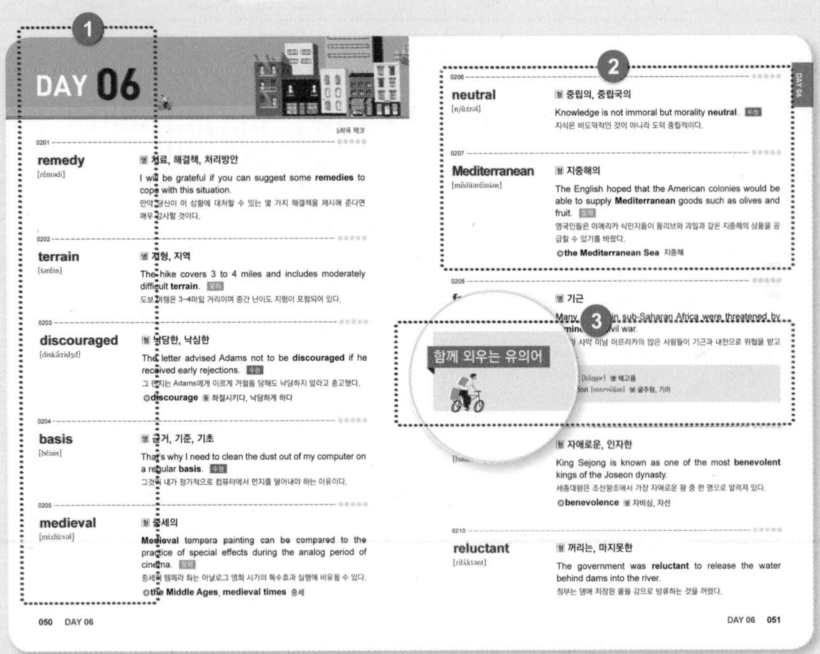

1

40단어×50일로
수능 필수 어휘
2000개 완성

2

수능과
모의평가 속
생생한 **기출 예문**

3

빈도수 높은 유사 어휘
한번에 잡는
함께 외우는 유의어

기호 설명

명 명사　동 동사　형 형용사　부 부사　전 전치사　접 접속사

수능 수능 응용 예문　모의 모의평가 응용 예문　◎ 파생어, 반의어, 숙어 등

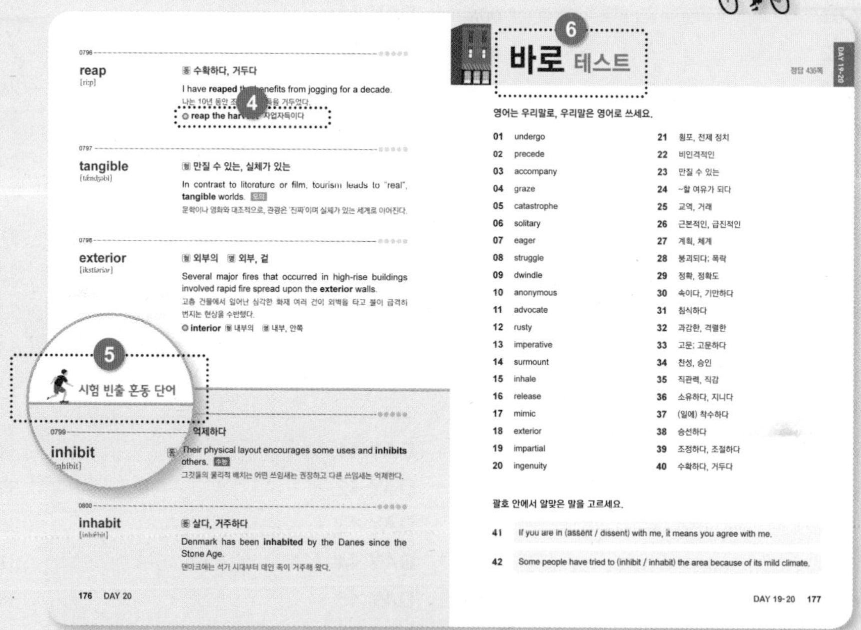

4

파생어, 반의어 등
관련 어휘
연관 학습

5

DAY별로 학습하는
시험 빈출
혼동 단어, 반의어,
다의어

6

바로 테스트로
이틀에 한 번
학습 어휘 점검

표제어 암기용 MP3
파일 제공 (QR코드)
* (단어), (단어+뜻)

암기 테스트용 어휘
출제 프로그램 제공
(book.chunjae.co.kr)

짬짬이 암기용
〈휴대용 암기카드〉
제공

특별 자료

목차 확인하기

DAY 01 *008*
DAY 02 *016*
DAY 03 *025*
DAY 04 *033*
DAY 05 *042*
DAY 06 *050*
DAY 07 *059*
DAY 08 *067*
DAY 09 *076*
DAY 10 *084*

DAY 11 *093*
DAY 12 *101*
DAY 13 *110*
DAY 14 *118*
DAY 15 *127*
DAY 16 *135*
DAY 17 *144*
DAY 18 *152*
DAY 19 *161*
DAY 20 *169*

DAY 21 *178*
DAY 22 *186*
DAY 23 *195*
DAY 24 *203*
DAY 25 *212*
DAY 26 *220*
DAY 27 *229*
DAY 28 *237*
DAY 29 *246*
DAY 30 *254*

DAY 31 *263*
DAY 32 *271*
DAY 33 *280*
DAY 34 *288*
DAY 35 *297*
DAY 36 *305*
DAY 37 *314*
DAY 38 *322*
DAY 39 *331*
DAY 40 *339*

DAY 41 *348*
DAY 42 *356*
DAY 43 *365*
DAY 44 *373*
DAY 45 *382*
DAY 46 *390*
DAY 47 *399*
DAY 48 *407*
DAY 49 *416*
DAY 50 *424*

정답 *434*
INDEX *442*

바로 테스트는
이틀에 한 번
제공합니다.

학습 계획표 짜기

★ DAY별로 각각 첫 번째 공부한 날과 두 번째 공부한 날의 날짜를 쓰세요.

DAY	1회독	2회독	DAY	1회독	2회독
01	월 일	월 일	26	월 일	월 일
02	월 일	월 일	27	월 일	월 일
03	월 일	월 일	28	월 일	월 일
04	월 일	월 일	29	월 일	월 일
05	월 일	월 일	30	월 일	월 일
06	월 일	월 일	31	월 일	월 일
07	월 일	월 일	32	월 일	월 일
08	월 일	월 일	33	월 일	월 일
09	월 일	월 일	34	월 일	월 일
10	월 일	월 일	35	월 일	월 일
11	월 일	월 일	36	월 일	월 일
12	월 일	월 일	37	월 일	월 일
13	월 일	월 일	38	월 일	월 일
14	월 일	월 일	39	월 일	월 일
15	월 일	월 일	40	월 일	월 일
16	월 일	월 일	41	월 일	월 일
17	월 일	월 일	42	월 일	월 일
18	월 일	월 일	43	월 일	월 일
19	월 일	월 일	44	월 일	월 일
20	월 일	월 일	45	월 일	월 일
21	월 일	월 일	46	월 일	월 일
22	월 일	월 일	47	월 일	월 일
23	월 일	월 일	48	월 일	월 일
24	월 일	월 일	49	월 일	월 일
25	월 일	월 일	50	월 일	월 일

발음 기호 살펴보기

글자	대표 음가	예시 단어
A a	[a], [ei] 등	art, name
B b	[b]	boy, ball
C c	[k], [s]	cap, pencil
D d	[d]	doll, duck
E e	[e], [i] 등	end, easy
F f	[f]	foot, wife
G g	[g], [ʒ], [dʒ]	pig, giraffe
H h	[h]	home, hello
I i	[i], [ai] 등	sit, ice
J j	[dʒ]	jam, join
K k	[k]	king, milk
L l	[l]	long, cold
M m	[m]	monkey, some

글자	대표 음가	예시 단어
N n	[n]	new, can
O o	[ʌ], [ou] 등	other, old
P p	[p]	park, drop
Q q	[k]	queen, quiet
R r	[r]	room, read
S s	[s], [z]	sun, busy
T t	[t]	tree, want
U u	[ʌ], [u], [ju], [ə] 등	uncle, use
V v	[v]	very, love
W w	[w]	win, woman
X x	[ks], [gz]	fox, exam
Y y	[i], [ai]	baby, try
Z z	[z]	zoo, zebra

1 모음

구분					
모음	a ㅏ	e ㅔ	i ㅣ	o ㅗ	u ㅜ
	æ ㅐ	ɛ ㅔ	ɔ ㅗ/ㅓ중간	ʌ ㅓ(강하게)	ə ㅓ(짧게)

* 모음 뒤에 [:]를 붙이면 길게 읽습니다.

구분					
이중 모음	ja ㅑ	je ㅖ	jə ㅕ	jo ㅛ	ju ㅠ
	wa ㅘ	we ㅞ	wi ㅟ	wɔ ㅝ/ㅘ	wə ㅝ

* 모음 앞에 [j]가 붙으면 "야, 여, 요", [w]가 붙으면 "와, 웨, 워"와 같이 발음합니다.

2 자음

구분					
유성음 발음할 때 목이 떨리는 자음	b ㅂ	* v ㅂ	d ㄷ	g ㄱ	z ㅈ
	l ㄹ	* r ㄹ	m ㅁ	n ㄴ	ŋ 받침 ㅇ
	* ð ㄷ	ʒ 쥐	dʒ 쥐(짧게)	h ㅎ	

* [v]: 윗니로 아랫입술을 살짝 깨뭅니다.　　* [r]: 혀가 입천장에 닿지 않습니다.
* [ð]: 이 사이로 혀끝을 내밉니다.

구분					
무성음 발음할 때 목이 떨리지 않는 자음	p ㅍ	* f ㅍ/ㅎ	t ㅌ	k ㅋ	s ㅅ
	* θ 쓰	ʃ 쉬	tʃ 취(짧게)		

* [f]: 윗니로 아랫입술을 살짝 깨뭅니다.　　* [θ]: 이 사이로 혀끝을 내밉니다.

DAY 01

5회독 체크

0001

surpass
[sərpǽs]

동 능가하다, ~보다 뛰어나다

The percentage of respondents preferring team sports to individual or dual sports **surpassed** 60 percent.
개인 스포츠나 2인 스포츠보다 단체 스포츠를 선호하는 응답자 비율이 60%를 넘었다.

함께 외우는 유의어

exceed [iksíːd] 동 초과하다
excel [iksél] 동 능가하다
outdo [àutdú] 동 능가하다

0002

surplus
[sə́ːrplʌs]

명 과잉, 흑자, 나머지 형 과잉의, 여분의

The trade **surplus** is shrinking as the country imports more capital goods.
나라에서 자본재를 더 많이 수입하면서 무역 흑자가 줄어들고 있다.

◎ **deficit** 명 적자

0003

antipathy
[æntípəθi]

명 반감, 못마땅함

Her **antipathy** to authority made her conflict constantly with the coaching staff.
권력에 대한 반감 때문에 그녀는 끊임없이 코칭스태프와 충돌했다.

◎ **sympathy** 명 공감, 동정

0004

underprivileged
[ʌ̀ndərprívəlidʒd]

형 혜택을 못 받는

The teachers organized a charity for the **underprivileged** children in the city.
교사들은 그 도시에서 혜택을 못 받는 아이들을 위한 자선단체를 조직했다.

◎ **privileged** 형 특권을 가진

0005

phenomenon
[finámenàn]

명 [1]현상 [2]경이

To modern man disease is a biological **phenomenon** that concerns him only as an individual and has no moral implications. 수능

현대인에게 질병이란 오직 개인으로서의 자신과 관련된 생물학적 현상일 뿐 아무런 도덕적 함의가 없다.

◎ **phenomena** phenomenon의 복수형

0006

excellent
[éksələnt]

형 우수한, 탁월한

Your company has an **excellent** reputation as a research institution. 모의

귀사는 연구 기관으로서 탁월한 명성을 지니고 있습니다.

0007

brilliant
[bríljənt]

형 훌륭한, 멋진, 성공적인

It was **brilliant** combining superheroes and the history of our country. 모의

그것은 슈퍼히어로와 우리나라 역사의 멋진 결합이었다.

0008

imminent
[ímənənt]

형 임박한, 목전의

Those animals may be exposed to an **imminent** risk of harm to their health or safety.

그 동물들은 건강이나 안전에 해가 되는 목전의 위험에 노출되어 있는지도 모른다.

0009

prestigious
[prestídʒəs]

형 명성이 있는, 일류의

A lawyer working for a **prestigious** law firm accompanied the CEO of a major client to negotiate a complex deal.

명성 있는 법률회사에서 일하는 변호사가 복잡한 거래를 협상하기 위해 주 고객사의 최고 경영자와 동행했다.

0010

flock
[flɑk]

명 (새·양·염소 등의) 떼, (같은 유형의 사람들) 무리

A **flock** of seagulls were looking for something to eat on the beach.
한 떼의 갈매기들이 바닷가에서 먹을 것을 찾고 있었다.

0011

herd
[həːrd]

명 (짐승·가축의) 떼, 사람들 동 (어떤 방향으로) 이동하게 하다

A **herd** of zebras can become a dazzling display of black and white stripes. 모의
얼룩말 떼는 검은색과 흰색 줄무늬의 현란한 전시품이 될 수 있다.

0012

agent
[éidʒənt]

명 1 대리인, 에이전트 2 동인

I got a phone call from my **agent**, Bill, who was helping me publish my first novel. 모의
나는 내 대리인 Bill에게서 전화를 한 통 받았는데, 그는 내가 첫 번째 소설을 출판하는 걸 돕고 있었다.

0013

agency
[éidʒənsi]

명 1 대리점, 대행사 2 (정부) 기관

I picked up some brochures from the travel **agency**. 수능
나는 여행사에서 나온 소책자 몇 개를 집었다.

0014

exotic
[igzάtik]

형 외국의, 이국적인

Not any of the wildlife I saw were **exotic**. 수능
내가 본 야생생물 중 어떤 것도 이국적이지 않았다.

0015

diplomacy
[diplóuməsi]

명 외교(술), 외교 수완

Diplomacy aimed at public opinion can become as important to outcomes as traditional classified diplomatic communications among leaders. 모의
여론에 겨냥된 외교는 지도자들 간의 전통적인 기밀 외교 대화만큼이나 결과물에 있어 중요해질 수 있다.

0016

alchemy
[ǽlkəmi]

명 **연금술, 신비한 힘**

There was a strong interest in metals once, which was certainly influenced by **alchemy**.
한때 금속에 큰 관심이 쏠렸고, 이는 분명 연금술의 영향이었다.

◎ **alchemist** 명 연금술사

0017

loom
[luːm]

동 **어렴풋이 보이다** 명 **베틀**

A long, dark shadow **loomed** behind the horses drinking water at the stream.
길고 검은 그림자 하나가 냇가에서 물을 마시고 있는 말들 뒤로 어렴풋이 보였다.

0018

futile
[fjúːtl]

형 **헛된, 소용없는, 시시한**

Your efforts to persuade me are **futile**.
나를 설득하려는 네 노력은 소용없다.

함께 외우는 유의어

useless [júːslis] 형 쓸모없는
pointless [pɔ́intlis] 형 무의미한
vain [vein] 형 헛된

0019

nurture
[nə́ːrtʃər]

동 **양육하다** 명 **양육, 육성**

The **nurturing** and flowering of science required a large and loosely structured, competitive community to support original thought and freewheeling incentive. 수능
과학을 육성하고 꽃피우는 데에는 독창적인 사고와 자유분방한 동기를 지지하는, 크고 느슨하게 조직된 경쟁적 공동체가 필요했다.

0020

pressure
[préʃər]

명 **압력, 기압, 스트레스**

Lastly, try to keep your knees at a right angle to reduce the **pressure** on your back. 수능
끝으로, 허리에 가해지는 압력을 줄이기 위해 무릎을 바른 각도로 유지해라.

0021

nerve
[nəːrv]

명 신경, 긴장, 불안

The doctor said that he had suffered **nerve** damage and that he might never regain the full use of his right arm. 모의

의사는 그가 신경 손상을 입었으며 오른팔의 기능을 완전히 회복할 수는 없을 것이라고 말했다.

get on one's nerves ~의 신경을 거스르다

0022

colony
[kɑ́ləni]

명 1식민지 2(개미, 벌 등의) 집단, 군생 3집단 거주지

Ants carry off dead members of the **colony** to burial grounds. 모의

개미들은 집단의 죽은 구성원들을 매장지로 옮긴다.

0023

fee
[fiː]

명 수수료, 요금

The parking **fee** is $10 a day.

주차 요금은 하루에 10달러이다.

0024

persuasive
[pərswéisiv]

형 설득력 있는

Advertising relies heavily on the **persuasive** power of imagery.

광고는 이미지의 설득력에 크게 의존한다.

0025

horn
[hɔːrn]

명 1뿔 2경적

If you do have to wait for a rescue boat, you'll need a **horn** or whistle so you can easily be found. 수능

당신이 구조 보트를 기다려야만 한다면, 쉽게 발견될 수 있도록 경적이나 호루라기가 필요할 것이다.

0026

protest
[próutest]

동 항의하다 명 항의, 시위

In the 1960s, when she was in her twenties, she **protested** against the Vietnam War.

1960년대에 그녀가 이십 대였을 때, 그녀는 베트남 전쟁에 대해 항의했다.

함께 외우는 유의어

demonstrate [démənstrèit] 동 시위하다
object [ábdʒikt] 동 반대하다
oppose [əpóuz] 동 반대하다

0027

assess
[əsés]

동 ¹가늠하다 ²평가하다 ³부과하다

A huge amount of effort and technological sophistication are often employed to **assess** and communicate the size and scope of losses. 수능

손실의 규모와 범위를 가늠하고 전달하기 위해 종종 엄청난 노력과 기술적인 정교함이 사용된다.

0028

evaluate
[ivǽljuèit]

동 평가하다

Information has become a recognized entity to be measured, **evaluated**, and priced. 수능

정보는 측정되고, 평가되며, 가치가 매겨지는 실체로 인정받게 되었다.

0029

astonish
[əstániʃ]

동 깜짝 놀라게 하다

The young singer who made her debut just this year **astonished** the whole world.

겨우 올해 데뷔한 젊은 가수가 온 세상을 놀라게 했다.

● **astonished** 형 매우 놀란

0030

construct
[kənstrʌ́kt]

동 건설하다, 구성하다

People gradually **constructed** a social narrative and a collective memory of the emotional event. 수능

사람들은 차츰 그 감정적 사건의 사회적 이야기와 집단적 기억을 구축했다.

0031

convict

동 [kənvíkt]
명 [kάnvikt]

동 유죄를 선고하다 명 죄수, 재소자

He was **convicted** of leaking sensitive military information. 수능

그는 민감한 군사 정보를 누설한 것에 대해 유죄 선고를 받았다.

◎ **conviction** 명 1. 유죄 선고 2. 신념, 확신

0032

defy

[difάi]

동 반항하다, 무시하다

The designer **defied** the latest trends and made her own unique style.

그 디자이너는 최신 유행을 무시하고 자신만의 독특한 스타일을 만들었다.

0033

grasp

[græsp]

동 꽉 잡다, 움켜잡다 명 꽉 쥐기, 통제

Her fingers **grasped** the handle of the drawer and drew it forth.

그녀의 손가락이 서랍의 손잡이를 꽉 잡고 앞으로 당겼다.

0034

navigate

[nǽvəgèit]

동 [1]길을 찾다, 방향을 읽다 [2]항해하다

I **navigated** while George was driving around the town.

George가 시내 곳곳을 운전하는 동안 나는 길을 안내했다.

◎ **navigation** 명 운항, 조종 **navigator** 명 조종사, 항해사

0035

demand

[dimǽnd]

명 요구, 수요 동 요구하다

Without population control, the **demand** for resources will eventually exceed an ecosystem's ability to provide them. 모의

인구 통제가 없다면 자원에 대한 수요는 결국 생태계가 제공할 수 있는 능력을 초과하게 될 것이다.

◎ **in demand** 수요가 있는

◎ **on demand** 요구가 있으면 언제든지, 주문형의

0036

mediate

[mí:dièit]

동 1중재하다, 조정하다 2(정보 등을) 전달하다

The team manager tried to **mediate** between the coaching staff and the players.

팀 매니저는 코칭스태프와 선수들 사이를 중재하려고 애썼다.

0037

prolong

[prəlɔ́:ŋ]

동 연장하다, 길게 하다

The doctors could try to **prolong** Andrew's life through chemotherapy.

의사들은 화학 요법을 통해 Andrew의 생명을 연장하려 할 수 있었다.

0038

tend

[tend]

동 (~하는) 경향이 있다, ~하기 쉽다

Someone who just heard a piece of bad news often **tends** initially to deny what happened. 수능

나쁜 소식을 이제 막 들은 사람은 초반에는 일어난 일을 부정하는 경향이 종종 있다.

◎ **tendency** 명 성향, 기질, 추세

시험 빈출 혼동 단어

0039

wary

[wέəri]

형 경계하는, 조심성 있는

The child gave me a **wary** look and walked away.

그 아이는 나에게 경계의 눈빛을 보내고는 걸어가 버렸다.

0040

weary

[wíəri]

형 지친, 피곤한, 싫증난 동 지치게 하다

Today was especially **wearying**, and Anderson wondered whether he was really suitable for teaching. 모의

오늘은 특히 지치는 날이어서 Anderson은 그가 정말로 가르치는 일에 적합한지 의문스러웠다.

◎ **be weary of** ~에 싫증나다, 지치다

DAY 02

5회독 체크

0041

poverty
[pávərti]

명 빈곤, 가난

People may inhabit very different worlds even in the same city, according to their wealth or **poverty**.

사람들은 자신들의 부유함 혹은 빈곤함에 따라 같은 도시 안에서도 매우 다른 세상에 살 수 있다.

0042

review
[rivjúː]

명 [1]비평 [2]재검토, 복습

You're right. Let's wait for the **reviews** of the musical. 수능

네 말이 맞아. 그 뮤지컬의 평을 기다려 보자.

0043

refuge
[réfjuːdʒ]

명 피난, 도피, 피난처

Volcanic activity caused the island **refuge** to sink completely beneath the waves. 모의

화산 활동으로 인해 그 섬의 피난처가 바닷속으로 완전히 가라앉았다.

0044

advent
[ǽdvent]

명 도래, 출현

The **advent** of literacy and the creation of handwritten books strengthened the ability of large and complex ideas to spread with high fidelity. 수능

읽고 쓰는 능력이 출현하고 손으로 쓴 책이 만들어져 거대하고 복잡한 사상이 충실히 퍼질 수 있는 역량을 강화했다.

0045

abbreviate
[əbríːvièit]

동 축약하다, 줄이다

Bicycle is **abbreviated** as *bike*.

'Bicycle'은 'bike'로 축약된다.

0046

measure

[méʒər]

동 ¹측정하다 ²판단하다 명 ¹측정, 치수 ²조치

We often fail to take appropriate **measures** to reduce potential losses from natural disasters. 수능

우리는 자연재해로 인한 잠재적인 손실을 줄이기 위한 적절한 조치를 취하지 못할 때가 종종 있다.

- **take measures** 조치를 취하다 (= take action)
- **beyond measure** 대단히

함께 외우는 유의어

estimate [éstimèit] 동 추산하다
calculate [kǽlkjulèit] 동 계산하다
evaluate [ivǽljuèit] 동 평가하다

0047

ethic

[éθik]

명 도덕, 윤리

For example, you should know the company's vision, its basic principles, and work **ethics**. 수능

예를 들어, 당신은 그 회사의 비전과 기본 원칙, 업무 윤리를 알아야 한다.

0048

representative

[rèprizéntətiv]

명 대표, 대리인

The **representatives** for each ward in the capital had to be responsive to citizens organized in this way. 모의

수도에 있는 각 구의 대표들은 이런 방식으로 조직된 시민들에게 즉각 반응해야 했다.

0049

oral

[ɔ́:rəl]

형 구두의, 구전의, 구술의

So the teacher reinforces this particular language pattern in subsequent **oral** work with the whole class. 모의

그래서 교사는 학급 전체를 대상으로 하는 이후의 구두 수업에 이 특정한 언어 유형을 강화한다.

0050

bystander

[báistæ̀ndər]

명 구경꾼, 행인

Bystanders saved the girl under the car by lifting it together.

행인들이 함께 차를 들어 올려 그 아래 있던 소녀를 구했다.

0051

boundary
[báundəri]

명 경계, 분계선

In many situations, the **boundary** between good and bad is a reference point that changes over time and depends on the immediate circumstances. 수능

많은 상황에서, 좋고 나쁨의 경계는 시간에 따라 변하고 직면한 환경에 따라 달라지는 기준이다.

0052

outcome
[áutkʌ̀m]

명 결과

Sometimes all the **outcomes** customers are trying to achieve in one area have a negative effect on other outcomes. 수능

때로 소비자들이 한 분야에서 얻으려고 노력하는 모든 결과는 다른 결과에 부정적인 영향을 미친다.

0053

outrage
[áutreidʒ]

명 격분, 난폭, 폭행 동 격분하게 하다

The crowd at the square was **outraged**, chanting anti-violence slogans.

광장의 군중은 반폭력 구호를 외치며 격분한 상태였다.

0054

advantage
[ədvǽntidʒ]

명 이점, 장점

It would not have taken long for mankind to apply this **advantage** to other goods. 수능

인류가 이 이점을 다른 물품에 적용하는 데에는 오랜 시간이 걸리지 않았을 것이다.

0055

amid
[əmíd]

전 ~의 가운데에

A boy was standing **amid** the ruins of a house damaged during a tornado.

한 소년이 토네이도가 왔을 때 부서진 집의 잔해 가운데에 서 있었다.

0056

moss
[mɔːs]

명 이끼

The walls of the water tank were covered with **moss**.
수조의 벽면은 이끼로 덮여 있었다.

0057

element
[éləmənt]

명 요소, 성분, 원소

A defining **element** of catastrophes is the magnitude of their harmful consequences. 수능
참사를 정의하는 요소 하나는 그 폐해의 규모이다.

elementary 형 초급의, 기본적인

함께 외우는 유의어

component [kəmpóunənt] 명 구성 요소, 성분
factor [fǽktər] 명 요소

0058

peril
[pérəl]

명 위험, 유해함

Polar bears are in **peril** because sea ice in the Arctic Ocean is melting rapidly.
북극해의 해빙이 빠르게 녹고 있어서 북극곰은 위험에 처해 있다.

at one's peril 위험을 각오하고

0059

parliament
[pɑ́ːrləmənt]

명 의회, 국회

Mr. Stevenson first entered the **parliament** as a senator in 1992.
Stevenson 씨는 1992년에 상원의원으로 처음 의회에 들어갔다.

0060

objection
[əbdʒékʃən]

명 이의, 반대

Do you have any **objections** to the use of your personal data?
당신의 개인적인 자료를 사용하는 것에 이의가 있습니까?

object 동 반대하다, 이의를 제기하다

0061

celebrity
[səlébrəti]

명 [1]유명 인사 [2]명성

In the instability of American democracy, poetic fame would be dependent on **celebrity**, on the degree to which the people rejoiced in the poet and his work. 수능

미국 민주주의의 불안정함 속에서 시적 명성은 인기도, 즉 사람들이 그 시인과 그의 작품에 기뻐하는 정도에 의해 좌우될 것이었다.

0062

fluid
[flú:id]

명 유동체, 체액 형 유동적인

The bodily **fluids** of aquatic animals show a strong similarity to oceans. 모의

수생동물의 체액은 바닷물과 강한 유사성을 보인다.

0063

slave
[sleiv]

명 노예, ~에 사로잡힌 사람

In Aristotle's system, women, **slaves**, and foreigners were explicitly excluded from the right to rule themselves and others. 모의

아리스토텔레스의 체계에서 여성, 노예, 외국인은 스스로와 타인을 지배할 권리에서 명시적으로 제외되었다.

◎ **slavery** 명 노예 제도

0064

abide
[əbáid]

동 [1]머무르다 [2](부정문·의문문에서) 견디다, 참다

William said he couldn't **abide** conspiracy theories.

William은 음모론을 견딜 수 없다고 말했다.

0065

discriminate
[diskrímənèit]

동 [1]구별하다 [2]차별 대우하다

The dog already knows how to **discriminate** one scent from another. 모의

개는 하나의 냄새를 다른 것과 구별하는 법을 이미 알고 있다.

0066

install
[instɔ́:l]

동 설치하다

More than 100,000 listeners have **installed** our radio app on their smart phones to listen to our programs. 수능
10만 명이 넘는 청취자들이 우리 프로그램을 듣기 위해 스마트폰에 우리 라디오 앱을 설치했다.

0067

shudder
[ʃʌ́dər]

동 몸을 떨다, 진저리치다

The shopkeeper saw the old lady **shuddering** with cold and got her inside the shop.
가게 주인은 늙은 여인이 추위로 떠는 것을 보고 가게 안에 들어오게 했다.

함께 외우는 유의어

shiver [ʃívər] 동 떨다, 전율하다
quiver [kwívər] 동 떨다
tremble [trémbl] 동 떨다, 흔들리다

0068

legalize
[lí:gəlàiz]

동 합법화하다

Belgium **legalized** euthanasia in 2002 for patients suffering "unbearably" from any "untreatable" medical condition.
벨기에는 2002년에 '치료 불가능한' 의학적 상태로 인해 '견디기 어려운' 고통을 겪는 환자들의 안락사를 합법화했다.

0069

legislate
[lédʒislèit]

동 법률을 제정하다

The government **legislated** to strengthen intellectual property rights.
정부는 지적재산권을 강화하기 위해 법을 제정했다.

0070

abolish
[əbɑ́liʃ]

동 폐지하다, 철폐하다

I am disappointed that scientific progress has not cured the world's ills by **abolishing** wars and starvation. 수능
나는 과학의 발전이 전쟁과 기아를 끝냄으로써 세상의 병폐를 치유하지 못했다는 것이 실망스럽다.

0071

participate

[pɑːrtísəpèit]

동 참가하다, 참여하다

The website says four countries are going to **participate** this year. 수능

웹사이트에 따르면 올해에는 4개국이 참여할 것이라고 한다.

0072

perish

[périʃ]

동 죽다, 소멸하다

Up to 250 pigs on the farm **perished** in the fire.

그 농장에서 최대 250마리의 돼지가 화재로 죽었다.

0073

suggest

[səgdʒést]

동 1제안하다 2추천하다 3시사하다, 암시하다

Steve wants to **suggest** to Cathy that she emphasize her volunteer work related to translation.

Steve는 Cathy에게 번역과 관련된 그녀의 봉사활동 경력을 강조하기를 제안하고 싶다.

함께 외우는 유의어

advise [ædváiz] 동 조언하다
propose [prəpóuz] 동 제안하다
indicate [índikèit] 동 가리키다, 나타내다

0074

purify

[pjúrifài]

동 정화하다, 정제하다

You can **purify** indoor air with plants instead of using an expensive air cleaner.

값비싼 공기청정기를 사용하는 대신 식물로 실내 공기를 정화할 수 있다.

0075

recite

[risáit]

동 암송하다, 나열하다

The poem I **recited** in English class was "O Captain! My Captain!" by Walt Whitman.

내가 영어 수업 시간에 암송한 시는 월트 휘트먼의 'O Captain! My Captain!'이었다.

◎ **recital** 명 연주회, 발표회

0076

reflect
[riflékt]

동 비추다, 반사하다, 반영하다

Maps do indeed **reflect** the world views of either their makers or the supporters of their makers. 수능

지도는 분명 지도 제작자나 제작자의 후원자가 세계를 보는 시각을 반영한다.

0077

salute
[səlúːt]

동 경례하다, 경의를 표하다

We **salute** your loyalty and commitment to our nation.

우리는 국가에 대한 여러분의 충성과 헌신에 경의를 표합니다.

0078

vapor
[véipər]

명 증기 동 증발하다, 발산시키다

Water **vapor** rose from the wet ground.

젖은 땅에서 수증기가 피어올랐다.

◎ **vaporize** 동 증발하다, 기화하다

시험 빈출 반의어

0079

previous
[príːviəs]

형 이전의, (이야기 중인 시간) 바로 앞의

Perhaps the best salesperson in the year had only a 3% drop in sales over the **previous** year. 수능

아마 그해 최고의 판매자는 매출이 전년도에 비해 3%만 하락했을 것이다.

0080

subsequent
[sʌ́bsikwənt]

형 그 다음의, 뒤이은

One outcome of Enron's **subsequent** financial collapse was the introduction of new regulations designed to improve the reliability of the information that companies must provide to the public. 고의

Enron사의 뒤이은 재정 붕괴로 인한 결과 하나는 기업이 대중에게 제공해야 하는 정보의 신뢰성을 높이도록 만들어진 새로운 규제의 도입이었다.

◎ **subsequently** 부 나중에

바로 테스트

DAY 01-02

정답 434쪽

영어는 우리말로, 우리말은 영어로 쓰세요.

01 phenomenon
02 diplomacy
03 construct
04 alchemy
05 assess
06 refuge
07 outrage
08 celebrity
09 recite
10 protest
11 peril
12 antipathy
13 tend
14 measure
15 abide
16 bystander
17 astonish
18 purify
19 advent
20 objection
21 길을 찾다, 항해하다
22 외국의, 이국적인
23 ~의 가운데에
24 설치하다
25 도덕, 윤리
26 중재하다
27 수수료, 요금
28 요소, 성분
29 유동체; 유동적인
30 증기; 증발하다
31 연장하다
32 양육하다
33 경계, 분계선
34 요구, 수요
35 과잉, 흑자
36 혜택을 못 받는
37 구별하다, 차별 대우하다
38 몸을 떨다
39 명성이 있는, 일류의
40 임박한, 목전의

괄호 안에서 알맞은 말을 고르세요.

41 They were (wary / weary) of the noisy, crowded city.

42 We had to make better sales that year than the (previous / subsequent) year.

DAY 03

5회독 체크

0081

context
[kάntekst]

명 맥락, 정황

True understanding inevitably requires a knowledge of **context**. 모의

진정한 이해는 필연적으로 맥락에 대한 지식을 요구한다.

0082

chronic
[krάnik]

형 만성적인, 버릇이 된

People with **chronic** kidney disease are at increased risk of heart disease and deteriorating kidney health.

만성 신장 질환이 있는 사람들은 심장병과 신장 건강 악화의 위험성이 증가한 상태에 있다.

◎ **acute** 형 급성의

0083

controversy
[kάntrəvə̀:rsi]

명 논란, 논쟁

The documentary film provoked an intense **controversy** in Korea.

그 다큐멘터리 영화는 한국에서 격렬한 논쟁을 일으켰다.

0084

controversial
[kὰntrəvə́:rʃəl]

형 논란이 많은

Students need to have more chances to discuss **controversial** topics in school.

학교에서 학생들은 논란이 많은 주제로 토론할 기회를 더 가져야 한다.

0085

satire
[sǽtaiər]

명 풍자, 풍자문학

According to him, a cartoon is a strong tool for highlighting social and political problems through **satire**.

그에 따르면 카툰은 풍자를 통해 사회적, 정치적 문제점을 조명하는 강력한 도구이다.

0086

abundant
[əbʌ́ndənt]

형 풍부한

At first, the locusts continue to be loners, just feasting off the **abundant** food supply. 모의

처음엔 메뚜기들이 단독 생활을 계속하며 풍부한 먹이 공급을 누린다.

0087

paralysis
[pərǽləsis]

명 마비

Those patients have suffered **paralysis** as the result of car accidents.

그 환자들은 교통사고의 결과로 마비를 겪어 왔다.

- **paralyze** 동 마비시키다

0088

equivalent
[ikwívələnt]

형 동등한, 상응하는 명 등가물

The spread of ideas by word of mouth was **equivalent** to a game of telephone on a global scale. 수능

구술을 통한 사상의 전파란 전 세계적 규모로 볼 때에는 전화 놀이를 하는 것과 마찬가지였다.

- **equivalent to** ~에 맞먹는, 상응하는

0089

contemporary
[kəntémpərèri]

형 동시대의, 현대의

The origins of **contemporary** Western thought can be traced back to the golden age of ancient Greece. 모의

현대 서구 사상의 기원은 고대 그리스의 황금기까지 거슬러 올라갈 수 있다.

0090

congress
[kɑ́ŋgris]

명 국회, 의회, 회의

The **congress** is organized and held on a rotating 2 year basis.

총회는 2년 주기로 조직되고 개최된다.

0091

retrospect
[rétrəspèkt]

명 **회상, 회고**

In **retrospect**, they probably made a poor choice. 수능
돌이켜 생각해 보면 그들은 아마도 잘못된 선택을 했던 것이다.

◎ **in retrospect** 돌이켜 생각하면

0092

rational
[rǽʃənl]

형 **합리적인, 이성적인**

Most of us have a general, **rational** sense of what to eat and when. 모의
우리들 대부분은 무엇을 먹어야 할지, 언제 먹어야 할지에 대해 보편적이고 합리적인 감각을 갖고 있다.

0093

fatigue
[fətíːg]

명 **피로**

Leaving little time for ourselves can lead to unmanaged stress, frustration, **fatigue**, resentment, or health issues. 모의
스스로에게 시간을 거의 할애하지 않으면, 조절되지 않는 스트레스, 좌절감, 피로, 분노, 또는 건강 문제로 이어질 수 있다.

함께 외우는 유의어

exhaustion [igzɔ́ːstʃən] 명 피로
weariness [wíərinis] 명 피로

0094

monetary
[mɑ́ːnətèri]

형 **통화의, 화폐의**

The World Bank has played a large role in the maintenance of a stable international **monetary** system.
세계은행은 안정적인 국제 통화 체계 유지에 큰 역할을 담당해 왔다.

0095

currency
[kə́ːrənsi]

명 **통화, 통용**

Writing is today's **currency** for good ideas. 모의
글쓰기는 좋은 아이디어를 위한 오늘날의 통화이다.

◎ **current** 형 현재의, 통용되는 명 흐름, 해류

0096

fatal
[féitl]

형 치명적인, 돌이킬 수 없는

The mistake was a **fatal** one, and it was all over. 모의
그 실수는 치명적인 것이어서, 전부 끝났다.

◎ **fatality** 명 사망자, 치사율

0097

discourse
[dískɔːrs]

명 담론, 담화

We will surely encounter more and more **discourses** about diversity.
우리는 다양성에 관한 담론을 분명히 점점 더 많이 접할 것이다.

0098

deduction
[didʌ́kʃən]

명 [1]추론, 추정 [2]공제

You are getting a monthly salary after the **deduction** of income-tax.
너는 소득세를 공제하고 월급을 받고 있다.

◎ **deduct** 동 공제하다, 차감하다

0099

abstain
[æbstéin]

동 [1]절제하다 [2]기권하다

I will choose to **abstain** instead of voting for or against the policy.
나는 그 정책에 찬성이나 반대표를 던지는 대신 기권을 선택할 것이다.

0100

legitimate
[lidʒítimət]

형 정당한, 타당한, 합법적인

To be disappointed that our progress in understanding has not remedied the social ills of the world is a **legitimate** view. 수능
이해에 있어서 우리의 진보가 세계의 사회적 병폐를 해결하지 못했다는 것에 실망하는 것은 타당한 견해이다.

0101

regime
[rəʒíːm]

명 정권, 제도, 체제

Playing tug with a dog is a more powerful emotional reward in a training **regime** than just giving a dog a food treat. 모의

개와 잡아당기기 놀이를 하는 것이 단순히 개에게 먹이 선물을 주는 것보다 훈련 체제에 있어 더 강력한 정서적 보상이다.

0102

indulgent
[indʌ́ldʒənt]

형 관대한, 제멋대로 하게 하는

We tend to be too **indulgent** of those who can claim victim status.

우리는 피해자 신분을 주장할 수 있는 사람들에게 지나치게 관대한 경향이 있다.

0103

reconcile
[rékənsàil]

동 조화시키다, 화해시키다, 받아들이다

His discovery cannot be **reconciled** with the conventional theory.

그가 발견한 것은 전통적 이론과 조화될 수 없다.

0104

coordinate
[kouɔ́ːrdənèit]

동 1 조정하다, 조직화하다 2 (옷차림 등을) 꾸미다

These appear to be specific evolved mechanisms, designed to **coordinate** consumption patterns with physical needs. 수능

이것들은 신체적 요구에 따라 소비 양식을 조정하기 위해 설계된 특유의 진화 방식으로 보인다.

0105

archive
[ɑ́ːrkaiv]

명 기록 보관소 동 기록 보관소에 보관하다

Sometimes researchers have to search **archives** of aerial photographs to get information from that past that pre-date the collection of satellite imagery. 수능

때로 연구자들은 위성 사진 수집에 앞서는 과거의 정보를 얻기 위해 항공 사진 기록 보관소에서 검색해야 한다.

0106

prohibit
[prouhíbit]

동 금지하다, ~하지 못하게 하다

The government decided to **prohibit** the use of those chemicals in food production and preservation.
정부는 식품 생산과 보존에 그 화학물질을 사용하는 것을 금지하기로 했다.

0107

flee
[fli:]

동 달아나다, 도망치다

If the **fleeing** Nazis had destroyed the Ponte Vecchio during World War II, she would have never seen it. 모의
제2차 세계 대전 중에 달아나던 나치가 폰테 베키오(베키오 다리)를 파괴했다면, 그녀는 그것을 결코 보지 못했을 것이다.

0108

protect
[prətékt]

동 보호하다, 지키다

Small animals have developed useful weapons such as poison to **protect** themselves in the wild. 수능
작은 동물들은 야생에서 스스로를 보호할 수 있도록 독과 같은 유용한 무기를 발전시켰다.

0109

affirm
[əfə́:rm]

동 단언하다, 확인하다

In much of social science, evidence is used only to **affirm** a particular theory. 수능
사회 과학의 많은 부분에서 증거는 특정 이론을 확언하기 위해서만 사용된다.

함께 외우는 유의어

verify [vérəfài] 동 확인하다, 입증하다
confirm [kənfə́:rm] 동 확인하다, 확정하다

0110

explore
[iksplɔ́:r]

동 탐험하다

During this period, the students who join this tour will visit five cities and **explore** their various historic sites. 모의
이 기간에 이 여행에 참여하는 학생들은 다섯 개 도시를 방문해서 그 도시들의 다양한 역사적인 장소를 답사하게 될 것이다.

0111

exhibit

[igzíbit]

동 전시하다, 나타내다 명 전시품

Paintings, ceramic works, and photographs submitted by students will be **exhibited**. 수능

학생들이 제출한 그림, 도자기 작품, 사진이 전시될 것이다.

◎ **exhibition** 명 전시(회)

0112

convey

[kənvéi]

동 전달하다, 운반하다, 수송하다

It is very important to clearly **convey** your opinions on a sensitive topic to others.

민감한 주제에 관해 네 의견을 다른 사람들에게 명확하게 전달하는 것은 매우 중요하다.

0113

decorate

[dékərèit]

동 장식하다, 꾸미다

We can **decorate** the classroom before the party. 수능

우리는 파티 전에 교실을 장식할 수 있다.

0114

refine

[rifáin]

동 정제하다, 개선하다

Although not the explicit goal, the best science can really be seen as **refining** ignorance. 수능

비록 명백한 목표는 아니지만, 최고의 과학은 실로 무지를 개선하는 것으로 여겨질 수 있다.

0115

alter

[ɔ́ːltə*r*]

동 변하다, 바꾸다, 고치다

Their images are recorded on separate strips that can be shortened, **altered**, and assembled according to the director's will. 수능

그것들의 이미지는 감독의 의지에 따라 줄이고, 고치고, 조합할 수 있는 별개의 필름 조각에 기록된다.

0116

exert
[igzə́:rt]

동 (권력·영향력을) 행사하다, 발휘하다

Society, through ethical and economic constraints, **exerts** a powerful influence on what science accomplishes.
사회는 윤리적, 경제적 제약을 통해 과학이 성취하는 것에 강력한 영향력을 행사한다.

0117

internal
[intə́:rnl]

형 [1]내부의, 체내의 [2]국내의

It has always been assumed that cicadas must rely on an **internal** clock. 수능
매미는 체내 시계에 의존하는 것이 분명하다고 항상 추정되어 왔다.

0118

external
[ikstə́:rnl]

형 [1]외부의, 외면의 [2]대외의

Monumentality is not a matter of **external** weight, but of "inner weight." 수능
기념비적 가치는 외적 무게의 문제가 아니라 '내적 무게'의 문제이다.

시험 빈출 혼동 단어

0119

alternative
[ɔ:ltə́:rnətiv]

명 대안 형 대신의, 대안적인

In both 2010 and 2015, the sales of vegetarian meat **alternatives** were the lowest among the four types of ethical produce. 수능
2010년과 2015년 모두 채식주의자용 육류 대체품의 판매는 네 가지 유형의 윤리적 농산물 중에서 가장 낮았다.

0120

affirmative
[əfə́:rmətiv]

형 긍정의, 동의하는 명 긍정적 대답, 동의

More than 60% of the respondents replied to the question in the **affirmative**.
60%가 넘는 응답자가 그 질문에 긍정적으로 답했다.

○ **affirmative action** 차별 철폐 조치

DAY 04

5회독 체크

0121

inborn
[inbɔ́ːrn]

형 타고난, 선천적인

Erikson believes that another distinguishing feature of adulthood is the emergence of an **inborn** desire to teach. 모의

Erikson은 성인기의 또 다른 눈에 띄는 특징은 가르치려는 선천적 욕구의 출현이라고 믿는다.

0122

innate
[inéit]

형 타고난, 선천적인

Our **innate** stubbornness refuses to permit us to accept the criticism we are receiving. 모의

우리의 선천적인 고집이 우리가 받는 비판을 수용하도록 허락하길 거부한다.

0123

mutant
[mjúːtnt]

형 돌연변이의 명 돌연변이체, 변종

New species are merely **mutants** of earlier ones.

새로운 종은 이전 종의 돌연변이일 뿐이다.

0124

skeletal
[skélitl]

형 뼈대의, 골격만 있는

The **skeletal** system protects the body by enclosing the vital organs.

골격 구조는 필수적인 기관을 둘러쌈으로써 신체를 보호한다.

0125

spine
[spain]

명 [1]척추, 등뼈 [2](식물의) 가시

My grandfather's **spine** was twisted so badly that he could hardly walk.

우리 할아버지는 척추가 너무 심하게 뒤틀려서 거의 걷지를 못하셨다.

◎ **spinal** 형 척추의

0126

posterior
[pastíəriər]

형 뒤의, 뒤쪽에 있는

The tongue helps to push food toward the **posterior** part of the mouth for swallowing.
혀는 음식물을 삼킬 수 있도록 구강의 뒷부분으로 미는 것을 돕는다.

anterior 형 앞의, 앞쪽의

0127

potential
[pəténʃəl]

형 가능성이 있는, 잠재적인 명 잠재력

They think your proposal has great **potential**. 수능
그들은 너의 제안에 굉장한 잠재력이 있다고 생각해.

0128

reckon
[rékən]

동 [1](수를) 세다, 계산하다 [2]간주하다, 평가하다

The population of the metropolitan area of Seoul, Incheon, and Gyeonggi-do is **reckoned** to be 26 million.
서울, 인천, 경기도의 수도권 인구는 2600만 명으로 추산된다.

함께 외우는 유의어

count [kaunt] 동 세다
figure [fígjər] 동 계산하다
consider [kənsídər] 동 간주하다

0129

stance
[stæns]

명 입장, 태도, 자세

The sense of tone and music in another's voice gives us an enormous amount of information about that person's **stance** toward life. 수능
다른 사람의 목소리에 담긴 어조와 음악적 감각은 우리에게 그 사람의 삶에 대한 태도에 관한 대량의 정보를 준다.

take a ~ stance ~한 태도를 취하다

0130

intact
[intǽkt]

형 온전한, 전혀 다치지 않은

The entire original script of the play remains **intact** without any alteration or modification on the website.
그 연극의 원래 대본 전체가 변경이나 수정 없이 온전히 웹사이트에 남아 있다.

0131

clan
[klæn]

명 씨족[문중], 집단

The clanhouse usually consists of a room adjoining the dwelling of the senior female member of the **clan**. 모의
씨족 회관은 대개 그 씨족의 여성 연장자의 거처와 인접한 방으로 구성된다.

0132

prudent
[prú:dnt]

형 신중한

I think you need to be more **prudent** on how you spend your money.
나는 네가 돈을 쓰는 법에 있어서 더 신중할 필요가 있다고 생각해.

0133

boost
[bu:st]

동 북돋우다, 신장시키다 명 격려, 부양책, 밀어올림

The printing press **boosted** the power of ideas to copy themselves. 수능
인쇄기는 생각이 스스로를 복제하는 능력을 신장시켰다.

0134

accordance
[əkɔ́:rdns]

명 일치, 조화

Their internal clocks continue to run in **accordance** with the place they left behind, not the one to which they have come. 모의
그들의 체내 시계는 그들이 도착한 장소가 아닌, 떠나온 장소에 맞춰 계속 작동한다.

- **in accordance with** ~에 맞춰, 부합하여

0135

beneath
[biní:θ]

전 ~의 아래에, 밑에

You may notice ideologies lying **beneath** the objectivity of maps. 수능
여러분은 지도의 객관성 아래 놓인 이념을 알아차릴지도 모른다.

0136

advocacy
[ǽdvəkəsi]

명 **옹호, 지지, 변호**

She is well-known among students for her **advocacy** of using comic books to encourage reading.
그녀는 독서를 장려하기 위한 만화책 사용을 옹호하여 학생들 사이에서는 잘 알려져 있다.

◎ **advocate** 동 지지하다, 변호하다 명 지지자, 변호사

0137

era
[íərə]

명 **시대**

This heater is an old-fashioned thing designed for an **era** of cheap energy.
이 난로는 저렴한 에너지 시대를 위해 만들어졌던 구식 물건이다.

0138

toxic
[tάksik]

형 **유독성의, 유독한**

The failure to detect spoiled or **toxic** food can have deadly consequences. 수능
상하거나 독성이 있는 식품을 감지하는 데 실패하면 치명적인 결과를 초래할 수 있다.

함께 외우는 유의어

poisonous [pɔ́izənəs] 형 독성이 있는
harmful [hάːrmfəl] 형 해가 되는
deadly [dédli] 형 치명적인

0139

synonym
[sínənim]

명 **동의어, 유의어**

Say as many **synonyms** for "happy" as you can.
'행복한'의 유의어를 가능한 한 많이 대 보세요.

◎ **antonym** 명 반의어

0140

throne
[θroun]

명 **왕좌, 왕권**

The prince refused to ascend the **throne**.
왕자는 왕좌에 오르기를 거부했다.

0141 ●●●●●

apt
[æpt]

형 [1]적절한 [2]~하는 경향이 있는

The singer is **apt** to embellish that vocal line to give it a "styling." 모의
가수는 노래에 스타일을 가미하려고 보컬 멜로디를 윤색하는 경향이 있다.

● **be apt to** ~하는 경향이 있다

0142 ●●●●●

ecology
[ikɑ́lədʒi]

명 생태, 생태학

It is these sorts of unexpected complexities and apparent contradictions that make **ecology** so interesting. 모의
생태학을 매우 흥미롭게 만드는 것은 이 같은 종류의 예상치 못한 복잡성과 명백한 모순이다.

● **ecologist** 명 생태학자

0143 ●●●●●

tension
[ténʃən]

명 긴장, 불안, 긴장 상태

They mostly agree with each other, but when they don't, they try to ease the **tension** by discussing their ideas. 수능
그들은 대부분 서로에게 동의하지만, 그렇지 않을 때에는 자신들의 견해를 토론하며 긴장을 완화하려 한다.

0144 ●●●●●

agitated
[ǽdʒitèitid]

형 동요하는, 불안해하는

The nurse said that the patient had been **agitated** and restless through the night.
간호사는 환자가 밤새 불안해하고 잠들지 못했다고 말했다.

0145 ●●●●●

separate
동 [sépərèit]
형 [sépərət]

동 분리하다, 분류하다 형 떨어진, 개별적인

1950s critics **separated** themselves from the masses. 모의
1950년대의 평론가들은 대중과 자기 자신들을 분리했다.

0146

dense

[dens]

형 **빽빽한, 밀집한**

This species of bird usually places nests on bamboo stalks in **dense** bamboo thickets.

이 종의 새는 대개 빽빽한 대나무 숲속의 대나무 줄기 위에 둥지를 만든다.

◎ **density** 명 밀도

0147

fertile

[fə́ːrtl]

형 **비옥한, 생식력이 있는**

Most of the land was **fertile** and rich with ripening corn.

그 토지의 대부분은 비옥했고 익어가는 옥수수로 풍족했다.

함께 외우는 유의어

productive [prədʌ́ktiv] 형 생산력이 있는
prolific [prəlífik] 형 다산의, 비옥한
abundant [əbʌ́ndənt] 형 풍부한, 풍족한

0148

abhor

[æbhɔ́ːr]

동 **혐오하다, 질색하다**

Most people **abhor** war and love peace.

대부분의 사람들은 전쟁을 혐오하고 평화를 사랑한다.

0149

assign

[əsáin]

동 **(일·책임 등을) 맡기다, 부과하다**

Let me **assign** this work to the other teachers. 수능

이 일은 다른 교사들에게 맡기도록 할게요.

◎ **assignment** 명 과제, 임무, 배치

0150

assure

[əʃúər]

동 **보증하다, 안심시키다, 확신하다**

Helen wants to **assure** the customer by suggesting that she'll keep the shirt until he comes back. 모의

Helen은 손님이 돌아올 때까지 셔츠를 맡아 놓겠다고 제안하여 그를 안심시키고 싶다.

0151

arbitrary
[ɑ́ːrbətrèri]

형 임의의, 독단적인

Numerous dots were scattered on the canvas in an **arbitrary** way.
수많은 점들이 캔버스 위에 임의적으로 흩어져 있었다.

0152

deplete
[diplíːt]

동 대폭 감소시키다, 고갈시키다

They increase their intake of sweets and water when their energy and fluids become **depleted**. 수능
그들은 에너지와 체액이 고갈되면 단 것과 물의 섭취를 늘린다.

함께 외우는 유의어

drain [drein] 동 고갈시키다
exhaust [igzɔ́ːst] 동 다 써버리다
use up 다 써버리다

0153

dine
[dain]

동 식사를 하다, 만찬을 들다

Wilderness **dining** has two extremes: gourmet eaters and survival eaters. 수능
야생에서의 식사는 미식을 즐기는 사람과 생존을 위해 먹는 사람이라는 양극단으로 나뉜다.

0154

endeavor
[indévər]

명 노력, 시도 동 노력하다

Therefore, the extended copyright protection frustrates new creative **endeavors** such as including poetry and song lyrics on Internet sites. 수능
그러므로 저작권 보호 기간 연장은 인터넷 사이트에서 시나 노래 가사를 포함시키는 것과 같은 새로운 창의적 시도를 좌절시킨다.

0155

enhance
[inhǽns]

동 높이다, 향상시키다

Identifying what we can do in the workplace serves to **enhance** the quality of our professional career. 수능
직장에서 우리가 무엇을 할 수 있는지 발견하는 것이 직업상 경력의 질을 향상시키는 데 도움이 된다.

0156

excavate
[ékskəvèit]

동 **발굴하다, 출토하다**

They could catalog all the finds from an eleventh-century AD wreck they had **excavated**. 수능

그들은 그들이 발굴한 서기 11세기의 난파선에서 나온 발견물을 모두 목록화할 수 있었다.

0157

refuse
[rifjú:z]

동 **거절하다, 거부하다**

He can take what's offered or **refuse** to take anything. 모의

그는 제안된 것을 받거나 그 무엇도 받기를 거절할 수 있다.

refusal 명 거절

0158

scorn
[skɔ:rn]

동 **경멸하다, 멸시하다** 명 **경멸, 멸시**

In the end, the person you had **scorned** saved your life from that accident.

결국에는 네가 경멸했던 사람이 그 사고에서 네 목숨을 구했다.

시험 빈출 혼동 단어

0159

confirm
[kənfə́:rm]

동 **확인하다, 확정하다**

I'm calling to **confirm** your trip to New York next week. 모의

저는 다음 주 당신의 뉴욕 여행을 확정하려고 전화를 드렸습니다.

0160

conform
[kənfɔ́:rm]

동 **순응하다, (관습 등에) 따르다**

Larger groups put more pressure on their members to **conform**. 수능

더 큰 집단은 구성원들에게 순응하도록 더 많은 압력을 가한다.

conformity 명 순응, 따름

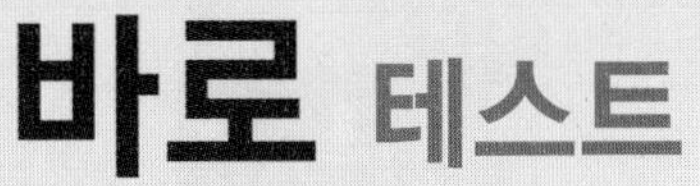

정답 434쪽

영어는 우리말로, 우리말은 영어로 쓰세요.

01 rational
02 prohibit
03 convey
04 prudent
05 ecology
06 abhor
07 mutant
08 fatigue
09 controversy
10 reconcile
11 fatal
12 equivalent
13 arbitrary
14 potential
15 posterior
16 agitated
17 enhance
18 toxic
19 intact
20 currency
21 정당한, 합법적인
22 보호하다, 지키다
23 추론, 추정, 공제
24 맥락, 정황
25 관대한, 제멋대로 하게 하는
26 정권, 제도
27 만성적인
28 (일·책임 등을) 맡기다, 부과하다
29 정제하다, 개선하다
30 긴장, 불안
31 일치, 조화
32 비옥한, 생식력이 있는
33 거절하다, 거부하다
34 내부의, 국내의
35 담론, 담화
36 통화의, 화폐의
37 절제하다, 기권하다
38 북돋우다
39 보증하다, 확신하다
40 경멸하다; 멸시

괄호 안에서 알맞은 말을 고르세요.

41 This new technology can provide (alternative / affirmative) energy sources.

42 The weather report has (conformed / confirmed) that it will rain tomorrow.

DAY 05

5회독 체크

0161

president
[prézədənt]

명 대통령, 회장

Steve's teacher came up to him to ask if he wanted to run for student **president**. 수능

Steve의 선생님이 그에게 와서 그가 학생회장에 출마하고 싶은지 물었다.

- **be elected president** 대통령에 당선되다

0162

agriculture
[ǽgrəkʌ̀ltʃər]

명 농업

In the less developed world, the percentage of the population involved in **agriculture** is declining. 수능

개발도상국들에서 농업에 관련된 인구의 비율이 줄고 있다.

0163

vegetation
[vèdʒətéiʃən]

명 초목, 식물

Once the **vegetation** has started to recover, animals will travel into the newly regenerated area. 모의

일단 초목이 회복하기 시작하면 동물들은 새로 재생된 지역으로 이동할 것이다.

0164

nasty
[nǽsti]

형 못된, 끔찍한

Don't be **nasty** to your siblings.

형제자매들에게 못되게 굴지 마라.

0165

optimal
[ɑ́ptiməl]

형 최선의, 최적의

In fact, the **optimal** time for introducing MST may be when athletes are first beginning their sport. 모의

사실상, 정신 능력 훈련(MST: mental skills training)을 도입하기 위한 최적의 시기는 선수들이 처음 운동을 시작할 때일지도 모른다.

0166

convention

[kənvénʃən]

명 [1]관습, 전통 [2]대회

The increasing social pressure discourages us from committing ourselves to shared social **conventions** of behavior. 모의

증가하는 사회적 압력은 우리가 행위에 관해 공유되어 있는 사회적 관습에 충실하지 못하게 한다.

◎ **conventional** 형 관례의, 전통적인, 종래의

0167

distraction

[distrǽkʃən]

명 집중을 방해하는 것, 기분 전환

Working at home can free you from these **distractions**, giving you long blocks of time to focus on your work. 수능

재택근무는 당신을 이러한 방해 요소들로부터 자유롭게 하여 일에 집중할 수 있는 장시간의 구간을 준다.

◎ **distract** 동 주의를 딴데로 돌리다, 산만하게 하다

0168

masculine

[mǽskjulin]

형 남성의, 남자 같은

The Spanish word *autobus* for "bus" is a **masculine** noun.

'버스'를 뜻하는 스페인어 autobus는 남성형 명사이다.

0169

ascent

[əsént]

명 올라감, 상승

The team soon encountered heavy winds and freezing rain as they began their **ascent** of the mountain.

그 팀은 등반을 시작하면서 곧 강풍과 얼음 비를 만났다.

◎ **ascend** 동 올라가다, 상승하다

◎ **descent** 명 하강

0170

proficient

[prəfíʃənt]

형 능숙한, 능한

"Jack-of-all-trades" refers to those who claim to be **proficient** at countless tasks.

'만물박사'는 수많은 일에 능하다고 주장하는 사람들을 가리킨다.

0171

diffuse
[difjúːz]

형 널리 퍼진, 분산된 동 분산시키다, 퍼뜨리다

Federalism is one of the ways to **diffuse** power.
연방제는 권력을 분산하는 방법 중 하나이다.

0172

award
[əwɔ́ːrd]

동 수여하다, 주다 명 상, 상금

In 1824, the General Council of the Eastern Cherokees **awarded** Sequoyah a medal in honor of his accomplishment. 모의
1824년에 동부 체로키 총회는 Sequoyah의 업적을 기려 그에게 메달을 수여했다.

0173

tuition
[tjuːíʃən]

명 수업, 수업료

Once again, I appreciate your support of my **tuition** and your faith in me. 모의
다시 한번 저의 학비 지원과 저에 대한 신뢰에 감사를 표합니다.

0174

awareness
[əwɛ́ərnis]

명 자각, 인식

Her **awareness** of astronomy came to life when her father began to teach her about the stars.
천문학에 대한 그녀의 인식은 아버지가 별에 관해 가르치기 시작했을 때 활기를 띠었다.

● **aware** 동 깨닫다, 인식하다

0175

terrific
[tərífik]

형 아주 좋은, 멋진

A It's really delicious and comes with fruit.
그것은 정말 맛있고 과일도 함께 나와요.
B **Terrific!** I should get one. 모의
아주 좋네요! 그걸로 하나 해야겠어요.

0176

considerable

[kənsídərəbl]

형 **상당한, 많은**

Many artists have **considerable** freedom from external requirements about what to do and how to do it. 모의

많은 예술가들은 무엇을 해야 하는지, 그것을 어떻게 해야 하는지에 관한 외적인 요구로부터 상당한 자유를 갖는다.

0177

debt

[det]

명 **빚, 부채**

Future generations may blame us for our wasteful ways, but they can never collect on our **debt** to them. 수능

미래 세대들은 우리가 낭비한 방식을 비난하겠지만, 우리가 그들에게 진 빚은 결코 상환받을 수 없다.

0178

vacuum

[vǽkjuəm]

명 **진공** 동 **진공청소기로 청소하다**

I'd like to buy the **vacuum** cleaner I saw on TV. 모의

저는 TV에서 본 진공청소기를 사고 싶어요.

0179

bearable

[bɛ́ərəbl]

형 **견딜 만한, 참을 수 있는**

The cool breeze and a glass of iced coffee made the heat **bearable**.

서늘한 바람과 차가운 커피 한 잔 덕분에 열기가 견딜 만했다.

0180

deficient

[difíʃənt]

형 **부족한, 결함이 있는**

When we view ourselves as morally **deficient** in one part of our lives, we search for moral actions that will balance out the scale. 모의

우리는 인생의 한 부분에서 스스로가 도덕적으로 결함이 있다고 생각할 때, 저울의 균형을 맞출 도덕적 행위를 찾는다.

0181

perpetual
[pərpétʃuəl]

형 영구의, 끊임없이 계속되는, 종신의

The poor condition of the house led to her **perpetual** worries over the health of her children.
집의 상태가 나빴기 때문에 그녀는 끊임없이 아이들의 건강을 걱정했다.

함께 외우는 유의어

permanent [pə́ːrmənənt] 형 영구적인
endless [éndlis] 형 끝없는
eternal [itə́ːrnl] 형 영원한

0182

sarcastic
[sɑːrkǽstik]

형 비꼬는, 풍자적인

Sarcasm is the opposite of deception in that a **sarcastic** speaker typically intends the receiver to recognize the **sarcastic** intent. 모의
비꼬는 말을 하는 사람은 일반적으로 듣는 사람이 비꼬는 의도를 알아차리게 하려 한다는 점에서 비꼼은 속임과 반대이다.

◎ **sarcasm** 명 비꼼, 냉소

0183

vivid
[vívid]

형 생생한, 선명한, 강렬한

I was impressed with the **vivid** and iconic imagery in his paintings.
나는 그의 그림 속 강렬하고 상징적인 이미지에 깊은 인상을 받았다.

0184

suspend
[səspénd]

동 1매달다, 걸다 2일시적으로 중단하다

If you do not log in to our website in two days, we will **suspend** your membership privileges.
만약 이틀 안에 저희 웹사이트에 접속하지 않으시면, 당신의 회원 특혜를 중지할 것입니다.

◎ **suspension** 명 정직, 정학, 유예

0185

barbaric
[bɑːrbǽrik]

형 야만적인, 조잡한

Any **barbaric** acts carried out in the name of religion cannot be justified.
종교의 이름으로 자행된 어떠한 야만적 행위도 정당화될 수 없다.

0186

lament
[ləmént]

동 슬퍼하다, 애도하다 명 애도, 비가

The parents **lamented** the untimely death of their son.
그 부모는 아들의 때이른 죽음에 애통해 했다.

0187

avoid
[əvɔ́id]

동 피하다, 막다, 예방하다

There are insects that can **avoid** being eaten by changing their appearance to look like something in their environment. 수능
주변 환경에 있는 사물과 비슷하게 보이도록 겉모습을 바꾸어 잡아먹히는 것을 피할 수 있는 곤충들이 있다.

0188

await
[əwéit]

동 기다리다, 대기하다

We **await** your next visit to our resort.
저희 리조트에 당신이 다시 방문하기를 기다립니다.

0189

influence
[ínfluəns]

동 영향을 주다 명 영향

The way that we behave in a given situation is often **influenced** by how important one value is to us relative to others. 모의
우리가 주어진 상황에서 행동하는 방식은 하나의 가치가 다른 것에 비례하여 우리에게 얼마나 중요한가에 종종 영향을 받는다.

0190

damage
[dǽmidʒ]

명 손상, 피해 동 피해를 입히다

When drinking nectar, the squirrels bite through the flower, which causes **damage**. 수능
그 다람쥐들은 꿀을 마실 때 꽃을 물어뜯는데, 이것이 피해를 일으킨다.

0191

depart
[dipɑ́ːrt]

동 떠나다, 출발하다, 그만두다

You're too late. Your flight already **departed**. 수능
너무 늦으셨어요. 비행기가 이미 떠났습니다.

◎ **departure** 명 떠남, 출발

0192

dispute
[dispjúːt]

명 분쟁, 논란 동 반박하다, 논쟁하다

You don't always have to intervene in **disputes** between your friends.
네가 항상 친구들 간의 싸움을 중재해야 할 필요는 없다.

0193

ballot
[bǽlət]

명 (무기명) 투표, 투표용지 동 투표하다

They will meet today to decide whether to authorize a **ballot** for a strike.
그들은 파업을 위한 투표를 승인할 것인지 결정하러 오늘 만날 것이다.

◎ **vote** 명 표, 투표 동 투표하다

0194

edit
[édit]

동 편집하다

Richard Porson significantly improved Greek texts and **edited** four plays written by Euripides. 모의
Richard Porson은 그리스어 원전을 상당히 개선하고 에우리피데스가 쓴 희곡 네 편을 편집했다.

◎ **edition** 명 판, 호 **editor** 명 편집자

0195

elect
[ilékt]

동 선출하다, 선택하다

Ruth was **elected** school president because of her wonderful speech.
Ruth는 멋진 연설 덕분에 학교 회장으로 선출되었다.

◎ **election** 명 선거, 당선

0196

expel
[ikspél]

동 추방하다, 면직시키다, 퇴학시키다

I want to **expel** the myth that cold weather makes you get a cold.
나는 추운 날씨 때문에 감기에 걸린다는 근거 없는 믿음을 추방하고 싶다.

함께 외우는 유의어

banish [bǽniʃ] 동 추방하다
exile [égzail] 동 추방하다
exclude [iksklúːd] 동 제외하다, 차단하다

0197

devastate

[dévəstèit]

동 완전히 파괴하다, 비탄에 빠뜨리다

The quake **devastated** 24,000 square miles of wilderness. 모의

그 지진은 황무지 24,000 평방마일을 파괴했다.

함께 외우는 유의어

destroy [distrɔ́i] 동 파괴하다
ruin [rú:in] 동 파괴하다
sack [sæk] 동 약탈하다

0198

insult

[insʌ́lt]

동 모욕하다 명 모욕

Basic scientific research has one more important use that is so valuable it seems an **insult** to refer to it as merely functional. 수능

기초 과학 연구에는 매우 가치가 있어서 단순히 기능적인 것으로 언급하는 것이 모욕으로 보이는 또다른 중요한 쓰임새가 있다.

시험 빈출 혼동 단어

0199

omit

[oumít]

동 빠뜨리다, 생략하다

Good writers know what to **omit**. 모의

훌륭한 작가들은 무엇을 빼야 할지 안다.

◎ **omission** 명 생략, 누락 (법) 부작위
↔ **commission** 명 수행 (법) 작위

0200

emit

[imít]

동 내뿜다, 내다

If the solar surface, not the center, were as hot as this, the radiation **emitted** into space would be so great that the whole Earth would be vaporized within a few minutes. 모의

만약 태양의 중심부가 아니라 표면이 이만큼 뜨겁다면, 우주로 내뿜어지는 방사에너지는 매우 엄청나서 지구 전체가 몇 분 내로 기화될 것이다.

DAY 06

5회독 체크

0201

remedy
[rémədi]

명 치료, 해결책, 처리방안

I will be grateful if you can suggest some **remedies** to cope with this situation.

만약 당신이 이 상황에 대처할 수 있는 몇 가지 해결책을 제시해 준다면 매우 감사할 것이다.

0202

terrain
[təréin]

명 지형, 지역

The hike covers 3 to 4 miles and includes moderately difficult **terrain**. 모의

도보 여행은 3~4마일 거리이며 중간 난이도 지형이 포함되어 있다.

0203

discouraged
[diskə́:ridʒd]

형 낙담한, 낙심한

The letter advised Adams not to be **discouraged** if he received early rejections. 수능

그 편지는 Adams에게 이르게 거절을 당해도 낙담하지 말라고 충고했다.

● **discourage** 동 좌절시키다, 낙담하게 하다

0204

basis
[béisis]

명 근거, 기준, 기초

That's why I need to clean the dust out of my computer on a regular **basis**. 수능

그것이 내가 정기적으로 컴퓨터에서 먼지를 털어내야 하는 이유이다.

0205

medieval
[mi:dií:vəl]

형 중세의

Medieval tempera painting can be compared to the practice of special effects during the analog period of cinema. 모의

중세의 템페라 화는 아날로그 영화 시기의 특수효과 실행에 비유될 수 있다.

● **the Middle Ages**, **medieval times** 중세

0206

neutral
[njúːtrəl]

형 중립의, 중립국의

Knowledge is not immoral but morality **neutral**. 수능

지식은 비도덕적인 것이 아니라 도덕 중립적이다.

0207

Mediterranean
[mèditəréiniən]

형 지중해의

The English hoped that the American colonies would be able to supply **Mediterranean** goods such as olives and fruit. 모의

영국인들은 아메리카 식민지들이 올리브와 과일과 같은 지중해의 상품을 공급할 수 있기를 바랐다.

◎ **the Mediterranean Sea** 지중해

0208

famine
[fǽmin]

명 기근

Many people in sub-Saharan Africa were threatened by **famine** and civil war.

사하라 사막 이남 아프리카의 많은 사람들이 기근과 내전으로 위협을 받고 있었다.

함께 외우는 유의어

hunger [hʌ́ŋgər] 명 배고픔
starvation [stɑːrvéiʃən] 명 굶주림, 기아

0209

benevolent
[bənévələnt]

형 자애로운, 인자한

King Sejong is known as one of the most **benevolent** kings of the Joseon dynasty.

세종대왕은 조선왕조에서 가장 자애로운 왕 중 한 명으로 알려져 있다.

◎ **benevolence** 명 자비심, 자선

0210

reluctant
[rilʌ́ktənt]

형 꺼리는, 마지못한

The government was **reluctant** to release the water behind dams into the river.

정부는 댐에 저장된 물을 강으로 방류하는 것을 꺼렸다.

0211

salvage
[sǽlvidʒ]

명 구조, 인양 동 구조하다, 인양하다

Experts were sent to help with the monitoring of the oil spill and plan the **salvage** of the ship.

기름 유출 상황을 감시하는 것을 돕고 배 인양을 계획하기 위해 전문가가 보내졌다.

0212

plot
[plɑt]

명 1구성, 줄거리 2음모, 계략

The typical **plot** of the novel is the protagonist's quest for authority within when that authority can no longer be discovered outside. 모의

소설의 전형적인 구성은 외부에서 더 이상 권위가 발견되지 않을 때 주인공이 내면에서 권위를 탐색하는 것이다.

0213

nevertheless
[nèvərðəlés]

부 그럼에도 불구하고

Nevertheless, his basic idea that politics is a unique collective activity that is directed at certain common goals and ends still resonates today. 모의

그럼에도 불구하고, 정치는 특정한 공동의 목표와 목적을 향한 독특한 집단 활동이라는 그의 기본적인 생각이 오늘날에도 여전히 반향을 불러일으킨다.

0214

foe
[fou]

명 적, 원수

You have to be able to distinguish friend from **foe**.

적과 친구를 구별할 수 있어야 한다.

함께 외우는 유의어

enemy [énəmi] 명 적
opponent [əpóunənt] 명 상대, 적수

0215

plague
[pleig]

명 전염병 동 괴롭히다

Moreover, they are not **plagued** by the fragility and tensions found in groups of two or three. 수능

게다가 그들은 2~3인 모둠에서 발견되는 취약함과 긴장감으로 괴로움을 겪지 않는다.

0216

contagious
[kəntéidʒəs]

형 **전염성의, 전염되는**

They say yawns are more **contagious** among friends.
그들은 하품이 친구들 사이에서 더 잘 전염된다고 말한다.

0217

legible
[lédʒəbl]

형 **읽을 수 있는, 또렷한**

The artist's signature on the old painting is still **legible**.
그 오래된 그림에 있는 화가의 서명은 아직 또렷하다.

- **illegible** 형 읽기 어려운, 판독이 불가능한

0218

masterpiece
[mǽstərpiːs]

명 **걸작, 명작**

No sooner had he completed his **masterpiece** than Julie stepped into the cafe. 모의
그가 그의 역작을 완성하자마자 Julie가 카페에 들어섰다.

0219

bewilder
[biwíldər]

동 **혼란스럽게 하다, 당황하게 하다**

I was **bewildered** by his objection.
나는 그의 반대에 당황했다.

- **bewildered** 형 혼란스러운, 당황한

0220

physician
[fizíʃən]

명 **의사, 내과의사**

If a **physician** identifies too closely as co-sufferer with the patient, she loses the objectivity essential to the most precise assessment of what should be done. 모의
만약 의사가 고통을 함께하는 사람으로서 환자와 너무 가깝게 동일시하면, 무엇이 행해져야 하는지 가장 정확하게 판단하는 데 필수적인 객관성을 잃는다.

- **surgeon** 명 외과의사

0221

despite
[dispáit]

전 ~에도 불구하고

Keith was unexpectedly producing the performance of a lifetime **despite** the shortcomings of the piano. 수능

Keith는 피아노의 결함에도 불구하고 예상치 못한 일생일대의 연주를 하고 있었다.

● **in spite of** ~에도 불구하고

0222

hazardous
[hǽzərdəs]

형 위험한, 모험적인

Given his **hazardous** lifestyle, I wondered if he was still living.

그의 위험한 생활방식을 고려하면, 나는 그가 아직 살아 있는지 궁금했다.

● **hazard** 명 위험

0223

fling
[fliŋ]
flung–flung

동 던지다, 내던지다, 퍼붓다

In La Tomatina, partiers **fling** tomatoes at each other for exactly one hour.

라 토마티나 축제에서는 정확히 한 시간 동안 참가자들이 서로에게 토마토를 던진다.

0224

sorrow
[sárou]

명 슬픔, 후회

Many people expressed great **sorrow** at the young singer's death.

많은 사람들이 그 젊은 가수의 죽음에 큰 슬픔을 표현했다.

0225

stack
[stæk]

명 [1]더미 [2](도서관의) 서가(-s) 동 쌓다

Even a journey through the **stacks** of a real library can be more fruitful than a trip through today's distributed virtual archives. 수능

진짜 도서관의 서가를 훑는 것이 오늘날의 널리 분포된 가상의 기록보관소를 뒤지는 것보다 결과가 나을 수 있다.

0226

accuse
[əkjúːz]

동 고발하다, 혐의를 제기하다

The prosecuting attorney **accused** the man of hit and run.
기소 검사는 그 남자는 뺑소니 혐의로 기소했다.

● **accuse *A* of *B*** A를 B로 고발하다

0227

achieve
[ətʃíːv]

동 이루다, 성취하다

It was his claim that when students are praised only for the outcome, they don't care how they **achieve** it. 모의
학생들이 오로지 결과로만 칭찬을 받을 때, 그들은 성취 방법에는 신경쓰지 않는다는 것이 그의 주장이었다.

0228

attain
[ətéin]

동 이루다, 성취하다

Material prosperity can help individuals, as well as society, **attain** higher levels of happiness. 수능
물질적 풍요는 사회뿐만 아니라 개인이 더 높은 수준의 행복을 얻도록 도와줄 수 있다.

함께 외우는 유의어

acquire [əkwáiər] 동 얻다
accomplish [əkámpliʃ] 동 이루다, 성취하다

0229

assume
[əsúːm]

동 추정하다, 가정하다

Because dogs are so good at using their noses, we **assume** that they can smell anything, anytime. 수능
개가 코를 사용하는 능력이 매우 뛰어나기 때문에, 우리는 그들이 어느 때나 무엇이든 냄새를 맡을 수 있다고 추정한다.

0230

derive
[diráiv]

동 [1]끌어내다, 얻다 [2]유래하다

More than half of Americans age 18 and older **derive** benefits from various programs, while paying little or no personal income tax. 모의
18세 이상의 미국인 중 절반이 넘는 사람들이 개인 소득세를 거의 혹은 전혀 내지 않으면서, 다양한 프로그램으로부터 보조금을 얻어낸다.

0231

dictate
[díkteit]

동 [1]받아쓰게 하다 [2]지시하다

Our common humanity **dictates** that we stand up for the rights of others.
우리 공통의 인류애는 우리가 타인의 권리를 옹호할 것을 지시한다.

0232

contend
[kənténd]

동 [1]주장하다 [2]다투다, 겨루다

The plaintiff **contended** that the defendant was explicitly aware of the need to pay the electricity bill.
원고는 피고가 전기 요금을 지불해야 한다는 것을 명백히 알고 있다고 주장했다.

0233

elevate
[éləvèit]

동 승진시키다, 올리다

Material wealth is often **elevated** to the position of the ultimate end in our society.
우리 사회에서 종종 물질적 부가 궁극적인 목표의 위치로 격상된다.

함께 외우는 유의어

lift [lift] 동 들어올리다
promote [prəmóut] 동 승진시키다

0234

engage
[ingéidʒ]

동 [1]고용하다, 종사시키다 [2](주의·관심을) 끌다

Focusing on on-line interaction with people who are **engaged** in the same specialized area can limit potential sources of information. 수능
동일한 전문 분야에 종사하는 사람들과의 온라인 상호작용에 집중하는 것은 가능성 있는 정보원을 제한할 수 있다.

● **be engaged in** ~에 종사하다

0235

extend
[iksténd]

동 연장하다, 확장하다, (손발을) 뻗다

He propelled himself into a backspin, covered his eyes, and **extended** his arm above his head. 수능
그는 백스핀으로 몸을 회전시키면서, 눈을 가리고 머리 위로 팔을 뻗었다.

● **extent** 명 정도, 크기 **extension** 명 확장, 증축

0236

pinch
[pintʃ]

동 꼬집다 명 꼬집기

Bill **pinched** himself to see if he was dreaming.
Bill은 그가 꿈을 꾸고 있는 것인지 알아보려고 자신을 꼬집었다.

0237

praise
[preiz]

명 칭찬, 찬사 동 칭찬하다

Georg Dionysius Ehret is often **praised** as the greatest botanical artist of the 18th century. 수능
Georg Dionysius Ehret는 종종 18세기의 가장 위대한 식물 화가로 칭송된다.

0238

tolerate
[tálərèit]

동 용인하다, 참다

Animals that are regularly disturbed by visitors are more likely to **tolerate** your intrusion than those that have had little contact with humans.
방문객들에 의해 일상적으로 방해를 받는 동물들은 인간과의 접촉이 거의 없었던 동물들보다 여러분의 침입을 용인할 가능성이 더 크다.

◎ **tolerable** 형 참을 만한 **tolerance** 명 관용, 아량

시험 빈출 혼동 단어

0239

bland
[blænd]

형 단조로운, 담백한

She always chose **bland**-colored clothes.
그녀는 늘 단조로운 색깔의 옷을 골랐다.

0240

blend
[blend]

동 섞다, (보기 좋게) 조합하다

How can I **blend** this image into the background?
이 이미지를 어떻게 배경에 녹아들도록 할 수 있을까?

◎ **blend into** (구별하기 어렵게) ~와 뒤섞이다

바로 테스트

DAY 05-06

정답 434쪽

영어는 우리말로, 우리말은 영어로 쓰세요.

01 terrific
02 suspend
03 ballot
04 lament
05 dispute
06 vacuum
07 avoid
08 terrain
09 benevolent
10 bewilder
11 achieve
12 extend
13 attain
14 physician
15 despite
16 plague
17 engage
18 depart
19 nasty
20 vegetation
21 칭찬, 찬사
22 용인하다, 참다
23 던지다, 내던지다
24 추정하다, 가정하다
25 근거, 기준
26 구조, 인양
27 기다리다, 대기하다
28 받아쓰게 하다, 지시하다
29 올라감, 상승
30 최선의, 최적의
31 중립의
32 낙담한, 낙심한
33 치료, 해결책
34 기근
35 영향을 주다
36 꺼리는, 마지못한
37 부족한, 결함이 있는
38 능숙한
39 농업
40 널리 퍼진, 분산된

괄호 안에서 알맞은 말을 고르세요.

41 Fossil fuels (emit / omit) greenhouse gases when they are burned.

42 The experts carefully (bland / blend) and roast coffee beans to produce the best coffee for the customers.

DAY 07

5회독 체크

0241

budget
[bʌ́dʒit]

명 예산, 경비

My **budget** range is between $1,200 to $1,500 a year.
내 예산 범위는 1년에 1,200에서 1,500달러 사이이다.

0242

startle
[stɑ́ːrtl]

동 깜짝 놀라게 하다

He was **startled** because she seemed to know what he was thinking about. 모의
그가 무엇을 생각하고 있는지 그녀가 알고 있는 것 같았기 때문에 그는 깜짝 놀랐다.

0243

inward
[ínwərd]

형 마음속의, 내부의 부 안으로, (자기) 내면으로

Painters try to look **inward** and represent things as they are in their imagination. 수능
화가들은 자기 내면을 들여다보고 사물을 상상 속 모습으로 나타내려 한다.

◎ **outward** 형 겉보기의 부 밖으로

0244

dispatch
[dispǽtʃ]

동 보내다, 파견하다

After several weeks, the police **dispatched** a file on the murder case to the coroner for advice.
몇 주 뒤 경찰은 조언을 구하려고 그 살인 사건 파일을 검시관에게 보냈다.

0245

steady
[stédi]

형 꾸준한, 변함없는, 안정된

I was trying to be as **steady** as I could, but I was shaking.
나는 할 수 있는 한 침착하려고 애썼지만 떨고 있었다.

◎ **unsteady** 형 불안정한, 흔들리는

0246

strategy
[strǽtədʒi]

명 **전략, 전술, 계획**

Complex behavior does not imply complex mental **strategies**. 모의

복잡한 행동이 복잡한 정신적 전략을 암시하는 것은 아니다.

◎ **strategic** 형 전략적인

0247

pharmacy
[fɑ́:rməsi]

명 **약국, 약학**

Take the prescription to the **pharmacy** to have it filled.

처방전을 약국에 가져가서 약을 조제하게 하세요.

◎ **drugstore** 약국(美) **chemist('s)** 약국(英)

0248

combat
[kəmbǽt]

동 **싸우다, 투쟁하다** 명 **전투, 투쟁, 논쟁**

They **combated** destiny although they already knew it was in vain.

그들은 소용없다는 것을 이미 알면서도 운명에 투쟁했다.

0249

holy
[hóuli]

형 **신성한, 경건한**

Muslims regard Mecca as the **holiest** city in Islam.

이슬람교도들은 메카를 이슬람 세계에서 가장 신성한 도시로 여긴다.

0250

tame
[teim]

동 **길들이다, 다스리다** 형 **길들여진, 시키는 대로 하는**

The real lesson of chess is learning how to **tame** your mind. 모의

체스의 진정한 교훈은 마음을 다스리는 법을 배우는 것이다.

함께 외우는 유의어

train [trein] 동 훈련시키다
conquer [kɑ́ŋkər] 동 억누르다, 정복하다
suppress [səprés] 동 억누르다, 제어하다

0251

thrive

[θraiv]

동 **번영하다, 번창하다**

If you learn how to open up just a little bit with your opinions and thoughts, you will be able to **thrive** in both worlds.

만약 당신의 의견과 생각에 있어서 조금만 마음을 여는 방법을 배운다면 양쪽 모두에서 성장할 수 있을 것이다.

0252

biology

[baiάləʤi]

명 **생물학, 생태**

I learned about a cabbage white in **biology** class. It's a beautiful white butterfly. 수능

나는 생물 시간에 배추흰나비에 대해 배웠다. 그것은 예쁜 하얀 나비이다.

◎ **biologist** 명 생물학자

0253

physiology

[fìziάləʤi]

명 **생리학, 생리**

These fish change their **physiology** in accord with their surroundings. 모의

이 물고기들은 주변 환경에 호응하여 생리 기능을 변화시킨다.

◎ **physiologist** 명 생리학자

0254

sermon

[sə́ːrmən]

명 **설교, 훈계**

Some people walked out of the room midway through the **sermon**.

몇몇 사람이 설교 중간쯤에 방에서 걸어 나갔다.

0255

burdensome

[bə́ːrdnsəm]

형 **부담스러운, 고된**

The state government is making efforts to alleviate the **burdensome** tuition costs for college students.

주 정부는 대학생들에게 부담스러운 학비를 경감해 주려고 노력하고 있다.

◎ **burden** 명 부담, 짐

0256

ceremonial
[sèrəmóuniəl]

형 의식의 명 의식 (절차)

Totems include spiritual rituals, oral histories, and the organization of **ceremonial** lodges. 모의

토템에는 영적 의식, 구전 역사, 의식용 천막의 조직도 포함된다.

0257

obvious
[ɑ́bviəs]

형 분명한, 명백한

For the majority of people, parenthood is perhaps the most **obvious** and convenient opportunity to fulfill the desire to care for others. 모의

대다수의 사람들에게 부모가 되는 것은 아마도 다른 사람을 돌보는 욕구를 실현할 가장 명백하고 편리한 기회일 것이다.

0258

secretary
[sékrətèri]

명 비서, 서기, 장관(美)

He has served as defense **secretary** since last December.

그는 지난 12월부터 국방부 장관으로 일해 왔다.

0259

decay
[dikéi]

명 부패, 부식 동 썩다, 부패하다

Tooth **decay** is much easier to treat in its early stages.

충치는 초기 단계에 치료하기가 훨씬 쉽다.

● **decadence** 명 타락, 부패

0260

vigor
[vígə*r*]

명 활력, 활기

You'll set the stage for more **vigor** throughout the evening hours along with a weight-loss benefit if you stay active after your meal. 수능

식사 후에도 활동적인 상태를 유지한다면 체중 감량의 이득과 함께 저녁 시간 내내 더 많은 활력을 얻을 수 있는 상태를 갖추게 될 것이다.

● **vigorous** 형 활기찬

0261

category
[kǽtəgɔ̀:ri]

명 범주, 부문

The year 2012 saw an overall percentage increase in each **category** of posted personal information. 수능
2012년에는 게시된 개인 정보의 각 부문에서 전반적으로 비율이 증가한 것을 알 수 있다.

0262

range
[reindʒ]

명 범위, 영역 동 ~에서 … 사이이다, 포함하다

In these groups, the volunteer rates **ranged** from 29% to 58%. 수능
이 집단들에서 자원봉사자의 비율은 29%에서 58% 사이이다.

- **range from *A* to *B*** A에서 B 사이이다
- **out of range** 범위 밖의

0263

weave
[wi:v]
wove – woven

동 (직물 등을) 짜다, 엮다 명 짜는 법, 짜서 만든 것

Ghost spiders have tremendously long legs, yet they **weave** webs out of very short threads. 모의
유령거미는 다리가 엄청나게 길지만 아주 짧은 가닥으로 거미집을 엮는다.

0264

bold
[bould]

형 용감한, 대담한

She was gentle and generous in ordinary times, but before the enemy she was **bold** and stout-hearted.
그녀는 평소에는 친절하고 관대했지만 적 앞에서는 대담하고 용감했다.

0265

cohesive
[kouhí:siv]

형 결합력이 있는, 응집성의

Your essay needs more **cohesive** devices.
네 에세이에는 응집 장치가 더 필요하다.

- **cohesion** 명 응집력, 결합

0266

caption
[kǽpʃən]

명 표제, 설명, 자막 동 자막[설명문]을 달다

The teacher translated the **caption** on the picture for his students.

선생님은 학생들을 위해 사진에 있는 설명을 번역했다.

0267

riot
[ráiət]

명 폭동 동 폭동을 일으키다

Dozens of firefighters joined the police after the **riot** broke out.

폭동이 일어난 뒤 수십 명의 소방관들이 경찰에 합류했다.

0268

haunted
[hɔ́:ntid]

형 귀신이 나오는, (무언가에) 사로잡힌

The kids didn't play near the house, because it was said to be **haunted**.

그 집에 귀신이 나온다고 알려져서 아이들은 그 근처에서 놀지 않았다.

0269

approve
[əprú:v]

동 찬성하다, 승인하다

When there is no immediate danger, it is usually best to **approve** of the child's play without interfering. 수능

즉각적인 위험이 없을 때에는 간섭하지 말고 아이의 놀이에 찬성해 주는 것이 대개 최선이다.

- **approval** 명 찬성, 승인
- **disapprove** 동 못마땅해 하다

0270

access
[ǽkses]

명 입장, 접근권 동 접속하다

He was the only photographer granted backstage **access** to the Beatles' final concert. 수능

그는 비틀즈의 마지막 콘서트의 무대 뒤 접근이 허가된 유일한 사진작가였다.

0271

shield

[ʃiːld]

명 방패, 보호자 동 보호하다, 은폐하다

Shielding the eyes is an action that has evolved to protect the brain from seeing unwanted images. 수능

눈을 가리는 것은 원치 않는 이미지를 보는 것으로부터 뇌를 보호하기 위해 진화해 온 행동이다.

protect [prətékt] 동 보호하다
cover [kʌ́vər] 동 가리다
defend [difénd] 동 방어하다
guard [gɑːrd] 동 지키다

0272

bias

[báiəs]

명 편견, 선입견 동 편견을 갖게 하다

This means that very often **bias** is unintentionally introduced into the experiment. 모의

이는 의도치 않게 매우 자주 편견이 실험에 들어간다는 뜻이다.

◎ **biased** 형 편향된, 치우친

0273

integrate

[íntəgrèit]

동 통합시키다, 통합되다

The teachers **integrated** music into their regular math curriculum. 모의

교사들은 음악을 정규 수학 교육과정에 통합했다.

0274

nominate

[nɑ́mənèit]

동 지명하다, 추천하다

Richard Burton became a praised actor and was **nominated** for an Academy Award seven times. 모의

Richard Burton은 칭송받는 배우가 되었고 아카데미 상 후보에 일곱 번 지명되었다.

◎ **nominee** 명 지명된 사람, 후보

0275

shed

[ʃed]

동 1 없애다 2 떨어뜨리다 3 (동물이) 털갈이를 하다

He tried to **shed** his image as a coward.

그는 겁쟁이라는 이미지를 없애기 위해 노력했다.

0276

ripen
[ráipən]

동 익다, 숙성시키다

Olives naturally turn from green to black as they **ripen**.
올리브는 익으면서 자연스럽게 녹색에서 검은색으로 변한다.

0277

evaporate
[ivǽpəreit]

동 증발하다, 서서히 사라지다

When water **evaporates**, it takes heat energy from the surface.
물은 증발할 때 지표면으로부터 열에너지를 빼앗는다.

0278

bother
[bɑ́ðər]

동 괴롭히다, ~에게 폐를 끼치다

My back is **bothering** me again so I can't sleep well.
허리가 또 아파서 나는 잠을 잘 잘 수 없다.

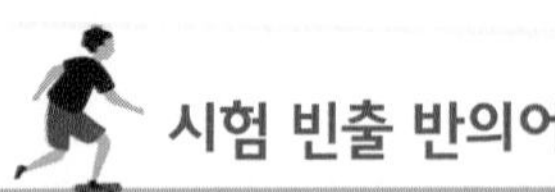
시험 빈출 반의어

0279

progress
[prɑ́:gres]

명 진전, 진척 동 진보하다, 진척되다

Even a small amount of this money would accelerate the already rapid rate of technical **progress** and investment in renewable energy in many areas. 수능
이 돈의 적은 일부만으로도 많은 분야에서 이미 빠른 속도로 이루어지는 재생 가능한 에너지의 기술적 진보와 투자를 가속화할 것이다.

- **progressive** 형 혁신적인, 진행형의 **progression** 명 진행, 연속
- **in progress** 진행 중인

0280

regress
[rigrés]

동 퇴행하다, 퇴보하다

The patient's behavior was **regressing** to that of a 3-year-old.
그 환자의 행동은 세 살짜리 아이의 것으로 퇴행하고 있었다.

- **regression** 명 퇴행, 퇴보

DAY 08

5회독 체크

0281

optics
[áptiks]

명 광학

Advances in **optics** have helped in making better telescopes.

광학에서의 발전은 더 나은 망원경을 만드는 데에 도움이 되어 왔다.

0282

observation
[àbzərvéiʃən]

명 관찰, 관측, 감시

They could understand and predict events better when they reduced passion and prejudice, replacing these with **observation** and inference. 수능

그들이 격정과 편견을 줄이고, 이것들을 관찰과 추론으로 대신했을 때 사건을 더 잘 이해하고 예측할 수 있었다.

◎ **observe** 동 관찰하다

0283

coherence
[kouhírəns]

명 일관성, 통일

The readers of the novel complained about the lack of humor and **coherence** in the story.

그 소설의 독자들은 유머와 이야기 안에서의 일관성 부족에 대해 불평했다.

0284

ornament
[ɔ́:rnəmənt]

명 장식품, 장신구

We decorated the tree with sparkling **ornaments**.

우리는 나무를 반짝이는 장식품으로 꾸몄다.

0285

phenomenal
[finámənl]

형 경이적인, 경탄스러운

They were greatly encouraged by the **phenomenal** success of the new product.

그들은 신제품의 엄청난 성공에 크게 고무되었다.

◎ **phenomenon** 명 현상, 경이

0286

enormous
[inɔ́:rməs]

형 **거대한, 막대한**

Electronic medical records have **enormous** advantages when compared with paper medical records.
전자 의료 기록은 서면 의료 기록과 비교할 때 엄청난 이점이 있다.

0287

hinder
[híndər]

동 **방해하다, 저해하다**

They even lobby for regulations that would **hinder** their rival's sales expansion. 모의
그들은 심지어 경쟁자의 매출 확대를 방해할 법안을 위해 로비를 한다.

함께 외우는 유의어

interrupt [ìntərʌ́pt] 동 방해하다
block [blɑk] 동 막다, 방해하다
inhibit [inhíbit] 동 억제하다

0288

vanity
[vǽnəti]

명 **자만심, 허영심**

His ego is driven by **vanity** and caring what other people think.
그의 자아는 허영심에 휘둘리고 다른 사람들이 생각하는 것에 신경을 쓴다.

0289

altruism
[ǽltru:ìzm]

명 **이타심, 이타주의**

One can argue that acts of charity do not always arise from pure **altruism**.
누군가는 자선 행위가 항상 순수한 이타심에서 나오는 것은 아니라고 주장할 수 있다.

◎ **egoism** 명 이기주의, 자기중심주의

0290

bound
[baund]

형 **1~할 가능성이 큰 2~에 얽매인 3~로 향하는**

The liquid nature of services means they don't have to be **bound** to materials. 모의
서비스의 유동적인 특성은 그것들이 물질적인 것에 얽매일 필요가 없음을 의미한다.

0291

prone
[proun]

형 ¹~하기 쉬운 ²엎드려 있는

Some individuals, due to their bone structure or foot type, are more **prone** to ankle sprains.

어떤 사람들은 뼈의 구조나 발 형태 때문에 발목을 삐기 더 쉽다.

prone to ~하기 쉬운, ~하는 경향이 있는

0292

console
동 [kənsóul]
명 [kάnsoul]

동 위로하다 명 콘솔, 계기반

The dog approached the woman and stayed beside her for some time, appearing to **console** her.

개는 여자에게 다가가 위로하는 것처럼 한동안 그녀 곁에 머물렀다.

0293

consolation
[kὰnsəléiʃən]

명 위안, 위로

Our only **consolation** is that nobody was harmed in these attacks.

우리의 유일한 위안은 이들 공격에서 아무도 다치지 않았다는 것이다.

0294

fake
[feik]

형 가짜의, 거짓된 동 위조하다, 속이다

The actor has probably the worst **fake** southern accent I've ever heard.

그 배우는 아마도 내가 들어 본 것 중 최악의 가짜 남부 억양을 구사한다.

함께 외우는 유의어

counterfeit [káuntərfit] 형 위조의
artificial [a:rtifíʃəl] 형 인위적인, 인공의
mock [mαk] 형 가짜의, 거짓의

0295

heredity
[hərédəti]

명 유전

The moral character of a person is formed not by **heredity** but by environment.

사람의 도덕적 성격은 유전이 아니라 환경에 의해 형성된다.

0296

outweigh
[àutwéi]

동 ~보다 더 크다, 능가하다

Do you really believe the benefits of globalization **outweigh** the drawbacks?

당신은 정말로 세계화의 이점이 단점을 능가한다고 믿습니까?

0297

outlast
[àutlǽst]

동 ~보다 더 오래 가다

These naturally dried flowers will **outlast** a bouquet of fresh blooms.

이 자연적으로 말린 꽃이 신선한 꽃다발보다 오래 갈 것이다.

0298

remote
[rimóut]

형 외진, 먼, 원격의

Temporal resolution is particularly interesting in the context of satellite **remote** sensing. 수능

주기해상도는 위성의 원격 탐사 면에서 특히 흥미롭다.

0299

worship
[wə́ːrʃip]

명 숭배, 존경, 예배 동 숭배하다, 예배하다

Animals do not **worship** youth. They have no memories about what the aged once were. 수능

동물은 젊음을 숭배하지 않는다. 그들은 나이 든 이들이 예전에 어땠는지에 대한 기억이 없다.

함께 외우는 유의어

revere [rivíər] 동 숭배하다
praise [preiz] 동 칭송하다
honor [ánər] 동 존경하다

0300

by-product
[báiprɑdʌkt]

명 부산물, (뜻밖의) 부작용

The cocoa shell is a valuable **by-product** obtained from the chocolate industry.

코코아 껍질은 초콜릿 산업에서 얻어지는 가치 있는 부산물이다.

0301

stable

[stéibl]

형 안정된, 차분한

Stable patterns are necessary lest we live in chaos. 모의

우리가 혼돈 속에서 살지 않기 위해서 안정적인 양식이 필요하다.

● **stabilize** 통 안정시키다, 안정되다

0302

unstable

[ʌ̀nstéibl]

형 불안정한, 마음이 변하기 쉬운

The "**unstable**" qualities of childhood require a writer to have an understanding of the freshness of language to the child's eye and ear. 모의

어린 시절의 '불안정한' 특성은 작가에게 어린아이의 눈과 귀에 느껴지는 언어의 신선함을 이해하기를 요구한다.

0303

stability

[stəbíləti]

명 안정(성), 안정감

I think meditating for 15 minutes every day will help you gain emotional **stability**. 수능

나는 네가 매일 15분 동안 명상을 하면 정서적인 안정감을 얻는 데 도움이 될 거라고 생각해.

● **instability** 명 불안정

0304

bothersome

[bɑ́:ðərsəm]

형 성가신, 귀찮은

For people who live near the airports, they are a source of **bothersome** noise.

공항 근처에 사는 사람들에게, 공항은 성가신 소음의 근원지이다.

0305

insurance

[inʃúərəns]

명 보험, 보험금

The participation fee is $170, but traveler's **insurance** isn't included. 모의

참가비는 170달러이지만 여행자 보험은 포함되어 있지 않습니다.

0306

headquarters
[hédkwɔ̀ːrtərz]

명 본사, 본부

The tour starts at the NAS Forest & Trail **Headquarters** at 8:00 am. 모의

여행은 오전 8시에 NAS Forest & Trail 본사에서 시작합니다.

0307

attend
[əténd]

동 1참석하다, ~에 다니다 2~에 주의를 기울이다

If you want to **attend**, sign up for free tickets on the school website. 모의

참석하기를 원한다면 학교 웹사이트에서 무료 티켓을 신청하세요.

0308

authorize
[ɔ́ːθəràiz]

동 권한을 부여하다, 인가[허가]하다, 인정하다

Knowledge isn't knowledge unless it has been **authorized** by specialists. 모의

지식은 전문가들에게 인정받지 않은 한 지식이 아니다.

◎ **authority** 명 권위, 권한, 당국(-s)

0309

permanent
[pə́ːrmənənt]

형 영구적인, 영속적인

Jobs may not be **permanent**, and you may lose your job for countless reasons. 수능

직업은 영구적인 것이 아닐지도 모르고, 당신은 셀 수 없이 많은 이유로 직업을 잃을 수 있다.

0310

configure
[kənfígjər]

동 (컴퓨터) 환경을 설정하다, 구성하다

Make sure your computer is **configured** to be controlled remotely before you connect it to a remote computer.

원거리의 컴퓨터와 연결하기 전에 당신의 컴퓨터가 원격 조종되도록 설정되어 있는지 확인하시오.

◎ **configuration** 명 배치, (컴퓨터) 환경 설정

0311

misplace

[mìspléis]

동 제자리에 두지 않다, 잘못 두다

Don't **misplace** your priorities in your life. 모의

인생에서 우선순위를 잘못 두지 마라.

0312

mislead

[mìslí:d]

misled – misled

동 잘못 인도하다, 오해하게 하다

The average person is often **misled** into believing false and manipulated facial emotions. 모의

보통 사람은 흔히 얼굴에 나타난 거짓되고 조작된 감정을 믿도록 이끌린다.

0313

cherish

[tʃériʃ]

동 소중히 여기다, (추억을) 고이 간직하다

She **cherished** the moments with her grandchildren.

그녀는 손자, 손녀들과의 시간을 마음에 간직했다.

0314

deliberate

형 [dilíbərət]

동 [dilíbərèit]

형 1 의도적인 2 신중한 동 숙고하다

The nonverbal message is **deliberate**, but designed to let the partner know one's candid reaction indirectly. 모의

비언어적 메시지는 고의적이지만, 상대방이 자신의 솔직한 반응을 간접적으로 알게 하려고 만들어진 것이다.

0315

verify

[vérifài]

동 확인하다, 입증하다

The term objectivity is important in measurement because of the scientific demand that observations be **verified** publicly. 모의

관찰된 사실들은 공개적으로 입증되어야 한다는 과학적 요구 때문에 '객관성'이라는 용어는 측정에 있어 중요하다.

● **verification** 명 확인, 입증, 검증

0316

outdo

[àutdú:]

outdid – outdone

동 능가하다

They were sure they would **outdo** their rival companies in a short time.

그들은 경쟁사를 단시간 내에 능가할 거라 확신했다.

0317

outlaw
[áutlɔ̀ː]

동 **불법화하다, 금지하다**

The Swedish government has **outlawed** television advertising of products aimed at children under 12. 모의

스웨덴 정부는 12살 미만의 어린이를 대상으로 하는 제품의 TV 광고를 불법화했다.

함께 외우는 유의어

ban [bæn] 동 금지하다
prohibit [prəhíbit] 동 금지하다
forbid [fərbíd] 동 금하다

0318

pioneer
[pàiəníər]

명 **개척자, 선구자** 동 **개척하다**

Great scientists, the **pioneers** that we admire, are not concerned with results but with the next questions. 수능

위대한 과학자들, 즉 우리가 존경하는 선구자들은 결과가 아니라 그다음 질문에 관심을 두었다.

0319

depict
[dipíkt]

동 **그리다, 묘사하다**

His idea was to **depict** humorous crowd scenes in various locations. 모의

그의 아이디어는 다양한 장소의 재미있는 군중 장면을 묘사하는 것이었다.

시험 빈출 다의어

0320

discipline
[dísəplin]

1 명 **교과**

Many **disciplines** are better learned by entering into the doing than by mere abstract study. 수능

많은 교과가 단순히 추상적인 공부를 하는 것보다는 실제로 그것을 해봄으로써 더 잘 학습된다.

2 명 **규율** 동 **징계하다**

We all know that extremely strict **discipline** is bad for children.

지나치게 엄격한 규율이 어린아이들에게 나쁘다는 것은 우리 모두 알고 있다.

바로 테스트

정답 434쪽

영어는 우리말로, 우리말은 영어로 쓰세요.

01 burdensome

02 combat

03 approve

04 bother

05 integrate

06 bias

07 physiology

08 access

09 optics

10 prone

11 strategy

12 ripen

13 heredity

14 bothersome

15 remote

16 outlaw

17 pioneer

18 fake

19 hinder

20 permanent

21 번영하다, 번창하다

22 마음속의; 안으로

23 길들이다, 다스리다

24 ~할 가능성이 큰

25 증발하다

26 없애다, (동물이) 털갈이를 하다

27 부패; 썩다

28 활력, 활기

29 거대한, 막대한

30 방패; 보호하다

31 위안, 위로

32 예산, 경비

33 ~보다 더 오래 가다

34 보험, 보험금

35 결합력이 있는

36 잘못 인도하다

37 불안정한

38 확인하다, 입증하다

39 일관성, 통일

40 범위, 영역

괄호 안에서 알맞은 말을 고르세요.

41 As technology (progresses / regresses) forward, it finds a way to get smaller and faster.

42 The teachers maintain high standards of **discipline** in the school. (교과 / 규율)

DAY 09

5회독 체크

0321

attack

[ətǽk]

동 공격하다, 침범하다 명 공격, 발발

Many insects are equipped with weapons that discourage enemies from **attacking** them. 수능

많은 곤충들이 적이 그들을 공격하는 것을 좌절시키는 무기를 갖추고 있다.

0322

conquest

[kάnkwest]

명 정복, 점령지

The Spanish **conquest** of the Aztec Empire was one of the most important events in the Spanish colonization of the Americas.

스페인의 아즈테카 왕국 정복은 스페인의 아메리카 대륙 식민지화에서 가장 중요한 사건 중 하나였다.

◎ **conquer** 동 정복하다, 점령하다

0323

formal

[fɔ́:rməl]

형 격식을 차린, 공식적인

Gray feels **formal** and professional. 모의

회색은 공식적이고 전문적인 느낌을 준다.

함께 외우는 유의어

official [əfíʃəl] 형 공무의, 공식적인
serious [síəriəs] 형 진지한
conventional [kənvénʃənl] 형 전통적인

0324

informal

[infɔ́:rməl]

형 격식에 얽매이지 않는, 편안한

More and more companies have started allowing or even encouraging employees to address each other in an **informal** way.

점점 더 많은 회사들이 직원들에게 서로를 격식을 차리지 않는 방법으로 호칭할 것을 허락하거나 심지어는 권장하기 시작했다.

0325

funeral
[fjúːnərəl]

명 **장례, 장례식**

When a formal occasion comes along such as a family wedding or a **funeral**, they are likely to cave in to norms that they find overwhelming. 모의

가족 결혼이나 장례 같은 공식적인 행사가 있을 때 그들은 저항하기 어렵다고 생각되는 규범에 굴복하기 쉽다.

0326

attract
[ətrǽkt]

동 **끌어당기다, 매력이 있다**

Lord Avenbury made an experiment to see if the color of flowers **attracted** bees. 모의

Avenbury 경은 꽃의 색깔이 벌을 끌어들이는지 알아보려고 실험을 했다.

attraction 명 매력, 명소, 명물

0327

responsible
[rispɑ́nsəbl]

형 **책임이 있는, 원인이 되는 (for)**

Avoidance training is **responsible** for many everyday behaviors. 수능

회피 훈련은 일상의 많은 행동에 책임이 있다.

responsibility 명 책임, 의무

0328

converse
[kənvə́ːrs]

명 **정반대, 역** 형 **정반대의**

All four sides of a square are equal in length, and the **converse** is also true; if the four sides of a quadrangle are equal, it is a square.

정사각형의 네 변은 모두 길이가 같고, 그 역도 참이다. 즉 사각형의 네 변의 길이가 같으면 그것은 정사각형이다.

0329

deviant
[díːviənt]

형 **일탈적인, (표준에서) 벗어난**

The treatment methods help the children gain control over their **deviant** behavior.

그 치료법들은 아이들이 자신들의 일탈 행동을 제어하도록 돕는다.

0330

exquisite
[ékskwizit]

형 **매우 아름다운, 정교한, 세련된**

He encountered many different cultures to develop a very **exquisite** taste for fashion.
그는 여러 다양한 문화를 접하며 아주 세련된 패션 감각을 키웠다.

0331

revolution
[rèvəlúːʃən]

명 **혁명, 대변혁**

Direct involvement of citizens was what had made the American **Revolution** possible. 모의
시민의 직접적인 참여가 미국 혁명을 가능하게 한 것이었다.

◎ **revolutionary** 형 혁명적인, 획기적인

0332

epidemic
[èpədémik]

명 **유행병, 유행, 급속한 확산**

The executive set up a commission in order to address the **epidemic** of yellow fever.
행정부는 황열병 유행에 대응하기 위해 위원회를 구성했다.

함께 외우는 유의어

plague [pleiɡ] 명 전염병
spread [spred] 명 확산, 만연
contagion [kəntéidʒən] 명 전염, 감염
outbreak [áutbrèik] 명 (질병의) 발생

0333

fancy
[fǽnsi]

동 **공상[상상]하다** 명 **공상, 욕망** 형 **복잡한, 화려한**

They spend lots of time and money choosing a **fancy** rod, but they often overlook safety. 수능
그들은 근사한 낚싯대를 고르려고 많은 시간과 돈을 쓰지만 종종 안전은 간과한다.

0334

velocity
[vəlɑ́səti]

명 **속도, (자금 등의) 회전율**

The **velocity** of sound in air is increased or decreased by temperatures.
공기 중에서 소리의 속도는 온도에 따라 증가하거나 감소한다.

0335

heritage
[héritidʒ]

명 (국가·사회의) 유산

Heritage is more concerned with meanings than material artifacts. 수능

문화유산은 물질적인 유물보다는 의미와 더 많이 연관된다.

0336

inheritance
[inhérətəns]

명 [1]상속받은 재산, 유산 [2]유전(되는 것)

It's not wise to live your life with an expectation of **inheritance**.

유산을 기대하며 인생을 사는 것은 현명하지 않다.

0337

marble
[mɑ́ːrbl]

명 대리석, 구슬

The big table in the middle of the lobby is made of **marble**.

로비의 중앙에 있는 그 큰 탁자는 대리석으로 만들어졌다.

0338

stare
[stɛər]

동 응시하다, 빤히 보다 명 응시

The dog stood there **staring** at the water — the one thing that had nearly taken its life. 모의

그 개는 물, 즉 자신의 목숨을 앗아갈 뻔했던 그것을 응시하며 그곳에 섰다.

0339

stink
[stiŋk]

동 악취를 풍기다, 수상쩍다 명 악취

The skunk can release a **stink** spray to defend itself from predators.

스컹크는 포식자로부터 스스로를 방어하기 위해 악취를 분사할 수 있다.

0340

correlate
[kɔ́ːrəlèit]

동 서로 관련하다, 서로 관련시키다

The detective thought those two cases **correlated** to each other.

그 형사는 두 사건이 서로 연관되어 있다고 생각했다.

0341

descriptive
[diskríptiv]

형 **서술적인, 묘사하는**

When I read a novel, I often skip **descriptive** passages.
나는 소설을 읽을 때 종종 묘사적인 구절은 건너뛴다.

◎ **describe** 동 묘사하다

0342

furthermore
[fə́ːrðərmɔ̀ːr]

부 **뿐만 아니라, 더욱이**

Furthermore, most bees sting when they feel threatened.
뿐만 아니라, 대부분의 벌은 위협을 느끼면 침을 쏜다.

함께 외우는 유의어

moreover [mɔːróuvər] 부 게다가
besides [bisáidz] 부 게다가
in addition 게다가

0343

cosmic
[kɑ́zmik]

형 **우주의, 엄청나게 큰**

The Hubble Space Telescope is sending beautiful images of **cosmic** objects.
허블 우주 망원경은 우주 물체의 아름다운 이미지들을 전송하고 있다.

◎ **cosmos** 명 우주

0344

deposit
[dipɑ́zit]

명 **보증금, 예치금** 동 **두다, 예치하다**

She **deposited** all of her money in her bank account.
그녀는 돈을 전부 은행 계좌에 예금했다.

0345

counteract
[kàuntərǽkt]

동 **1방해하다 2중화하다**

Their effects can be **counteracted** by random acts of violence. 모의
그것들의 효과는 무작위적인 폭력 행위로 상쇄될 수 있다.

0346

foster

[fɔ́:stər]

동 조성하다, 발전시키다

From an evolutionary perspective, fear has contributed to both **fostering** and limiting change, and to preserving the species. 모의

진화론적 관점에서, 공포는 변화를 조성하고 제한하는 것에, 그리고 종을 보존하는 데에 기여해 왔다.

0347

prefer

[prifə́:r]

동 선호하다

Do you **prefer** one with or without a handle? 수능

손잡이 있는 것이 더 좋으세요, 아니면 손잡이 없는 것이 더 좋으세요?

◎ **preference** 명 선호, 더 좋아하는 것

0348

propel

[prəpél]

동 추진하다, 몰고 가다

The car **propelled** her through an open section of the guard rail into the water.

차는 가드레일의 열린 부분을 통해 그녀를 물속으로 몰고 갔다.

함께 외우는 유의어

drive [draiv] 동 추진시키다
push [puʃ] 동 밀어내다
launch [lɔ:ntʃ] 동 시작하다
force [fɔ:rs] 동 강요하다

0349

adhesive

[ædhí:siv]

명 접착제 형 들러붙는

He glued the mirror in the frame with a strong **adhesive**.

그는 강력 접착제로 거울을 틀 안에 붙였다.

0350

adhere

[ædhíər]

동 들러붙다, 부착되다, 고수하다

A leader needs to **adhere** strongly to the principles of the community.

지도자는 공동체의 원칙을 강력히 고수할 필요가 있다.

◎ **adhesion** 명 접착력

◎ **adhere to** ~을 고수하다, ~을 지키다

0351

refrain
[rifréin]

동 삼가다

You must **refrain** from drinking or eating anything for 6 hours before your surgery.
수술 전에는 6시간 동안 마시거나 먹는 것을 삼가야 합니다.

◎ **refrain from -ing** ~하는 것을 삼가다

0352

rely
[rilái]

동 의지하다, 신뢰하다

Lone animals **rely** on their own senses to defend themselves.
홀로 행동하는 동물은 스스로를 방어하기 위해 자신의 감각에 의존한다.

◎ **rely on** ~에 의존하다

0353

gratify
[grǽtəfài]

동 기쁘게 하다, 만족시키다

The pianist **gratified** the audience with her beautiful solos.
피아노 연주자는 아름다운 단독 연주로 청중을 만족시켰다.

0354

courteous
[kə́ːrtiəs]

형 공손한, 정중한

The old man next to my seat was very **courteous**.
내 옆자리의 나이 든 남자는 매우 정중했다.

0355

creak
[kriːk]

동 삐걱거리다 명 삐걱거리는 소리

Didn't you hear the floor **creak** around 3:00 a.m. last night?
너 어젯밤 3시쯤 바닥이 삐걱거리는 소리를 못 들었니?

0356

elusive
[ilúːsiv]

형 잡히지 않는, 규정하기 힘든

The documentary filmmaker has passionately pursued capturing these **elusive** images of nature for many years.
그 다큐멘터리 영화 제작자는 오랫동안 이러한 자연의 잡히지 않는 이미지들을 포착하는 것을 열정적으로 추구해 왔다.

0357

imitate
[ímətèit]

동 모방하다, 본뜨다

The photograph, it seemed, did the work of **imitating** nature better than the painter ever could. 수능
사진은 화가가 여태껏 할 수 있었던 것보다 자연을 더 잘 모방할 수 있는 것 같았다.

0358

credulous
[krédʒuləs]

형 잘 믿는, 속기 쉬운

Credulous people often become victims of superstition.
잘 믿는 사람들은 종종 미신의 희생자가 된다.

시험 빈출 혼동 단어

0359

revise
[riváiz]

동 변경하다, 수정하다, 개정하다

You can go back to **revise** and polish your writing anytime.
너는 언제든 되돌아가서 너의 글을 수정하고 다듬을 수 있다.

revision 명 변경, 수정, 검토

0360

revive
[riváiv]

동 되살리다, 재개하다, 회복시키다

The government tried to **revive** the economy through expanded budget expenditure.
정부는 확대된 예산 지출을 통해 경제를 되살리려 노력했다.

revival 명 회복, 재생, 재공연

DAY 10

5회독 체크

0361

manuscript
[mǽnjuskrìpt]

명 원고, 필사본, 사본

They stole the results during the review process and prevented the original **manuscript** from being published.
그들은 검토 과정에서 결과를 빼내고 원본 원고가 출판되는 것을 막았다.

0362

frequent
[fríːkwənt]

형 잦은, 빈번한

They have uncovered evidence that our ancestors faced **frequent** periods of drought and freezing. 모의
그들은 우리 선조들이 빈번한 가뭄과 혹한에 직면했다는 증거를 밝혀냈다.

● **frequently** 부 빈번하게, 자주　**frequency** 명 빈도

0363

glimpse
[glimps]

명 잠깐 봄　동 힐끗 보다

When we get a **glimpse** of that kind of happiness, it is powerful, transcendent, and compelling. 모의
우리가 그러한 종류의 행복을 언뜻 보았을 때, 그 행복은 강력하고 초월적이며 강렬하다.

● **catch[get] a glimpse of** ~을 얼핏 보다

0364

appropriate
[əpróupriət]

형 적절한

Why don't you drop by the library and choose an English book that's **appropriate** for your level? 수능
도서관에 들러서 네 수준에 적절한 영어 책을 고르는 게 어때?

0365

bilingual
[bailíŋgwəl]

형 두 개 언어를 할 줄 아는

The student is **bilingual** in Korean and English.
그 학생은 한국어와 영어의 이중 언어 사용자이다.

● **multilingual** 형 여러 언어를 하는

0366

notion
[nóuʃən]

명 **개념, 관념, 생각**

Some people live with the **notion** that they are recognized by the job they do. 수능

어떤 사람들은 자신이 하는 일에 의해 인정받는다는 생각을 하며 산다.

0367

routine
[ru:tí:n]

명 **틀에 박힌 일, 일상의 일, 관례**

Every day they followed the same **routine**; it was difficult and tiring, but the result was very satisfying.

매일 그들은 동일한 일과를 따랐는데, 그것은 힘들고 피곤했지만 결과는 매우 만족스러웠다.

0368

verge
[vəːrdʒ]

명 **가장자리, 경계** 동 **기울다, ~에 가까워지다**

Many of the people in the area were living on the **verge** of starvation.

그 지역의 많은 사람들이 기아 직전의 위기에서 살고 있었다.

◎ **on the verge of** ~하기 직전의

0369

harsh
[hɑːrʃ]

형 **가혹한, 냉혹한**

My grandmother wanted to go to school, but the **harsh** immigrant life pushed her to support her family. 수능

나의 할머니는 학교에 가고 싶었지만 가혹한 이민자의 삶은 그녀가 가족을 부양하도록 만들었다.

0370

torment
[tɔːrmént]

명 **고통, 고민거리** 동 **괴롭히다**

I pray nobody has to go through the **torment** we went through.

나는 그 누구도 우리가 겪었던 고통을 겪어서는 안 된다고 기도한다.

함께 외우는 유의어

suffering [sʌ́fəriŋ] 명 고통, 고생
torture [tɔ́ːrtʃər] 명 고문, 심한 고통
agony [ǽgəni] 명 고통, 고뇌

0371

innocence
[ínəsəns]

명 [1]결백, 무죄 [2]순진

The attorney claimed the **innocence** of the suspect at the court.

변호사는 법정에서 피의자의 무죄를 주장했다.

◎ **innocent** 형 결백한, 무죄의

0372

infant
[ínfənt]

명 유아, 갓난아기

Human newborn **infants** show a strong preference for sweet liquids. 수능

신생아는 단맛이 나는 액체에 강한 선호를 보인다.

0373

dignity
[dígnəti]

명 위엄, 품위, 존엄성

Please let her die with **dignity**.

그녀가 존엄성을 갖고 죽을 수 있도록 해 주세요.

0374

spacious
[spéiʃəs]

형 (방·건물 등이) 널찍한, (시야가) 넓은

The camp has great facilities, including **spacious** cabins, wireless Internet access, and a swimming pool.

캠프는 널찍한 객실, 무선 인터넷 접속, 그리고 수영장을 포함한 훌륭한 시설을 갖추고 있습니다.

0375

passion
[pǽʃən]

명 열정, 격노

As time passed, his commitment and **passion** seemed to fade gradually. 모의

시간이 갈수록 그의 헌신과 열정은 점차 희미해지는 것처럼 보였다.

◎ **passionate** 형 열정적인

0376

adversity
[ædvə́ːrsəti]

명 역경, 불행

When people face real **adversity**, affection from a pet takes on new meaning.

사람들이 진짜 역경에 직면할 때, 애완동물이 주는 애정은 새로운 의미를 띤다.

0377

linguistic
[liŋgwístik]

형 언어의, 언어학의

A thought might get expressed out loud in a statement with a particular **linguistic** structure. 모의

아마도 생각은 특정한 언어 구조를 지닌 진술로 소리내어 표현될 것이다.

0378

psychology
[saikɑ́lədʒi]

명 심리학, 심리

Researchers in **psychology** follow the scientific method to perform studies that help explain human behavior. 수능

심리학 연구자들은 인간 행동을 설명하는 데 도움이 되는 연구를 수행하기 위해 과학적 방법을 따른다.

◎ **psychologist** 명 심리학자

0379

intriguing
[intríːgiŋ]

형 아주 흥미로운, 호기심을 자극하는

Your writing style is very humorous and occasionally **intriguing** to me.

당신의 글쓰기 방식은 매우 익살스러우며 때로 저에게 아주 흥미롭습니다.

함께 외우는 유의어

interesting [íntərəstiŋ] 형 흥미로운
stimulating [stímjulèitiŋ] 형 자극하는
engaging [ingéidʒiŋ] 형 마음을 끄는

0380

shred
[ʃred]

명 조각, 파편, 소량 동 조각조각 찢다[자르다]

My dog **shredded** the curtains and rug while I was out.

내가 나가 있는 동안 나의 개는 커튼과 깔개를 조각조각 찢어놓았다.

0381

fragment

[frǽgmənt]

명 **조각, 파편**

I have to collect the **fragments** of old memories and discover the truth.

나는 오래된 기억의 파편을 모아 진실을 발견해야 한다.

0382

span

[spæn]

명 **(지속되는) 시간, 기간, 범위**

Those children's concentration **span** was very short.

그 아이들은 집중력의 지속 시간이 매우 짧았다.

함께 외우는 유의어

term [təːrm] 명 기간
period [píːəriəd] 명 기간, 시기
duration [djuréiʃən] 명 (지속되는) 기간

0383

lifespan

[laifspæn]

명 **수명**

Generally, men's **lifespans** are shorter than women's.

일반적으로 남성의 수명이 여성의 수명보다 짧다.

0384

suspect

[səspékt]

동 **의심하다, 짐작하다** 명 **용의자**

If you **suspect** someone has heart attack symptoms, don't hesitate to call 119 immediately.

만약 누군가가 심장마비 증세를 보인다고 의심이 되면 망설이지 말고 즉시 119에 전화하세요.

0385

suspicious

[səspíʃəs]

형 **의심스러워 하는, 수상쩍은**

The police officer cast a **suspicious** look to the driver.

경찰관은 그 운전자에게 의심의 눈초리를 던졌다.

0386

prescribe

[priskráib]

동 [1]처방하다 [2]규정하다

They do not know how to diagnose their medical conditions and do not have a license to **prescribe** medications. 모의

그들은 자신들의 의학적 상태를 진단하는 법을 알지 못하며 약물을 처방하는 면허를 가지고 있지 않다.

0387

prescription

[priskrípʃən]

명 처방전, 처방받은 약

He ran to the pharmacy, grabbing the **prescription**.

그는 처방전을 움켜쥐고 약국으로 달려갔다.

0388

cultivation

[kʌ̀ltəvéiʃən]

명 [1]경작 [2]함양, 교화

The **cultivation** of maize prompted people to adopt a new lifestyle based on farming. 모의

옥수수 경작은 사람들이 농사에 기반한 새로운 생활양식을 택하도록 했다.

◎ **cultivate** 동 1. 경작하다 2. 함양하다, 교화하다

0389

beware

[biwέər]

동 조심하다, 경계하다

I walked by an old house and saw a "**Beware** of Dog" sign.

나는 어떤 낡은 집 옆을 걸어가다가 '개를 조심하시오'라는 표지판을 보았다.

◎ **Beware of** ~을 조심[주의]하시오.

0390

discord

[dískɔːrd]

명 불화, 불일치

My grandfather wanted the family **discord** to be brought to a peaceful resolution.

나의 할아버지는 가족 간의 불화가 평화로운 결말을 맞기를 바라셨다.

0391

foretell
[fɔːrtél]

동 **예언하다**

I believe that dreams **foretell** the future.
나는 꿈이 미래를 예언한다고 믿는다.

0392

manipulate
[mənípjulèit]

동 **교묘하게 다루다, 조종하다, 조작하다**

We have two different neural systems that **manipulate** our facial muscles. 모의
우리는 얼굴 근육을 조종하는 서로 다른 두 개의 신경 체계를 갖고 있다.

0393

frost
[frɔːst]

명 **서리, 성에** 동 **성에가 끼다**

I couldn't see anything outside because the train windows were **frosted** over.
기차의 창문에 성에가 끼어서 나는 밖에 있는 것을 전혀 볼 수 없었다.

0394

injure
[índʒər]

동 **상처를 입히다, 다치게 하다**

We rescue and treat wild animals that are seriously sick or **injured**. 모의
우리는 심각하게 아프거나 다친 야생 동물을 구조하고 치료한다.

- **injury** 명 부상

0395

preliminary
[prilímənèri]

형 **예비의** 명 **사전 준비**

This **preliminary** structural analysis is compulsory before working on the design.
이러한 예비 구조 분석은 설계 작업을 하기 전에 필수적이다.

- **preliminary to** ~ 전에

0396

disgusting
[disgʌ́stiŋ]

형 **역겨운, 몹시 싫은**

Immediately, Michael bellowed, "That **disgusting** phone never stops ringing." 모의
즉시 Michael은 소리쳤다. "저 역겨운 전화는 끝없이 울리는군."

0397

sack

[sæk]

명 부대, 자루 동 [1]해고하다 [2]약탈하다

A couple of **sacks** of potatoes were stacked near the door.
문 근처에 감자 자루 몇 개가 쌓여 있었다.

In this game, your army will **sack** a small town near the castle and proceed along the mountain range.[2]
이 게임 안에서 너의 군대는 성 근처의 작은 마을을 약탈하고 산맥을 따라 전진할 것이다.

0398

premise

[prémis]

명 [1](주장의) 전제 [2]토지, 구내(-s)

I don't agree with the major **premise** of your argument.[1]
나는 당신 주장의 대전제에 동의하지 않습니다.

All the police could do was to wait for them to come out of their private **premises**.[2]
경찰이 할 수 있는 일은 그들이 자신들의 사유지에서 나오기를 기다리는 것이 전부였다.

시험 빈출 반의어

0399

swell

[swel]

동 붓다, 부풀다, 증가하다

My heart **swelled** as much as my bulging bags when I got on the train. 수능
기차에 오를 때 내 마음은 내 불룩한 가방만큼 잔뜩 부풀었다.

0400

shrink

[ʃriŋk]

동 줄어들다, 오그라들다, 움츠러들다

Moisture is stored in the root, and during droughts the root **shrinks**, dragging the stem underground. 모의
습기는 뿌리에 저장이 되고, 가뭄 동안 뿌리는 오그라들어 땅 아래로 줄기를 끌어당긴다.

바로 테스트

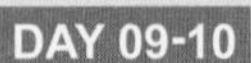

DAY 09-10

정답 435쪽

영어는 우리말로, 우리말은 영어로 쓰세요.

01 informal
02 converse
03 velocity
04 fragment
05 preliminary
06 adversity
07 beware
08 linguistic
09 glimpse
10 foster
11 conquest
12 inheritance
13 propel
14 refrain
15 innocence
16 psychology
17 discord
18 elusive
19 manipulate
20 adhere
21 수명
22 처방하다, 규정하다
23 서리, 성에
24 조각조각 찢다
25 의심하다; 용의자
26 유아, 갓난아기
27 개념, 관념
28 처방전
29 두 개 언어를 할 줄 아는
30 경계; 기울다
31 책임이 있는
32 보증금; 예치하다
33 서로 관련하다
34 응시하다, 빤히 보다
35 접착제; 들러붙는
36 유행병, 급속한 확산
37 경작, 교화
38 모방하다, 본뜨다
39 일탈적인
40 방해하다, 중화하다

괄호 안에서 알맞은 말을 고르세요.

41 The writer (revised / revived) the main characters to make them funnier.

42 The sweater (swelled / shrank) after the wash. It is now too small for me.

5회독 체크

0401

souvenir
[sùːvəníər]

명 **기념품**

Can you show me where the **souvenir** magnets are? 수능
기념품 자석이 어디에 있는지 알려주시겠어요?

0402

personal
[pə́rsənl]

형 **개인의, 개인적인**

The tuition fee is $50 per person with a free **personal** locker. 모의
무료 개인 사물함을 포함한 수강료는 1인당 50달러이다.

0403

tribute
[tríbjuːt]

명 **헌사, 찬사**

We created this video as a **tribute** to the victims of the shooting at the city.
우리는 그 도시에서 있었던 총격 사건의 희생자들에게 바치는 헌사로 이 영상을 제작했다.

0404

prospect
[práspekt]

명 **가망, 예상, 전망**

She cannot afford school and has very poor **prospects** for the future.
그녀는 학교에 갈 여유가 없고 미래에 대한 전망도 매우 어둡다.

prospective 형 장래가 유망한, 가능성 있는

0405

orphan
[ɔ́ːrfən]

명 **고아** 동 **고아로 만들다**

Orphaned when his parents died during World War II, he was raised by his relatives. 수능
그는 제2차 세계대전 중 부모가 죽어 고아가 된 뒤 친척들에 의해 길러졌다.

orphanage 명 고아원, 보육원

0406

hence

[hens]

부 [1]그러므로, 이 때문에 [2]지금부터

Hence, the huge American market is seen as driving the imbalance. 모의

이 때문에, 거대한 미국 시장이 불균형을 만들어 간다고 생각된다.

0407

starve

[stɑːrv]

동 굶주리다, 단식하다

In years of bountiful crops people ate heartily, and in lean years they **starved**. 모의

수확량이 풍부한 해에는 사람들이 마음껏 먹었고, 적은 해에는 굶주렸다.

◎ **starvation** 명 기아, 굶주림, 아사

0408

detail

[ditéil]

명 세부 사항

The **details** are changed but the fundamental narrative is the same as the old one. 수능

세부 사항은 바뀌었지만 기본적인 이야기는 전의 것과 동일하다.

◎ **in detail** 상세하게

0409

retain

[ritéin]

동 유지하다, 보유하다

It is difficult for the institution staff to **retain** optimism when all the patients are declining in health. 수능

모든 환자가 건강이 나빠질 때 시설 직원들이 낙관주의를 유지하기는 힘들다.

함께 외우는 유의어

keep [kiːp] 동 유지하다
reserve [rizə́ːrv] 동 보유하다
maintain [meintéin] 동 지속하다

0410

portion

[pɔ́ːrʃən]

명 부분, 몫

I spend $200 for my **portion** of the rent on an apartment I share with my friend.

나는 내 친구와 함께 쓰는 아파트 집세 중 내 몫으로 200달러를 낸다.

0411

proportion
[prəpɔ́ːrʃən]

명 부분, 비율, 균형

CO_2 released during industrial processes has greatly increased the **proportion** of carbon in the atmosphere. 모의

산업 공정 중에 배출되는 이산화탄소는 대기 중의 탄소 비율을 크게 증가시켜 왔다.

0412

wretched
[rétʃid]

형 비참한, 형편없는

This shelter will keep some of those **wretched** dogs from freezing to death this winter.

이 보호소가 저 비참한 개들 중 일부를 올겨울에 얼어 죽지 않도록 해 줄 것이다.

0413

coherent
[kouhíərənt]

형 일관성 있는, 응집성이 있는

Separate the items into **coherent** groups. 모의

그 물품들을 일관성 있는 집단으로 분리하시오.

◎ **coherence** 명 일관성

0414

brief
[briːf]

형 (시간이) 짧은, 간단한

After a **brief** skills test, participants will be trained based on their levels. 수능

간단한 기술 테스트 뒤에 참석자들은 자기 수준에 기초한 훈련을 받을 것이다.

0415

athlete
[ǽθliːt]

명 운동선수, 육상 경기 선수

As **athletes** move up the competitive ladder, they become more homogeneous in terms of physical skills. 모의

운동선수들이 경쟁의 사다리를 올라갈수록 신체 능력의 측면에서는 더 균등해진다.

0416

promise
[prάmis]

동 약속하다, ~할 가망이 있다 명 약속

You **promised** to deliver the printers by the end of May. 수능

5월 말까지 프린터를 배달해 주시겠다고 약속하셨잖아요.

함께 외우는 유의어

vow [vau] 동 맹세하다
swear [swɛər] 동 맹세하다
guarantee [gæ̀rəntíː] 동 보증하다

0417

compassion
[kəmpǽʃən]

명 연민, 동정심

Sometimes doctors need to decrease their **compassion** for patients.

때로 의사들은 환자에 대한 연민을 줄여야 할 필요가 있다.

0418

compound
[kάmpaund]

명 복합체, 화합물 형 혼합의 동 [1]혼합하다 [2]악화시키다

Salt is a **compound** of sodium and chlorine.

소금은 나트륨과 염소의 화합물이다.

◉ **be compounded of** ~으로 이루어지다

0419

discern
[disə́ːrn]

동 알아차리다, 포착하다

We can **discern** different colors, but we can give a precise number to different sounds. 수능

우리는 서로 다른 색깔을 알아볼 수 있지만, 서로 다른 소리에는 정확한 번호를 붙일 수 있다.

0420

embed
[imbéd]

동 깊숙이 박다, 파묻다, (마음 속에) 깊이 새기다

Science is **embedded** within a social fabric. 모의

과학은 사회적 구조 속에 깊이 내재되어 있다.

◉ **be embedded in** ~에 박혀 있다

0421

entail
[intéil]

동 **수반하다, 함의하다**

Starting your own business always **entails** some risk.
자기 자신의 사업을 시작하는 것에는 언제나 어느 정도의 위험이 따른다.

0422

conflict
[kάnflikt]

명 **갈등, 충돌**

Many of you may not know how to smooth things over with your family members after **conflict**. 수능
여러분 중에는 가족 구성원과 갈등이 있고 난 후 어떻게 상황을 매끄럽게 회복할지 알지 못하는 분들이 많을 것이다.

0423

restrain
[ristréin]

동 **억제하다, 억누르다**

It's better to **restrain** your temper and solve everything peacefully.
성미를 억누르고 모든 것을 평화롭게 해결하는 것이 낫다.

● **restraint** 명 억제, 금지

0424

donor
[dóunər]

명 **기증자, 기부자**

One organ **donor** can help save up to eight lives.
한 명의 장기 기증자는 최대 여덟 명의 생명을 구하도록 도울 수 있다.

0425

telecommute
[tèləkəmjú:t]

동 **(컴퓨터를 사용하여) 재택근무하다**

Our company decided to let employees **telecommute** two or three days a week.
우리 회사는 직원들에게 일주일에 2~3일은 재택근무를 하게 해 주기로 결정했다.

● **commute** 동 통근하다

0426

unite
[ju:náit]

동 연합하다, 통합시키다

Food **unites** as well as distinguishes eaters. 모의

음식은 먹는 사람들을 구별지을 뿐 아니라 연합시키기도 한다.

- **unity** 명 연합, 통합
- **European Unity (EU)** 유럽 연합

함께 외우는 유의어

unify [jú:nəfài] 동 통합하다
cooperate [kouápərèit] 동 협력하다

0427

disturbance
[distə́:rbəns]

명 소란, 동요, 방해

Periodic **disturbances** such as severe storms or underwater landslides can reduce the population of a dominant competitor. 모의

심한 폭풍이나 수중 산사태와 같은 주기적인 소동이 지배적 경쟁자의 개체 수를 감소시킬 수 있다.

- **disturb** 동 방해하다

0428

sequence
[sí:kwəns]

명 연속, 연속적인 사건들, 순서　동 차례로 배열하다

I don't know how to change the **sequence** of the photos in the folder.

나는 폴더 안에서 사진 순서를 바꾸는 법을 모르겠다.

0429

pat
[pæt]

동 쓰다듬다, 토닥거리다

She **pats** her daughter on her back.

그녀는 딸의 등을 토닥였다.

0430

prosecutor
[prásikjù:tər]

명 (기소) 검사, 검찰관

Neither **prosecutor** nor defender is obliged to consider anything that weakens their respective cases. 모의

기소한 검사나 피고 측 변호사 중 누구도 그들 각자의 입장을 약화시키는 사항을 고려해야 할 의무는 없다.

0431

appeal
[əpíːl]

명 [1]항소 [2]호소, 매력 동 [1]항소하다 [2]호소하다

The case went to court, and the composers won on **appeal**. 모의

사건은 법정으로 갔고, 작곡가들은 항소심에서 이겼다.

함께 외우는 유의어

attraction [ətrǽkʃən] 명 매력, 명소
charm [tʃɑːrm] 명 매력
plead [pliːd] 동 간청하다, 변론하다

0432

implore
[implɔ́ːr]

동 간청하다, 탄원하다

The boy **implored** her not to tell the truth to his father.

소년은 아버지에게 진실을 말하지 말아 달라고 그녀에게 간청했다.

0433

hostage
[hɑ́stidʒ]

명 인질

The **hostage** was released safely this morning, but he declined to state who had detained him.

인질은 오늘 아침에 안전하게 풀려났지만, 그는 누가 자신을 억류했는지 진술하기를 거부했다.

0434

realize
[ríːəlàiz]

동 깨닫다, 인식하다

Trust me. You'll **realize** you did the right thing. 수능

날 믿어. 넌 네가 옳은 일을 했다는 것을 알게 될 거야.

◎ **realization** 명 자각, 깨달음, 인식

0435

telegraph
[téligræ̀f]

명 전신, 전보 동 전보를 보내다

During World War II, the **telegraph** system was used extensively.

제2차 세계대전 때 전보 시스템은 널리 사용되었다.

0436

temper
[témpər]

명 성질, 기분, 화

Despite her **temper**, Annie was a good and able leader.
화내기 쉬운 성질에도 불구하고 Annie는 선하고 능력 있는 리더였다.

0437

temperate
[témpərət]

형 절제하는, 온건한, (날씨가) 온화한

The conductor seemed to be **temperate**, but he lost his temper at his own minor mistakes on the stage.
그 지휘자는 차분해 보였으나 무대 위에서 자신의 사소한 실수에 쉽게 화를 냈다.

temperance 명 절제, 자제

0438

compromise
[kámprəmàiz]

명 타협, 절충안 동 타협하다

He agreed to study chemical engineering as a **compromise** with his father. 모의
그는 아버지와의 타협안으로 화학 공학을 공부하는 것에 동의했다.

시험 빈출 혼동 단어

0439

compulsory
[kəmpʌ́lsəri]

형 강제의, 의무적인, 필수적인

It's **compulsory** for children to attend school from age six.
6살부터 아이들은 의무적으로 학교에 가야 한다.

0440

compulsive
[kəmpʌ́lsiv]

형 강박적인, 강요하는

She has a **compulsive** need to talk a lot around new people.
그녀는 새로운 사람들과 있을 때 말을 많이 해야 한다는 강박감이 있다.

DAY 12

5회독 체크

0441

profound
[prəfáund]

형 엄청난, 깊은, 심오한

The results of science have **profound** impacts on every human being on earth. 모의

과학의 결과는 지구상의 모든 사람에게 엄청난 영향을 미친다.

0442

consecutive
[kənsékjutiv]

형 연이은

It is embarrassing to set the new record for **consecutive** games lost.

연이은 경기의 패배로 새로운 기록을 세우는 것은 창피하다.

0443

consequent
[kɑ́:nsəkwènt]

형 결과의, 결과로 일어나는

The population of the lizards is declining because of the use of pesticides and the **consequent** decrease of their prey.

도마뱀의 수는 살충제 사용과 그에 따른 먹이 감소 때문에 줄어들고 있다.

● **consequently** 부 결과적으로

0444

consequence
[kɑ́:nsəkwèns]

명 결과

As a **consequence**, those who possess the highest-quality information are likely to prosper economically, socially, and politically. 수능

결과적으로 가장 고품질의 정보를 소유한 사람이 경제적으로, 사회적으로, 그리고 정치적으로 번창할 것으로 예상된다.

0445

enrich
[inrítʃ]

동 질을 높이다, 풍요롭게 하다

Our jobs will be **enriched** by relying on robots to do tedious work.

지루한 작업은 로봇에게 의존함으로써 우리의 일은 질이 높아질 것이다.

0446

entitle
[intáitl]

동 **자격[권리]을 주다**

These individuals are **entitled** to look wherever they want. 수능

이 사람들은 그들이 원하는 곳은 어디나 볼 수 있는 권한이 있다.

◎ **be entitled to** ~할 권한이 있다

함께 외우는 유의어

allow [əláu] 동 허가하다
authorize [ɔ́:θəràiz] 동 권한을 주다
empower [impáuər] 동 권한을 주다

0447

supervise
[sú:pərvàiz]

동 **감독하다, 지도하다**

The teacher was **supervising** the young students in the classroom at the time of the incident.

그 일이 일어났을 때 선생님은 교실에서 어린 학생들을 감독하고 있었다.

0448

swallow
[swálou]

동 **삼키다** 명 **제비**

Based on a complex sensory analysis, the final decision whether to **swallow** or reject food is made. 수능

복잡한 감각적 분석에 기초하여 음식을 삼킬지 거부할지의 마지막 결정이 이루어진다.

0449

initial
[iníʃəl]

형 **처음의, 초기의**

Just less than a year after the **initial** work on the tomb began, it stopped because of lack of funds. 모의

무덤을 만드는 초기 작업이 시작된 지 일 년이 채 되지 않아 자금 부족으로 중단되었다.

◎ **initially** 부 처음에, 초기에

0450

active
[ǽktiv]

형 **활동적인, 적극적인**

I was impressed by how **active** the class was. 수능

나는 그 수업이 얼마나 활동적이었는지가 인상적이었다.

0451

exclusive
[iksklúːsiv]

형 **배타적인, 독점적인**

Exclusive Economic Zones (EEZ) are areas of the sea, generally extending 200 nautical miles from a country's coastline.

배타적 경제 수역(EEZ)은 일반적으로 한 국가의 연안에서부터 200해리까지 확장된 해역이다.

◎ **exclusively** 부 배타적으로, 독점적으로

0452

reserve
[rizə́ːrv]

동 **예약하다, 보류하다** 명 **비축물**

As for proven oil **reserves**, Venezuela recorded the largest amount among these countries in 2011. 모의

입증된 석유 매장량으로 보면 베네수엘라가 2011년에 이 국가들 중 가장 많은 양을 기록했다.

◎ **reservation** 명 1. 예약 2. (미국) 아메리카 원주민 보호 구역

0453

reservoir
[rézərvwɑ̀ːr]

명 **저수지, 저장소, 비축**

Currently, 88 huge **reservoirs** hold some 10 trillion tons of water. 모의

현재 88개의 거대한 저수지들이 약 10조 톤의 물을 저장하고 있다.

0454

sake
[seik]

(for the sake of ~ 또는 for something's sake의 형태로) ~을 위하여

The family moved to the country for the **sake** of the baby's health.

그 가족은 아기의 건강을 위해서 시골로 이사했다.

0455

ignorance
[íɡnərəns]

명 **무지, 무식**

A discovery is an uncovering of new **ignorance**. 수능

발견이란 새로운 무지의 덮개를 여는 것이다.

0456

eligible
[élidʒəbl]

형 **자격이 있는**

Once you reach the **eligible** age, you can apply for an older person's bus pass for free local travel.

자격이 되는 나이에 이르면 무료로 지역 내에서 이동할 수 있는 연장자용 버스 승차권을 신청할 수 있다.

0457

obligatory
[əblígətɔ̀:ri]

형 **의무적인, 필수의**

It became **obligatory** for the riders in the backseat to wear a seat belt.

뒷좌석에 탄 사람들도 안전벨트를 하는 것이 의무화되었다.

함께 외우는 유의어

compulsory [kəmpʌ́lsəri] 형 의무적인
mandatory [mǽndətɔ̀:ri] 형 의무적인, 법으로 정해진
required [rikwáiərd] 형 필수의

0458

oblige
[əbláidʒ]

동 **1 의무적으로 ~하게 하다 2 베풀다**

You are **obliged** to consider the condition and welfare of your employees.

당신은 고용인들의 환경과 복지를 고려해야 할 의무가 있다.

- **obligation** 명 의무
- **be obliged to** 의무적으로 ~해야 하다

0459

dreary
[dríəri]

형 **음울한, 따분한**

It was on a **dreary** and cold day in February that the man arrived at the town.

그 남자가 마을에 도착한 것은 2월의 어느 음울하고 추운 날이었다.

0460

glitter
[glítər]

동 **반짝반짝 빛나다** 명 **반짝거림, 화려함**

On the bridge I was looking down at the water **glittering** in the light of the morning sun.

다리 위에서 나는 아침 햇살을 받아 반짝거리는 물을 내려다보았다.

0461

federal

[fédərəl]

형 연방제의, 연방 정부의

The net **federal** debt will rise to 90 percent of GDP by 2019. 모의

연방 정부의 순 부채는 2019년까지 GDP의 90퍼센트로 증가할 것이다.

0462

wield

[wiːld]

동 (권력 등을) 행사하다, (무기를) 휘두르다

He rose swiftly through the ranks to become the king's right-hand man and **wielded** great power.

그는 순식간에 왕의 오른팔로 지위가 상승했고 엄청난 권력을 행사했다.

0463

rigorous

[rígərəs]

형 엄격한, 엄밀한

You need to provide a **rigorous** analysis on that technical problem.

당신은 그 기술적 문제에 대한 엄밀한 분석을 제공할 필요가 있다.

0464

rigid

[rídʒid]

형 엄격한, 융통성 없는

The **rigid** social control required to hold an empire together was not beneficial to science. 수능

한 제국을 단결시키기 위해 요구된 엄격한 사회적 통제는 과학에 도움이 되지 않았다.

0465

hook

[huk]

명 갈고리, 걸이 동 갈고리로 걸다, ~에 걸다

The runner was constantly **hooking** himself up to pulse meters and pace keepers. 모의

그 달리기 선수는 늘 맥박 측정기와 평균 속도 계측기를 연결하곤 했다.

◎ **hook up (to)** (인터넷이나 전원 등에) 연결하다

0466

coexist
[kòuigzíst]

동 공존하다

The quest for profit and the search for knowledge cannot **coexist** in archaeology because of the time factor. 수능

고고학에서는 시간적 요인 때문에 이윤 추구와 지식 탐구가 공존할 수 없다.

◎ **coexistence** 명 공존

0467

collaborate
[kəlǽbərèit]

동 협력하다, 공동으로 작업하다

We will **collaborate** with the art director on some design projects.

우리는 그 예술감독과 몇몇 디자인 프로젝트에서 공동으로 작업할 것이다.

0468

deliver
[dilívər]

동 1 배달하다, 데리고 가다 2 (강연·연설을) 하다

The Internet can **deliver** targeted messages directly to consumers based on their shopping behavior. 모의

인터넷은 소비자들이 물건을 사는 행위에 기반하여 목표 대상이 정해진 메시지를 곧바로 그들에게 전달할 수 있다.

0469

discharge
[distʃɑ́ːrdʒ]

동 1 해고하다, 석방하다 2 방출하다 명 방출, 배출

Traces of mercury can appear in lakes far removed from any such industrial **discharge**. 수능

수은의 흔적은 산업 폐기물 배출과 멀리 떨어진 호수에서도 나타날 수 있다.

함께 외우는 유의어

release [rilíːs] 동 석방하다, 방출하다
liberate [líbərèit] 동 자유롭게 하다
dismiss [dismís] 동 해고하다, 해산시키다

0470

distort
[distɔ́ːrt]

동 비틀다, 왜곡하다

How much meaning can be **distorted** through translation?

번역을 통해 의미가 얼마나 많이 왜곡될 수 있을까?

◎ **distortion** 명 왜곡

0471

distribute

[distríbjuːt]

동 **분배하다, 배포하다, 유통시키다**

Some magazines are **distributed** only by subscription. 수능

몇몇 잡지는 (정기) 구독만으로 배포된다.

◎ **distribution** 명 분배, 분포, 유통

0472

maternity

[mətə́ːrnəti]

명 **어머니인 상태, 모성**

How long is the average **maternity** leave in Korea?

한국에서 출산 휴가는 평균적으로 얼마나 됩니까?

◎ **paternity** 명 부성

0473

facilitate

[fəsílitèit]

동 **가능하게 하다**

He regarded the lawyers' presence as **facilitating** the successful completion of the negotiation. 모의

그는 변호사가 참석해야 성공적인 협상 마무리가 가능하다고 여겼다.

◎ **facility** 명 시설, 기능

0474

feature

[fíːtʃər]

명 **특징, 특색** 동 **~을 특징으로 하다**

Professional or trade magazines usually **feature** highly targeted advertising. 수능

전문적이거나 업계용인 잡지는 대개 대상이 매우 뚜렷한 광고가 특징이다.

0475

impair

[impέər]

동 **손상시키다, 악화시키다**

If strong bonds make even a single dissent less likely, the performance of groups and institutions will be **impaired**.

강력한 결속 때문에 단 하나의 반대 의견도 나오기 어려워진다면, 집단과 단체의 성과는 악화될 것이다.

◎ **impairment** 명 장애

함께 외우는 유의어

damage [dǽmidʒ] 동 손상시키다
reduce [ridúːs] 동 감소시키다
worsen [wə́ːrsn] 동 악화시키다

0476

social
[sóuʃəl]

형 사회의, 사회적인, 사교의

An introvert is far less likely to make a mistake in a **social** situation. 모의

내성적인 사람은 사교적인 상황에서 실수할 가능성이 훨씬 적다.

0477

maintain
[meintéin]

동 1유지하다 2주장하다

Many present efforts to guard and **maintain** human progress are simply unsustainable. 수능

인간의 진보를 수호하고 유지하려는 현재의 많은 노력은 그저 지속 불가능하다.

0478

leak
[liːk]

동 새다, 새어 나오다, 누설하다 명 새는 곳, 누출

In spite of these blanketing layers, some energy must **leak** through from the Sun's center to its outer region. 모의

담요 역할을 하는 이 층에도 불구하고, 일부 에너지는 태양의 중심부에서 외부 영역으로 새어 나가는 것이 분명하다.

시험 빈출 반의어

0479

predecessor
[prédəsèsər]

명 전임자, 이전의 것

Those manufactured goods had symbols on them to note the tradesmen who created them, which are the **predecessors** of modern trademarks. 모의

그 제조품들에는 그것을 만든 장인을 나타내는 상징이 표시되어 있었는데, 이것이 현대의 상표의 전신이다.

0480

successor
[səksésər]

명 후임자, 계승자

The king had no **successor**, so he had to choose a nobleman to inherit the throne.

그 왕은 계승자가 없었고, 그래서 왕위를 물려받을 귀족을 선택해야 했다.

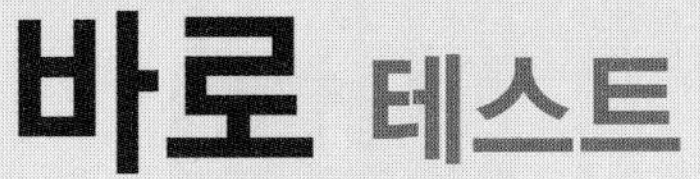

정답 435쪽

영어는 우리말로, 우리말은 영어로 쓰세요.

01 coherent
02 entitle
03 for the sake of
04 temperate
05 glitter
06 conflict
07 discern
08 entail
09 compromise
10 unite
11 retain
12 disturbance
13 profound
14 consequent
15 obligatory
16 eligible
17 discharge
18 impair
19 facilitate
20 compassion

21 가망, 예상, 전망
22 복합체, 화합물
23 예약하다; 비축물
24 새다, 누설하다
25 무지, 무식
26 부분, 몫
27 운동선수
28 인질
29 기증자
30 항소, 매력
31 질을 높이다
32 배타적인, 독점적인
33 저수지, 저장소
34 사회의, 사교의
35 배달하다
36 비틀다, 왜곡하다
37 분배하다, 배포하다
38 연속, 연속적인 사건들
39 간청하다, 탄원하다
40 감독하다, 지도하다

괄호 안에서 알맞은 말을 고르세요.

41 (Compulsory / Compulsive) education in South Korea lasts for nine years.

42 The new leader blamed his (predecessor / successor).

DAY 13

5회독 체크

0481

submit
[səbmít]

통 [1] 제출하다 [2] 복종하다

I believe people will love this new recipe more than the one I have already **submitted**.

저는 사람들이 제가 이미 제출한 요리법보다 이 새로운 것을 더 좋아할 거라고 믿어요.

0482

submission
[səbmíʃən]

명 [1] 제출 [2] 복종, 순종

The deadline for **submission** is November 30th. Only online **submission** of essays will be accepted. 수능

제출 기한은 11월 30일입니다. 온라인으로만 에세이를 제출할 수 있습니다.

0483

errand
[érənd]

명 심부름, 일

The girl often runs **errands** for her grandmother.

그 소녀는 종종 할머니의 심부름을 한다.

- **run an errand** 심부름을 하다

0484

reference
[réfrəns]

명 참조, 언급, 관련

These great musicians generally did their composition mentally without **reference** to pen or piano. 모의

이 위대한 음악가들은 대개 펜이나 피아노와는 상관없이 마음속으로 작곡을 했다.

- **refer** 동 언급하다, 참조하다
- **with[without] reference to** ~와 관련하여[상관없이]

0485

ambition
[æmbíʃən]

명 야망, 포부, 야심

Her **ambition** was to get a main role in that movie.

그녀의 포부는 그 영화에서 주연을 맡는 것이었다.

0486

heir
[ɛər]

명 상속인, 계승자

Their **heirs** have rights to the intellectual property for 70 years after the creator's death. 수능

그들의 상속인은 창작자 사망 후 70년 동안 지적 재산권을 소유한다.

함께 외우는 유의어

successor [səksésər] 명 후계자, 후임자
inheritor [inhéritər] 명 상속인, 후계자

0487

guardian
[gɑ́ːrdiən]

명 수호자, 후견인

The authority and responsibility for educating children resides in the parents or legal **guardians** of the children.

아동 교육에 대한 권한과 책임은 아동의 부모 또는 법적 후견인에게 있다.

0488

linear
[líniər]

형 선의, 직선 모양의, 1차원의

The city developed a **linear** park along the riverbank last year.

시는 작년에 강둑을 따라 선 모양의 공원을 조성했다.

0489

figure
[fígjər]

명 1 수치, 숫자 2 인물, 형상 동 1 계산하다 2 생각하다

Duke Ellington was one of the most important **figures** in jazz history.

Duke Ellington은 재즈 역사에서 가장 중요한 인물 중 한 사람이었다.

0490

merchant
[mə́ːrtʃənt]

명 상인, 무역상

When the supply of a manufactured product exceeds the demand, the **merchant** reduces inventory. 모의

생산 상품의 공급이 수요를 초과하면 상인은 재고를 줄인다.

0491

remark
[rimɑ́ːrk]

명 발언, 주목 동 언급하다, 논평하다

My parents constantly correct and criticize me, and I'm getting tired of those **remarks**.

나의 부모님은 끊임없이 나를 지적하고 비판하시는데, 나는 그러한 발언에 질리고 있다.

0492

evolve
[ivɑ́lv]

동 발달하다, 진화하다

With the industrial society **evolving** into an information-based society, the concept of information as a product has emerged. 수능

산업사회가 정보기반사회로 진화해 가면서 상품으로서의 정보의 개념이 나타났다.

0493

involve
[invɑ́lv]

동 수반하다, 관련시키다

Planning **involves** only the half of your brain that controls your logical thinking. 모의

계획 수립에는 논리적인 사고를 지배하는 뇌의 절반만이 관련된다.

0494

explicitly
[iksplísitli]

형 분명히, 명시적으로

Unlike lawyers, scientists must **explicitly** account for the possibility that they might be wrong. 모의

법률가와는 다르게 과학자들은 그들이 틀렸을지도 모른다는 가능성을 분명히 고려해야 한다.

0495

sympathetic
[sìmpəθétik]

형 동정적인, 동조하는

She gave me a **sympathetic** smile and held my hand.

그녀는 나에게 동정 어린 미소를 보내며 내 손을 잡았다.

◎ **sympathy** 명 동정, 공감

0496

superficial
[sù:pərfíʃəl]

형 깊이 없는, 피상적인

The editorial on that problem was just **superficial**; it was surprising to me.

그 문제에 대한 사설은 그저 피상적이어서, 그것이 내게는 놀라웠다.

0497

flexible
[fléksəbl]

형 신축성 있는, 유연한

The price that the farmer gets from the wholesaler is **flexible** from day to day. 모의

농부가 도매업자로부터 받는 가격은 하루하루 유동적이다.

함께 외우는 유의어

adjustable [ədʒʌ́stəbl] 형 융통성 있는
elastic [ilǽstik] 형 탄력 있는, 융통성 있는
variable [vέəriəbl] 형 변하기 쉬운

0498

inflexible
[infléksəbl]

형 융통성 없는, 완강한

There have always been struggles and rebellions against **inflexible** rules and regulations.

융통성 없는 원칙과 규제에 대한 투쟁과 저항은 언제나 있었다.

함께 외우는 유의어

stiff [stif] 형 뻣뻣한
rigid [rídʒid] 형 엄격한, 융통성 없는
stubborn [stʌ́bərn] 동 완고한, 고집스러운

0499

distracted
[distrǽktid]

형 (정신이) 산만해진, 산란해진

I didn't focus on my studies because I was **distracted** by my computer. 모의

나는 컴퓨터 때문에 정신이 산만해서 공부에 집중할 수 없었다.

◎ **distract** 동 주의를 흐트러뜨리다, 산만하게 하다

0500

anecdote
[ǽnikdòut]

명 일화, 비화

Using **anecdotes** to illustrate and highlight one's points is a basic part of writing good articles.

핵심을 설명하고 강조하기 위해 일화를 사용하는 것은 좋은 글을 쓰는 것의 기본적인 부분이다.

0501

coincidence
[kouínsidəns]

명 우연의 일치

As if that was not **coincidence** enough, more was to follow. 모의

마치 그것이 충분한 우연의 일치가 아닌 것처럼, 더한 일이 뒤따르게 되었다.

0502

imply
[implái]

동 넌지시 내비치다, 암시하다

The nature of sarcasm **implies** a contradiction between intent and message. 모의

풍자의 본질은 의도와 메시지 사이의 모순을 내비친다.

함께 외우는 유의어

suggest [səgdʒést] 동 암시하다
indicate [índikèit] 동 가리키다, 나타내다
signify [sígnəfài] 동 의미하다, 나타내다

0503

intend
[inténd]

동 의도하다, 의미하다

Words can carry meanings beyond those consciously **intended** by speakers or writers. 수능

말은 화자나 필자에 의해 의식적으로 의도된 것을 뛰어넘는 의미를 담을 수 있다.

0504

infer
[infə́ːr]

동 추론하다

We don't **infer** that all persons with red hair are more closely related to each other than they are to those with dark hair. 수능

빨간 머리를 가진 사람들 전부가 검은 머리를 한 사람보다 서로에게 더욱 밀접하게 연관되어 있다고 추론하는 것은 아니다.

inference 명 추론

0505

sew
[sou]

동 바느질하다, 봉합하다

This bag was made by **sewing** old leather pieces.

이 가방은 낡은 가죽 조각을 꿰매어 만들어졌다.

0506

shift
[ʃift]

동 (장소를) 옮기다, 바꾸다

Public attention easily **shifts** from one to the next.
대중의 관심은 하나에서 그다음 것으로 쉽게 옮겨 간다.

0507

bypass
[báipæ̀ːs]

명 우회 도로 동 우회하다

The city should construct a five-mile **bypass** to remove much of its traffic.
그 도시는 교통량의 상당 부분을 없애기 위해 5마일 길이의 우회로를 건설해야 한다.

0508

exploit
[iksplɔ́it]

동 착취하다, 이용하다

The reindeer had a weakness that mankind would mercilessly **exploit**: it swam poorly. 수능
순록에게는 인류가 무자비하게 이용할 약점이 있었다. 그것은 순록이 수영을 잘 못한다는 것이었다.

함께 외우는 유의어

abuse [əbjúːz] 동 착취하다
manipulate [mənípjulèit] 동 조종하다
take advantage of ~을 이용하다

0509

relevant
[réləvənt]

형 관련 있는, 적절한

He paid no attention to the possibility that some force outside the object might be **relevant**. 수능
그는 사물의 바깥에 있는 어떤 힘이 관련 있을지도 모른다는 가능성에는 전혀 주의를 기울이지 않았다.

0510

irrelevant
[iréləvənt]

형 상관없는, 무관한

Things that in real life are entangled with other things appear in a work of art free from **irrelevant** matters. 모의
현실 세계에서는 다른 것과 뒤엉켜 있던 것들이 예술 작품에서는 무관한 것들로부터 자유로워 보인다.

0511

moan
[moun]

동 신음하다, 투덜거리다

The patient **moaned** with pain in spite of herself.
그 환자는 자신도 모르게 고통으로 신음했다.

0512

fabulous
[fǽbjuləs]

형 굉장한, 멋진

Come and enjoy the **fabulous** drawings, sculptures, photographs, digital works, and the great music! 수능
오셔서 멋진 그림과 조각품, 사진, 디지털 작품, 그리고 훌륭한 음악을 즐기세요!

0513

illuminate
[ilúːmənèit]

동 비추다, 밝히다

A single light bulb in the ceiling was **illuminating** the room faintly.
천장에 있는 전구 한 개가 방을 희미하게 밝히고 있었다.

0514

illumination
[ilùːmənéiʃən]

명 [1] 빛, 조명 [2] 이해

The taxi drivers were asked to assess whether the **illumination** in each tunnel was appropriate.
택시 운전사들은 각 터널의 조명이 적절한지 평가해 달라고 요청받았다.

0515

respective
[rispéktiv]

형 각자의, 각각의

The Canadian suggested that they meet again the next morning with their **respective** lawyers to finalize the details. 모의
캐나다인은 세부 사항을 마무리하기 위해 다음 날 아침에 각자의 변호사와 함께 다시 만나자고 제안했다.

◎ **respectively** 부 각자, 개별적으로

0516

compatible
[kəmpǽtəbl]

형 **양립할 수 있는, (컴퓨터) 호환이 되는**

We hope our needs and your strategies will be **compatible**.
우리는 우리의 필요와 당신들의 전략이 양립하기를 바란다.

0517

incompatible
[ìnkəmpǽtəbl]

형 **양립할 수 없는, 공존할 수 없는**

Heavy, stressful work is **incompatible** with a healthy life.
과중하고 스트레스 많은 업무는 건강한 삶과 양립할 수 없다.

0518

hardship
[hɑ́:rdʃip]

명 **어려움, 고난**

A pet's continuing affection becomes very important for those enduring **hardship**.
애완동물의 지속적인 애정은 고난을 겪고 있는 사람들에게 매우 중요해진다.

시험 빈출 혼동 단어

0519

simulate
[símjulèit]

동 **모의실험하다, 가장하다**

They can **simulate** and manipulate reality by stimulating our senses. 모의
그들은 우리의 감각을 자극함으로써 현실을 가장하고 조작할 수 있다.

0520

stimulate
[stímjulèit]

형 **자극하다, 격려하다**

Ideas expressed imprecisely may be more intellectually **stimulating** for readers than simple facts. 수능
부정확하게 표현된 아이디어는 독자에게 단순한 사실보다도 더 지적으로 자극적일 수 있다.

DAY 14

5회독 체크

0521

substance
[sʌ́bstəns]

명 물질, 핵심, 실체

The Chinese saw the world as consisting of continuously interacting **substances**. 수능

중국인들은 세계가 지속적으로 상호 작용하는 물질들로 구성된다고 보았다.

0522

substantial
[səbstǽnʃəl]

형 [1] 상당한 [2] 견고한

If the evidence indicates that the charity is really helping others, they make a **substantial** donation. 수능

자선 단체가 정말로 다른 사람들을 돕고 있다는 증거가 있으면 그들은 상당한 기부를 한다.

0523

supplement
[sʌpləmənt]

명 보충, 보충제, 부록 동 보충하다

Supplement reviews have also been used as vehicles to promote the sale of nutrition products. 모의

보충제 논평 기사도 영양 제품 판매를 촉진하기 위한 도구로 이용되어 왔다.

◎ **supplementary** 형 보충의, 추가의

0524

rural
[rúərəl]

형 시골의, 지방의

In this way, **rural** children will be able to pursue online education. 모의

이러한 방법으로 시골 지역 아이들이 온라인 학습을 해 나갈 수 있을 것이다.

◎ **urban** 형 도시의

0525

acquaintance
[əkwéintəns]

명 아는 사람, 지인, 친분

The writer sent the copies of his new book to his close friends and **acquaintances**.

그 작가는 자신의 새 책을 친한 친구들과 지인들에게 보냈다.

0526

capacity
[kəpǽsəti]

명 수용력, 용량

However, it's possible that innovations and cultural changes can expand Earth's **capacity**. 모의

그러나 혁신과 문화적 변화가 지구의 수용력을 늘리는 것이 가능하다.

0527

testify
[téstəfài]

동 증언하다, 증명하다

The driver was requested to attend court to **testify** as a witness to the accident.

그 운전자는 사고의 목격자로서 증언하기 위해 법정에 나올 것을 요청받았다.

함께 외우는 유의어

state [steit] 동 진술하다
affirm [əfə́:rm] 동 주장하다
assert [əsə́:rt] 동 주장하다
swear [swɛər] 동 선서하고 증언하다

0528

commodity
[kəmɑ́dəti]

명 상품, 일용품, 원자재

How many countries in the world are dependent on **commodities** as the primary source of foreign income?

전 세계에서 얼마나 많은 국가가 외화의 주 수입원으로 원자재에 의존하고 있는가?

0529

passive
[pǽsiv]

형 수동적인, 소극적인

To make matters worse, the wrongdoer will often use the **passive** voice in his or her apology.

설상가상으로, 잘못을 한 사람은 사과할 때 종종 수동태를 사용할 것이다.

◎ **passive voice** 수동태

0530

means
[mi:nz]

명 수단, 방법

A traditional filmmaker has limited **means** of modifying images once they are recorded on film. 모의

전통적인 영화 제작자는 필름에 이미지가 녹화되고 나면 그것들을 수정하는 방법이 제한되어 있다.

◎ **a means to an end** 목적을 위한 수단

0531

uproot
[ʌprúːt]

동 뿌리째 뽑다, 근절하다, ~을 몰아내다

At least 30 trees were **uprooted** during last Friday's storm in the town.

지난 금요일의 폭풍우로 마을에서 최소 서른 그루의 나무가 뿌리째 뽑혔다.

0532

uphold
[ʌphóuld]

동 지지하다, 확인하다, 유지하다

The judgment was **upheld** by the Court of Appeal.

그 판결은 항소 법원에 의해 유지되었다.

함께 외우는 유의어

support [səpɔ́ːrt] 동 지지하다
defend [difénd] 동 방어하다
confirm [kənfə́ːrm] 동 확정하다

0533

Arctic
[ɑ́ːrktik]

형 북극의 명 북극 (the Arctic)

Several countries send researchers and scientists to the **Arctic** each year.

여러 나라가 매년 연구자들과 과학자들을 북극 지방으로 보낸다.

◎ **Antarctic** 형 남극의

0534

fraction
[frǽkʃən]

명 부분, 일부, 분수

When pupils learn rhythm, they are learning ratios, **fractions**, and proportions. 모의

학생들은 박자를 배우면서 비율, 분수, 그리고 비례를 배우고 있다.

0535

vacant
[véikənt]

형 비어 있는, 결원의

The house is currently **vacant** but well maintained.

그 집은 현재는 비어 있지만 잘 관리되고 있다.

◎ **vacancy** 명 빈방, 공석

0536

vacation
[veikéiʃən]

명 휴가, 방학, (법정 · 의회의) 휴정

A warrant may be issued in term time or in **vacation** of the court.

영장은 법원이 열려 있을 때나 휴정 중일 때나 발부될 것이다.

0537

distinguished
[distíŋgwiʃt]

형 유명한, 두드러지는, 기품 있는

The three men are **distinguished** scholars in their field.

그 세 명의 남자는 자신들의 분야에서 유명한 학자이다.

0538

irrigation
[ìrəgéiʃən]

명 관개, 물을 끌어들임

At the time of its completion, it was the longest **irrigation** tunnel in the world.

완공 당시에, 그것은 세계에서 가장 긴 관개 터널이었다.

0539

dialect
[dáiəlèkt]

명 방언, 사투리

She tries to use the local **dialect** that her friends speak.

그녀는 친구들이 쓰는 그 지역 사투리를 사용하려고 노력한다.

0540

companion
[kəmpǽnjən]

명 친구, 동행, 동반자

The dog has been his only **companion** for the last 14 years.

그 개는 지난 14년 동안 그의 유일한 친구였다.

0541

favorable
[féivərəbl]

형 호의적인, 유리한

According to this theory, we shift between two processes — reflection and comparison — in a way that lets us maintain **favorable** self-views. 모의

이 이론에 따르면, 우리는 유리한 자기관을 유지하는 방법으로 반영과 비교라는 두 과정 사이를 오간다.

0542

fallacy
[fǽləsi]

명 오류

One common logical **fallacy** is "After it, therefore because of it."

흔한 논리적 오류 하나는 '그것 후에 일어났으니 그것 때문이다'라는 것이다.

0543

identity
[aidéntəti]

명 신원, 정체, 동질감

Landscapes with a strong place **identity** have an advantage in marketing to tourists. 모의

장소의 정체성이 강한 풍경은 관광객 대상의 마케팅에서 이점이 있다.

0544

ferment
[fərmént]

동 발효시키다, 발효되다

In Korea, people enjoy many kinds of **fermented** food such as *doenjang*, *gimchi*, and *jeotgal*.

한국에서는 사람들이 된장, 김치, 젓갈과 같은 여러 종류의 발효 식품을 즐긴다.

0545

reproduce
[rìːprədjúːs]

동 재생하다, 복제하다, 번식하다

Many of Van Gogh's works have been **reproduced** on postcards, posters, calendars, greeting cards, etc.

반 고흐의 작품 다수가 엽서, 포스터, 달력, 카드 등에 복제되어 왔다.

함께 외우는 유의어

copy [kɑ́pi] 동 복사하다
replicate [répləkèit] 동 모사하다
multiply [mʌ́ltəplài] 동 증식하다

0546

disrupt
[disrʌ́pt]

동 방해하다, 혼란시키다

As soon as harmony is **disrupted**, we do whatever we can to restore it.

조화가 깨지면 우리는 즉시 그것을 복구하기 위해 할 수 있는 것은 무엇이든 한다.

0547

interrupt
[ìntərʌ́pt]

동 방해하다, 중단시키다

Office workers are regularly **interrupted** by ringing phones, impromptu meetings, and chattering coworkers. 수능

사무직원들은 걸려 오는 전화, 갑작스러운 회의, 그리고 수다를 떠는 동료들에 의해 주기적으로 방해를 받는다.

함께 외우는 유의어

intrude [intrúːd] 동 개입하다
intervene [ìntərvíːn] 동 개입하다
interfere [ìntərfíər] 동 간섭하다

0548

assemble
[əsémbl]

동 1 모이다, 집합시키다 2 조립하다

The film **assembles** from them a new reality proper only to itself. 수능

영화는 그것들로부터 영화 자체에만 적절한 새로운 현실을 조합해 낸다.

◎ **assembly** 명 의회, 집회

0549

accumulate
[əkjúːmjuleit]

동 모으다, 축적하다

Treasure hunters have **accumulated** valuable historical artifacts that can reveal much about the past. 수능

보물 사냥꾼들은 과거에 대해 많은 것을 밝힐 수 있는 가치 있는 역사적 유물을 축적해 왔다.

0550

mention
[ménʃən]

동 말하다, 언급하다

The article **mentions** that the leading actors are geniuses and that the musical is going to be very popular. 수능

그 기사는 주연 배우들이 뛰어나며 그 뮤지컬은 매우 인기를 얻을 것이라고 말한다.

0551

foremost
[fɔ́ːrmòust]

형 맨 앞의, 가장 중요한

We have solidified our position as the nation's **foremost** company that specializes in musical instruments.

우리는 악기를 전문으로 하는 국내 최고 기업의 자리를 굳혀 왔습니다.

0552

float
[flout]

동 떠가다, 뜨다

Of course a piece of wood tossed into water **floats** instead of sinking. 수능

물론 물로 던져진 나무 조각은 가라앉는 대신 뜬다.

0553

displace
[displéis]

동 대신하다, 쫓아내다, 옮겨놓다

It is clear that the rock was **displaced** by an external force during the night.

그 바위가 밤새 어떤 외부적 힘에 의해 옮겨졌다는 것은 분명하다.

0554

replace
[ripléis]

동 대신하다, 바꾸다, 다시 놓다

I think it's time to **replace** the kids' beds. They're too small for the kids. 수능

나는 이제 아이들 침대를 바꿀 때가 되었다고 생각해. 침대가 아이들에게 너무 작아.

0555

fortify
[fɔ́:rtəfài]

동 1 요새화하다, 강화하다 2 활력을 주다

Commercial doors need to be **fortified** in order to withstand constant usage.

상업용으로 쓰이는 문은 끊임없는 사용에 버티기 위해 강화될 필요가 있다.

◎ **fortification** 명 1. 방어 시설 2. (식품의) 영양가 강화

함께 외우는 유의어

reinforce [rì:infɔ́:rs] 동 강화하다
strengthen [stréŋkθən] 동 강화하다

0556

garment
[gá:rmənt]

명 의복, 옷

All our **garments** are made from recycled fabrics.

우리 옷은 모두 재생 원단으로 만들어집니다.

0557

prevail
[privéil]

동 [1] 만연하다 [2] 승리하다

Good does not always **prevail** against evil.
선이 언제나 악에 승리하는 것은 아니다.

0558

depress
[diprés]

동 우울하게 하다, 침체시키다

The government is aiming to eliminate the factors that **depress** the economy.
정부는 경제를 침체시키는 요인을 제거하는 것을 목표로 하고 있다.

- **the Great Depression** (1930년대의) 대공황
- **depression** 명 우울, 침체, 불경기 **depressed** 형 우울한

0559

impress
[imprés]

동 깊은 인상을 주다, 감명을 주다

I think the black costume will definitely **impress** the judges and look good on the ice. 모의
저는 그 검은 의상이 심사위원들에게 분명히 깊은 인상을 주고 얼음 위에서도 멋져 보일 거라고 생각해요.

- **impressed** 형 감명을 받은 **impressive** 형 인상적인

시험 빈출 다의어

0560

compact
[kəmpǽkt]

1 형 소형의, 작은

He was considering buying a **compact** car for shopping.
그는 쇼핑용 경차를 사는 것을 고려 중이었다.

2 명 계약, 협약

The ministers agreed to sign the **compact**.
장관들은 협약에 서명하기로 동의했다.

바로 테스트

DAY 13-14

정답 435쪽

영어는 우리말로, 우리말은 영어로 쓰세요.

01 heir
02 distracted
03 acquaintance
04 disrupt
05 sympathetic
06 ferment
07 reproduce
08 uphold
09 distinguished
10 infer
11 exploit
12 replace
13 prevail
14 incompatible
15 interrupt
16 means
17 fallacy
18 rural
19 commodity
20 inflexible
21 우회 도로
22 발언, 주목
23 비어 있는, 결원의
24 상당한, 견고한
25 수동적인
26 관개, 물을 끌어들임
27 언급, 참조
28 빛, 조명, 이해
29 선의, 직선 모양의
30 (장소를) 옮기다, 바꾸다
31 우연의 일치
32 각자의, 각각의
33 증언하다, 증명하다
34 부분, 일부, 분수
35 모으다, 축적하다
36 우울하게 하다
37 양립할 수 있는, 호환이 되는
38 보충, 보충제
39 떠가다, 뜨다
40 수치, 숫자, 인물

괄호 안에서 알맞은 말을 고르세요.

41 You can (simulate / stimulate) the listeners' curiosity through questions.

42 She insisted that she had made a **compact** with the devil. (소형의 / 계약)

DAY 15

5회독 체크

0561

supreme
[səpríːm]

형 **최고의, 대단한**

With a **supreme** effort, I crawled the remaining distance.
최대한의 노력으로 나는 남은 거리를 기어갔다.

0562

supremacy
[səpréməsi]

명 **최고, 우위, 패권**

In the political sphere, the result was democracy, in which supporters of rival policies vied for rhetorical **supremacy**. 모의
정치적 영역에서 결과는 민주주의였고, 경쟁 정책의 지지자들은 수사적 패권을 놓고 다투었다.

0563

unanimous
[juːnǽnəməs]

형 **만장일치의**

Their proposal met with **unanimous** approval by the commission.
그들의 제안은 위원회에 의해 만장일치로 승인되었다.

0564

infinite
[ínfənət]

형 **무한한, 한계가 없는**

Remember when you were little and you imagined that adults had **infinite** power? 수능
여러분이 어렸을 때 어른들은 무한한 힘이 있다고 상상했던 것을 기억하는가?

◎ **finite** 형 유한한, 한정된

0565

bump
[bʌmp]

동 **부딪치다, 충돌하다** 명 **요철, 혹, 쿵하는 소리**

Life can be like riding a roller coaster. There are ups and downs, fast and slow parts, **bumps** and shaky parts. 수능
인생은 롤러코스터를 타는 것과 같다. 상승과 하강이 있고, 빠른 구간과 느린 구간이 있으며, 요철과 흔들리는 구간이 있다.

◎ **bumpy** 형 바닥이 울퉁불퉁한

0566

prehistoric
[prìːhistɔ́ːrik]

형 선사 시대의

The purpose of **prehistoric** cave paintings is still unclear, but they must have possessed some ritualistic value.
선사 시대의 동굴 벽화의 목적은 아직도 불분명하지만, 그것들이 얼마간의 의식적 가치가 있었다는 것은 분명하다.

0567

obscure
[əbskjúər]

형 모호한, 흐릿한

Obscure questions are followed by **obscure** answers.
모호한 질문에는 모호한 답이 따라온다.

함께 외우는 유의어

vague [veig] 형 막연한
confusing [kənfjúːziŋ] 형 혼란스러운
ambiguous [æmbígjuəs] 형 애매모호한

0568

shelter
[ʃéltər]

명 피난처, 피신, 주거

As you wander around, you find a large rock that provides some **shelter** from the fury of the elements. 수능
여러분은 헤매다가 맹렬한 폭풍우로부터 피신하게 해 주는 커다란 바위를 찾게 된다.

0569

private
[práivət]

형 사유의, 개인적인

Private investors need reliable information on which to base their investment decisions. 모의
개인 투자자들은 자신들의 투자 결정에 기반이 되는 신뢰할 만한 정보를 필요로 한다.

0570

privacy
[práivəsi]

명 사생활

This house will be ideal for you if you are looking for **privacy** and quietness.
당신이 사생활 보장과 조용함을 찾고 있다면 이 집이 당신에게 이상적일 것이다.

0571

transfer
[trænsfə́ːr]

동 옮기다, 이동하다, 환승하다 명 이동, 전이, 환승

You can **transfer** from one vehicle to another during the validity of the ticket.
여러분은 승차권이 유효한 동안에는 하나의 교통 수단에서 다른 것으로 환승할 수 있습니다.

0572

transit
[trǽnzit]

명 수송, 횡단, 교통 체계 동 횡단하다

They approved a $5-per-day charge to give foreign tourists unlimited access on the city's **transit** lines.
그들은 일일 요금 5달러로 외국인 관광객에게 도시 교통 체계 노선의 무제한 이용권을 주는 것을 승인했다.

0573

tribe
[traib]

명 부족, 집단, (생물) 류

Sometimes these **tribes** on the island fight each other for control of land and resources.
때로 섬의 이들 부족은 토지와 자원을 지배하기 위해 서로 싸운다.

0574

forge
[fɔːrdʒ]

동 1 위조하다 2 구축하다

Teenagers sometimes **forge** their parents' signatures.
십 대들은 때로 부모의 서명을 위조한다.

◎ **forgery** 명 위조

0575

formidable
[fɔ́ːrmidəbl]

형 어마어마한, 무서운

The task looks really **formidable**, but I'm sure it will be done successfully by him.
그 일은 정말 어마어마해 보이지만, 나는 그 일이 그에 의해 성공적으로 처리될 것이라고 확신한다.

0576 ●●●●●

forthwith
[fɔ̀ːrθwíθ]

부 즉각, 곧, 당장

Let the truth be known **forthwith** to everybody involved in this case.

이 사건에 관련된 모두에게 진실이 즉시 알려지도록 하자.

0577 ●●●●●

underneath
[ʌ̀ndərníːθ]

전 ~의 아래에 부 아래에

Both will be published in the same way — with a vocal line and a basic piano part written out **underneath**. 모의

둘 다 같은 방식으로, 즉 가창 선율이 있고 그 아래에 기본적인 피아노 파트가 쓰여서 출판될 것이다.

0578 ●●●●●

tissue
[tíʃuː]

명 1 조직 2 얇은 종이, 화장지

It is likely that the rate of annual change varies among various cells, **tissues**, and organs, as well as from person to person. 수능

매년의 변화 속도는 사람마다 다를 뿐만 아니라 다양한 세포, 조직, 기관마다 다를 것이다.

0579 ●●●●●

vessel
[vésl]

명 1 선박 2 그릇 3 (동물의) 혈관

Each of the **vessels** has capacity to carry up to 7,000 cars.

각각의 선박은 7,000대까지 차량을 실을 수 있다.

0580 ●●●●●

revenge
[rivéndʒ]

명 복수, 설욕

The Utah Jazz got a chance for quick **revenge** against the New Orleans Pelicans.

Utah Jazz는 New Orleans Pelicans에 빠르게 설욕할 기회를 얻었다.

0581

plumber
[plʌ́mər]

명 **배관공**

Don't try to take care of a plumbing problem yourself; just call a **plumber**.
배관 문제를 네가 스스로 해결하려 하지 말고, 그냥 배관공을 불러라.

0582

synthetic
[sinθétik]

형 [1] **합성한** [2] **종합적인** 명 **합성 물질**

The pesticide industry argues that **synthetic** pesticides are absolutely necessary to grow food. 모의
살충제 업계는 합성 살충제가 식량을 재배하는 데 절대적으로 필요하다고 주장한다.

함께 외우는 유의어

artificial [àːrtəfíʃəl] 통 인조의
fake [feik] 통 가짜의, 인공의
false [fɔːls] 형 인조의, 가짜의

0583

aesthetic
[esθétik]

형 **미학의, 심미적인** 명 **미의식, 미학(-s)**

Aesthetics is the branch of philosophy that deals with beauty, especially beauty in the arts. 모의
미학은 아름다움, 특히 예술에서의 아름다움을 다루는 철학의 분야이다.

0584

detergent
[ditə́ːrdʒənt]

명 **세제**

The machine automatically regulates water temperature, measures out the **detergent**, washes, and rinses.
그 기계는 자동으로 물 온도를 조절하고, 세제를 계량해 내고, 빨고, 헹군다.

0585

patriot
[péitriət]

명 **애국자**

He proves that a true **patriot** is one who defends his or her country's finest ideals.
그는 진정한 애국자란 국가의 가장 훌륭한 이상을 수호하는 사람이라는 것을 증명한다.

◎ **patriotism** 명 애국심

0586

fraught
[frɔːt]

형 ~이 따르는 (with), 걱정스러운

Traveling in that area now is **fraught** with risks and danger.
지금 그 지역을 여행하는 것에는 손해와 위험이 따른다.

0587

judicial
[dʒuːdíʃəl]

형 사법의

The law requires that a police officer obtain a warrant from a **judicial** authority prior to detaining a suspect.
법은 경찰관이 용의자를 구금하기에 앞서 사법 기관으로부터 영장을 발부받을 것을 요구한다.

0588

inevitable
[inévitəbl]

형 필연적인, 불가피한

In such a case, these people suffer from an **inevitable** social and mental trauma.
그러한 경우에 이 사람들은 필연적으로 사회적, 정신적 트라우마를 겪는다.

0589

autograph
[ɔ́ːtəgræ̀f]

명 서명, 유명인의 사인 동 서명하다

I hope we can get the actor's **autograph** and take a photo with him.
우리가 그 배우의 사인을 받고 그와 함께 사진을 찍을 수 있기를 바라.

0590

resolve
[rizɑ́lv]

동 1 결심하다 2 해결하다 3 분해시키다

A number of pest problems were permanently **resolved** by importation and successful establishment of natural enemies. 모의
많은 해충 문제가 천적을 도입하여 성공적으로 정착시킴으로써 영구적으로 해결되었다.

◎ **resolution** 명 1. 결의, 결심 2. 해결 3. 해상도

0591

remove
[rimúːv]

동 **치우다, 내보내다, 제거하다**

Fish pens should be placed in sites where there is good water flow to **remove** fish waste.
양식 가두리는 물고기 배설물을 제거하기 위해 물의 흐름이 원활한 장소에 설치되어야 한다.

함께 외우는 유의어

detach [ditǽtʃ] 동 떼어내다, 분리하다
eliminate [ilímənèit] 동 제거하다
eradicate [irǽdikèit] 동 근절하다, 지우다

0592

choke
[tʃouk]

동 **질식하다, 목을 조르다, 억제하다**

They claim pollution control and limits on use of nonrenewable resources will **choke** the economy.
그들은 오염 규제와 재생불가능 자원 사용의 제한이 경제의 숨통을 죌 것이라고 주장한다.

0593

simultaneous
[sàiməltéiniəs]

형 **동시에, 동시에 일어나는**

We don't know why these **simultaneous** explosions of intellectual activity occurred then. 모의
지적 활동이 동시에 급증하는 이런 일이 그때 왜 일어났는지 우리는 모른다.

0594

compare
[kəmpɛ́ər]

동 **비교하다, 비유하다**

The World Furniture Expo would be a good place to **compare** the quality and prices of the furniture. 수능
세계 가구 박람회는 가구의 품질과 가격을 비교하기에 좋은 장소일 것이다.

0595

scatter
[skǽtər]

동 **흩뿌리다, 해산시키다**

There were bright stars **scattered** in the night sky.
밤하늘에 밝은 별이 흩어져 있었다.

0596 ●●●●●

clash
[klæʃ]

명 충돌, 격돌 동 충돌하다, 격돌하다

It was reported that 21 people had been injured in the police-citizen **clashes**.

경찰과 시민의 충돌에서 21명이 부상당했다고 보도되었다.

0597 ●●●●●

detach
[ditǽtʃ]

동 떼어내다, 분리하다

Looking through the camera lens made him **detached** from the scene. 수능

카메라 렌즈를 통해 보는 것은 그를 현장에서 분리시켰다.

◎ **attach** 동 붙이다, 첨부하다

0598 ●●●●●

vein
[vein]

명 [1] 정맥, 혈관 [2] 잎맥 [3] 기질

The **veins** have valves that prevent back-flow of blood.

정맥에는 혈액의 역류를 막는 밸브가 있다.

◎ **artery** 동맥

시험 빈출 반의어

0599 ●●●●●

surrender
[səréndər]

동 항복하다, 넘겨주다 명 항복, 양도

Each step of **surrender** will be painful and sad. 수능

항복의 각 단계는 고통스럽고 슬플 것이다.

0600 ●●●●●

resist
[rizíst]

동 [1] 저항하다, 거스르다 [2] (해, 손상 등을) 견디다

Unlike the passage of time, biological aging **resists** easy measurement. 수능

시간의 흐름과는 달리, 생물학적 노화는 쉽게 측정되려 하지 않는다.

◎ **resistance** 명 저항, 저항력

DAY 16

5회독 체크

0601

flawless
[flɔ́:lis]

형 흠이 없는, 완벽한

He delivered a **flawless** performance in that movie.
그는 그 영화에서 완벽한 연기를 했다.

flaw 명 흠, 결함

0602

blurred
[blə:rd]

형 흐릿한, 모호한

If you don't hold the camera correctly, the images will inevitably be shaken and **blurred**.
네가 카메라를 똑바로 잡지 않으면 이미지는 당연히 흔들리고 흐려질 것이다.

0603

recipient
[risípiənt]

명 받는 사람, 수령인

After reviewing the nominations thoroughly, the committee determined the award **recipients**.
위원회는 수상 후보를 면밀히 검토한 뒤 수상자를 결정했다.

0604

democracy
[dimɑ́krəsi]

명 민주주의, 민주 국가

Analysts have asked whether citizens are equipped to play the role **democracy** assigns them. 모의
분석가들은 시민들이 민주주의가 그들에게 부여한 역할을 수행할 능력이 있는지 질문해 왔다.

0605

liberal
[líbərəl]

형 자유주의의, 진보적인

Schools need to be more open to **liberal** ideas.
학교는 진보적인 생각에 더 열려 있어야 할 필요가 있다.

0606

rebel
명[ríbəl]
동[ribél]

명 **반역자, 반대 세력** 동 **저항하다, 반란을 일으키다**

In defense of the church, the peasants **rebelled** against the government.
교회를 지키기 위해 농민들이 정부에 저항했다.

● **rebellion** 명 반란, 반항, 반역

0607

barter
[bɑ́ːrtər]

동 **물물교환하다, 교역하다** 명 **물물교환**

The farmers **bartered** rice for tools at the market.
농부들은 시장에서 쌀과 연장을 물물교환했다.

함께 외우는 유의어

trade [treid] 동 맞바꾸다, 교역하다
exchange [ikstʃéindʒ] 동 교환하다, 맞바꾸다

0608

tariff
[tǽrif]

명 **관세, 요금**

High **tariffs** usually reduce the importation of a given product because the high **tariff** leads to a high price.
높은 관세는 대개 특정 제품의 수입을 감소시키는데, 이는 높은 관세가 높은 가격으로 이어지기 때문이다.

0609

scent
[sent]

명 **향기, 냄새**

The trainer attaches an "emotional charge" to a particular **scent** so that the dog is drawn to it above all others. 모의
조련사는 특정한 향에 '정서적 감흥'을 부여하고, 그래서 개는 다른 모든 냄새에 앞서 그 향에 이끌린다.

0610

generic
[dʒənérik]

형 **일반적인, 포괄적인**

"Peace" cannot be trademarked because the word is too **generic**.
'평화'는 단어가 너무 일반적이라 상표로 등록될 수 없다.

0611

necessity
[nəsésəti]

명 **필요, 필수품**

Another **necessity** is a proper fire extinguisher. 수능
또 다른 필수품은 적절한 소화기이다.

need [ni:d] 명 필요
requisite [rékwəzit] 명 필수품
requirement [rikwáiərmənt] 명 필수품, 필요조건

0612

verdict
[və́:rdikt]

명 **평결, 결정**

The emotional brain generates its **verdict** automatically.
감정적 두뇌는 자동으로 결정을 내린다.

0613

determine
[ditə́:rmin]

동 **결심하다, 결정하다**

The strength of these reactions is **determined** by our culture, our beliefs, and our expectations. 수능
이러한 반응의 강도는 우리의 문화, 신념, 기대치에 따라 결정된다.

◎ **determination** 명 결심, 결단, (공식적인) 결정

0614

aggressive
[əgrésiv]

형 **공격적인, 적극적인**

I'm not very successful because I'm less **aggressive** than my competitors.
나는 나의 경쟁자들보다 덜 적극적이어서 그리 성공적이지 못하다.

0615

generosity
[dʒènərásəti]

명 **관용, 너그러움**

His words and actions all come from **generosity**.
그의 말과 행동은 모두 너그러움에서 나온다.

0616

launch
[lɔːntʃ]

동 시작하다, 착수하다 명 개시, 출시, 발사

It takes time to develop and **launch** products. 모의
상품을 개발하고 출시하는 데에는 시간이 걸린다.

함께 외우는 유의어

initiate [iníʃieit] 동 시작하다
propel [prəpél] 동 추진하다, 나아가게 하다
introduce [intrədjúːs] 동 도입하다, 시작하다

0617

diabetes
[dàiəbíːtiːz]

명 당뇨병

Many people don't know they have **diabetes** or are at risk of getting it.
많은 사람들이 자신이 당뇨병이 있거나 당뇨병 위험군이라는 것을 모른다.

0618

obesity
[oubíːsəti]

명 비만, 비대

Individuals who struggle with **obesity** tend to eat in response to emotions. 모의
비만과 씨름하는 사람들은 감정 상태에 반응하여 먹는 경향이 있다.

0619

panic
[pǽnik]

명 극심한 공포, 공황

I've been completely paralyzed by fear, **panic**, and worry the last three months.
나는 지난 3개월을 두려움과 공포, 걱정으로 완전히 마비된 상태로 있었다.

0620

copper
[kápər]

명 구리, 동전

The price of **copper** moved up so much during the late 70's that **copper** could no longer be used as the main base metal of coins.
70년대 후반에 구리 가격이 너무 많이 올라서 더 이상 동전의 주요 기본 금속으로 사용될 수 없었다.

0621

stall
[stɔ:l]

명 가판대, 좌판

Greenwich market is packed full of **stalls** selling unique arts and crafts.
그리니치 시장에는 독특한 공예품을 파는 좌판이 가득하다.

0622

diploma
[diplóumə]

명 졸업장, 수료증

Tammy earned her high school **diploma** and some college credit. 모의
Tammy는 고등학교 졸업장과 대학교 학점 약간을 얻었다.

0623

defeat
[difíːt]

동 패배하다, 패배시키다 명 패배

They made this statue to celebrate the **defeat** of an invading army.
그들은 침략군의 격퇴를 기념하기 위해 이 조각상을 만들었다.

0624

commute
[kəmjúːt]

동 1 통근하다 2 (지불 방법을) 바꾸다 3 감형하다

My father **commutes** from Busan to Gimhae.[1]
나의 아버지는 부산에서 김해까지 통근하신다.

Her death sentence was **commuted** to 25 years' imprisonment.[3]
그녀는 사형에서 징역 25년으로 감형되었다.

0625

presume
[prizúːm]

동 추정하다, 간주하다

Their dog was **presumed** to be lost at sea after falling overboard.
그들의 개는 배 밖으로 떨어진 뒤 바다에서 실종된 것으로 추정되었다.

함께 외우는 유의어

assume [əsúːm] 동 추정하다, 가정하다
infer [infə́ːr] 동 추론하다
suppose [səpóuz] 동 가정하다

0626

inject
[indʒékt]

동 **주사하다, 주입하다**

A small amount of contrast medium will be **injected** into the joint to provide clearer images.
더욱 선명한 이미지를 제공하기 위해 소량의 조영제가 관절에 주입될 것이다.

injection 명 주사, 주입

0627

announce
[ənáuns]

동 **발표하다, 방송으로 알리다**

I'm happy to **announce** the science essay contest sponsored by the ABC Science Institute. 수능
ABC 과학 협회에서 후원하는 과학 논문 대회를 알리게 되어 기쁩니다.

0628

generate
[dʒénərèit]

동 **발생시키다, 만들어내다**

I found out that the average school kid **generates** 65 pounds of lunch bag waste every year. 모의
나는 평균적인 학교 학생이 매년 65파운드의 점심 도시락 쓰레기를 발생시킨다는 것을 알게 되었다.

generation 명 1. 세대 2. (전기나 열의) 발생

0629

degenerate
동 [didʒénərèit]
형 [didʒénərət]

동 **악화되다, 퇴보하다** 형 **타락한, 퇴화된**

This tropical storm will **degenerate** to a remnant low pressure system Monday.
이 열대성 폭풍은 월요일에 잔존 저기압으로 쇠퇴할 것이다.

함께 외우는 유의어

deteriorate [ditíəriərèit] 동 악화되다
decline [dikláin] 동 위축되다, 축소하다
worsen [wə́ːrsn] 동 악화되다

0630

kidnap
[kídnæp]

명 **납치** 동 **납치하다**

A famous actor's daughter was **kidnapped** on her way to school last Friday.
한 유명 배우의 딸이 지난 금요일 등굣길에 납치되었다.

0631

respond
[rispάnd]

동 대답하다, 반응하다

Harumi **responded** that he thought that the apology would be a good introduction to his presentation. 모의

Harumi는 사과가 그의 발표의 좋은 도입부가 되리라 생각한다고 답했다.

◎ **response** 명 응답

0632

excel
[iksél]

동 뛰어나다, 능가하다

They **excel** at research, using logic and the information gained through their senses to conquer complex problems. 모의

그들은 연구에 뛰어난데, 복잡한 문제를 정복하기 위해 논리와 감각을 통해 획득한 정보를 이용한다.

0633

aggravate
[ǽgrəvèit]

동 악화시키다, 화나게 하다

Military action without a UN mandate will further **aggravate** the situation.

유엔 안전보장이사회 결의 없는 군사 행동은 상황을 더욱 악화시킬 것이다.

0634

haunt
[hɔːnt]

동 [1] 귀신이 나타나다 [2] 계속 떠오르다

Mary wrote a story based on the nightmare that had **haunted** her for a long time.

Mary는 오랫동안 그녀를 사로잡는 악몽을 바탕으로 한 이야기를 썼다.

0635

solidify
[səlídəfài]

동 굳어지다, 굳히다

Let the gelatin **solidify** and cut out small cubes.

젤라틴을 굳히고 작은 정육면체 모양으로 썰어라.

0636

mature
[mətʃúər]

형 성숙한, 분별 있는

In **mature** markets, breakthroughs that lead to a major change in competitive positions are rare. 모의

성숙한 시장에서 경쟁적 지위의 큰 변화로 이어지는 획기적인 발전은 드물다.

0637

immature
[ìmətʃúər]

형 미숙한, 치기 어린

Some studies suggest that protecting **immature** fish is not essential to sustainability.

몇몇 연구는 미성숙한 물고기를 보호하는 것이 지속가능성의 핵심은 아니라고 제시한다.

0638

premature
[prì:mətʃúər]

형 때이른, 조숙한

Psychological stress may play a role in **premature** aging.

정신적인 스트레스가 때이른 노화에 일조할지도 모른다.

시험 빈출 반의어

0639

minority
[mainɔ́rəti]

명 [1] 소수, 소수 집단 [2] 미성년

Minorities tend not to have much power or status and may even be dismissed as troublemakers, extremists, or simply "weirdos." 수능

소수 집단은 많은 힘이나 지위가 없는 편이며, 심지어 말썽꾼, 극단주의자, 또는 단순히 '별난 사람'이라고 묵살될 수도 있다.

0640

majority
[mədʒɔ́:rəti]

명 대다수, 다수 집단

Minorities that are active and organized can create social conflict, doubt, and uncertainty among members of the **majority**. 수능

활동적이고 조직적인 소수 집단은 다수 집단의 구성원 사이에 사회적 갈등, 의심, 그리고 불확신을 만들어 낼 수 있다.

정답 436쪽

영어는 우리말로, 우리말은 영어로 쓰세요.

01 forthwith
02 synthetic
03 tariff
04 obesity
05 verdict
06 defeat
07 presume
08 aggravate
09 flawless
10 generate
11 forge
12 premature
13 generic
14 commute
15 diploma
16 blurred
17 clash
18 determine
19 inevitable
20 excel
21 선박, 그릇
22 미학의
23 물물교환하다
24 떼어내다, 분리하다
25 공격적인, 적극적인
26 관용, 너그러움
27 최고, 우위, 패권
28 납치하다
29 질식하다, 억제하다
30 흩뿌리다
31 필요, 필수품
32 시작하다; 개시, 출시
33 성숙한, 분별 있는
34 주사하다, 주입하다
35 굳어지다, 굳히다
36 악화되다; 타락한
37 극심한 공포, 공황
38 자유주의의, 진보적인
39 비교하다, 비유하다
40 반란을 일으키다

괄호 안에서 알맞은 말을 고르세요.

41 We will never (surrender / resist) to foreign pressure. We will withstand it.

42 I think that a (majority / minority) decision is the fairest in this situation.

DAY 17

5회독 체크

0641

profit
[prάfit]

명 이익, 이윤

They may show **profit** on the balance sheets of our generation, but our children will inherit the losses. 수능
그것들은 우리 세대의 대차대조표에서는 이익을 보여줄지 모르나, 우리 아이들은 손실을 물려받게 될 것이다.

0642

benefit
[bénəfit]

명 1 이익 2 수당, 보조금 3 자선 공연

The cost of processing the donation may exceed any **benefit** it brings to the charity.
기부금 처리 비용이 기부금이 자선단체에 주는 이익을 초과할 수도 있다.

0643

depend
[dipénd]

동 의존하다, 의지하다

The answers to these questions **depend** on variables that cannot be predicted in advance. 모의
이 질문들에 대한 답은 미리 예측될 수 없는 변수에 달려 있다.

depend on ~에 달려 있다

0644

dependent
[dipéndənt]

형 의존적인, 의지하는

Domestication made dogs **dependent** on humans.
가축화는 개가 인간에게 의존하도록 만들었다.

independent 형 독립적인, 독립된

0645

solemn
[sάləm]

형 근엄한, 엄숙한

Those **solemn** but sweet organ notes inspired a revolution in me.
엄숙하지만 감미로운 오르간의 그 음들이 내 안에서 큰 변화를 일으켰다.

0646

warrior
[wɔ́:riər]

명 전사

Those **warriors** had various temporal reasons for engaging in warfare in Iberia and the Baltic region.
그 전사들이 이베리아와 발트해 지역에서 전쟁에 참여한 데에는 여러 가지 일시적인 이유가 있었다.

0647

sanitation
[sæ̀nitéiʃən]

명 위생 시설, 공중 위생

Globally, an estimated 2.5 billion people lack access to improved **sanitation**.
전 세계적으로 약 25억 명의 사람들이 개선된 위생 시설에 접근하기가 어렵다.

◎ **sanitary** 형 위생의, 위생적인

0648

hygiene
[háidʒi:n]

명 위생

Maintaining good **hygiene** in child care centers is essential.
보육 센터에서 청결한 위생 상태를 유지하는 것은 필수적이다.

0649

blunt
[blʌnt]

형 1 무딘 2 퉁명스러운, 직설적인

You need to talk to her in a more **blunt** way, not to cause unnecessary misunderstandings.
너는 불필요한 오해를 사지 않기 위해 그녀에게 더 직설적인 방식으로 말할 필요가 있다.

0650

flavor
[fléivər]

명 풍미, 맛, 정취

Strawberry ice cream tinted with red food coloring seems to have a stronger strawberry **flavor** than one that has no added food coloring. 모의
붉은색 식용 색소로 색을 낸 딸기 아이스크림은 식용 색소가 첨가되지 않은 아이스크림보다 더 진한 딸기 맛인 것처럼 보인다.

0651

reputation
[rèpjutéiʃən]

명 평판, 명성

Ehret's **reputation** for scientific accuracy gained him many commissions from wealthy patrons. 수능

과학적 정확성에 대한 Ehret의 명성은 그가 부유한 후원자들로부터 많은 의뢰를 받게 했다.

◎ **lose one's reputation** 명성을 잃다

0652

pave
[peiv]

동 길을 포장하다

The residents didn't want the road **paved** and were concerned about loss of trees and increased traffic.

주민들은 도로가 포장되길 원치 않았고, 나무의 손실과 교통량 증가를 걱정했다.

◎ **pave the way for** ~을 위한 길을 닦다

0653

pavement
[péivmənt]

명 인도, 보도

It is hard for street trees to survive with such tiny holes in the **pavement**. 모의

가로수가 인도에 있는 이렇게나 작은 구멍에서 살아남기는 힘들다.

0654

pedestrian
[pədéstriən]

명 보행자 형 보행자용의

Some residents express concern that tourists may cause traffic and **pedestrian** congestion. 수능

일부 주민들은 관광객들이 교통 체증과 보행 혼잡을 일으킬지도 모른다는 걱정을 드러낸다.

0655

numerous
[njú:mərəs]

형 많은

Five hundred species of birds, half a dozen species of monkeys, and **numerous** colorful butterflies will welcome me into their kingdom. 수능

500종의 새와 6종의 원숭이와 수많은 색색의 나비들이 그들의 왕국으로 나를 맞이해 들일 것이다.

0656

exile
[ékzail]

명 **망명, 추방, 망명자**

He said that he would rather go into **exile** than remain any longer in that city.
그는 그 도시에 더 이상 머무르는 것보다 차라리 망명하겠다고 말했다.

- **go into exile** 망명을 하다
- **live in exile** 망명 생활을 하다

0657

exodus
[éksədəs]

명 **(많은 사람들의) 탈출, 이동**

With the eight-day holiday starting today, the mass **exodus** from the capital region has begun.
8일간의 연휴가 오늘 시작되면서 수도권에서 대이동이 시작되었다.

0658

extract
동 [ikstrǽkt]
명 [ékstrækt]

동 **추출하다** 명 **추출물, 발췌**

Information is **extracted** or learned from these sources of data. 모의
정보는 이 데이터 소스에서 추출되거나 학습된다.

0659

genetic
[dʒənétik]

형 **유전의, 유전학의**

Starvation may pave the way for **genetic** variants to take hold in the population of a species. 모의
기아는 유전적 변종들이 종 안에서 수적 우위를 점할 수 있는 길을 닦을 수도 있다.

- **gene** 명 유전자

0660

symmetry
[símətri]

명 **대칭, 균형**

I found plants in perfect **symmetry** boring and unnatural.
나는 완벽한 대칭을 이룬 식물들이 지루하고 부자연스럽다고 생각했다.

0661

portrait
[pɔ́ːrtrit]

명 **초상화, 인물 사진**

The castle has an extensive gallery of family **portraits**.
그 성에는 거대한 가족 초상화 전시장이 있다.

0662

genuine
[dʒénjuin]

형 **진짜의, 진품의**

The absence of fear in expressing a disagreement is a source of **genuine** freedom. 모의
반대를 표현하는 것에 대한 공포의 부재가 진정한 자유의 원천이다.

0663

deny
[dinái]

동 **부정하다, 부인하다**

The chemical industry **denied** that there were practical alternatives to ozone-depleting chemicals. 모의
화학 산업계는 오존을 고갈시키는 화학 물질에 대한 실용적인 대안이 있다는 것을 부정했다.

0664

contradict
[kɑ̀ntrədíkt]

동 **부정하다, 반박하다, 모순되다**

The defense witness **contradicted** the testimony of the accused, continuing to hurt his own credibility.
피고 측의 증인은 피고의 증언과 모순되는 말을 하여 계속해서 스스로의 신뢰성을 손상시켰다.

0665

dismiss
[dismís]

동 **1 묵살하다 2 해고하다**

The court **dismissed** the argument that keeping the politicians in custody infringes their rights.
법원은 정치인들을 구금하는 것이 그들의 권리를 침해한다는 주장을 묵살했다.

함께 외우는 유의어

discard [diskɑ́ːrd] 동 폐기하다
discharge [distʃɑ́ːrdʒ] 동 해고하다
reject [ridʒékt] 동 거절하다, 각하하다

0666

ignore
[ignɔ́ːr]

동 **무시하다, 묵살하다**

We can't **ignore** complaints about the staff. 모의
우리는 직원들에 대한 불평을 무시할 수 없다.

◎ **ignorance** 명 무지, 무식

0667

accept
[æksépt]

동 **받아들이다, 수용하다**

Before we **accept** donations, we check that they are clean and in working condition. 수능
우리는 기부 물품을 받아들이기 전에 그것들이 청결하고 잘 작동하는지 확인한다.

0668

react
[riǽkt]

동 **반응하다, 대응하다**

For example, a friend might **react** to a plan for dinner with a comment like "That's good," but with little vocal enthusiasm and a muted facial expression. 모의
예를 들어, 한 친구가 저녁 식사 제안에 말로는 "그거 좋지,"라고 하면서도, 열의가 거의 없는 목소리와 밝지 않은 표정으로 반응할 수 있다.

0669

geographical
[dʒìːəgrǽfikəl]

형 **지리상의, 지리학의**

The **geographical** features of a country influence its development.
한 나라의 지리적 특성은 그 나라의 발전에 영향을 미친다.

◎ **geography** 명 지리학, 지리

0670

indulge
[indʌ́ldʒ]

동 **마음껏 하다, (특정한 욕구를) 충족시키다**

Some people may **indulge** fantasies of violence by watching a film instead of working out those fantasies in real life. 수능
어떤 사람들은 실생활에서 그 환상을 실현하는 대신 영화를 보면서 폭력의 환상을 충족할지도 모른다.

0671

invert
[invə́ːrt]

동 뒤집다, 거꾸로 하다

Use a small, sharp knife to loosen the sides of the cakes from the pans and **invert** them onto the wire racks.
작고 날카로운 칼을 사용해서 케이크 옆면을 팬에서 떼고, 철망 위에 뒤집어 올리세요.

함께 외우는 유의어

flip [flip] 동 뒤집다
turn upside down 뒤집다

0672

enclose
[inklóuz]

동 [1] 두르다, 에워싸다 [2] 동봉하다

The house has a tiny garden **enclosed** by a high brick wall.
그 집에는 높은 벽돌담으로 둘러싸인 작은 정원이 있다.

0673

disclose
[disklóuz]

동 밝히다, 드러내다

The company refused to **disclose** the details of their meeting.
그 회사는 회의의 세부 사항을 밝히기를 거부했다.

◎ **disclosure** 명 폭로, 발각

0674

disastrous
[dizǽstrəs]

형 처참한, 형편없는

Those riots in the city had **disastrous** consequences for most of the residents there.
시내에서의 그 폭동은 그곳 거주민 대부분에게 처참한 결과를 초래했다.

0675

lever
[lévər]

명 지렛대, 수단

Steam-powered shovels, locomotives, television, and the **levers** and gears of engineers were a fabulous exoskeleton that turned man into superman. 모의
증기구동식 삽, 기관차, 텔레비전, 그리고 기술자들의 지렛대와 톱니바퀴는 인간을 초인으로 바꿔 놓은 굉장한 외골격이었다.

◎ **leverage** 명 영향력, 지레 장치

0676

pneumonia
[nju:móuniə]

명 폐렴

An old man died of **pneumonia** 36 hours after he was sent home from the local hospital.

한 노인이 지역 병원에서 집으로 돌려보내진지 36시간 후에 폐렴으로 사망했다.

0677

permit
[pərmít]

동 허용하다, 허락하다

Sitting on lawns is not **permitted**. 수능

잔디 위에 앉는 것은 허용되지 않습니다.

0678

permission
[pərmíʃən]

명 허가, 허락

People must get **permission** from the management office to post flyers. 모의

전단지를 붙이려면 관리사무소로부터 허가를 받아야만 한다.

시험 빈출 반의어

0679

valid
[vǽlid]

형 유효한, 정당한

All university students with a **valid** ID are able to get a 5-dollar-discount. 수능

유효한 신분증을 소지한 모든 대학생은 5달러의 할인을 받을 수 있다.

0680

invalid
[ínvəlid]

형 효력 없는, 근거 없는

The authorities detained him for traveling on an **invalid** passport.

당국은 무효 여권으로 여행한 혐의로 그를 억류했다.

DAY 18

5회독 체크

0681

meditation
[mèditéiʃən]

명 **명상, 심사숙고**

One way of achieving inner peace is through **meditation**.
내면의 평화를 얻는 방법 하나는 명상을 통해서이다.

0682

perspiration
[pə̀ːrspəréiʃən]

명 **땀, 발한**

Exercise increases our body temperature and causes **perspiration**.
운동은 체온을 높이고 땀이 나게 한다.

◎ **perspire** 동 땀이 나다

0683

flu
[fluː]

명 **독감, 인플루엔자(=influenza)**

Flu and colds spread very quickly, especially with the large amount of contact that people now have with each other. 모의
독감과 감기는 매우 빨리 퍼지는데, 특히 사람들이 현재 서로 간의 접촉을 많이 할 때 그렇다.

0684

constant
[kɑ́nstənt]

형 **끊임없는, 변함없는**

I guess we can sleep better since there isn't **constant** noise at night. 수능
밤에 끊임없는 소음이 없으니 우리가 더 잘 잘 수 있을 거라고 생각해.

0685

mob
[mɑb]

명 **군중, 무리**

There was a **mob** of protesters in front of the Supreme Court.
대법원 앞에는 항의하는 사람들 한 무리가 있었다.

0686

stick
[stik]

동 1 찌르다 2 붙이다 명 막대기

Stick your finger into the soil around the plant and see how damp it is.

식물 주위의 흙에 손가락을 찔러서 흙이 얼마나 축축한지 확인해라.

◎ **stick to** ~을 계속하다, 고수하다

0687

frugal
[frúːgəl]

형 절약하는, 간소한

I need some **frugal** dinner ideas to lose weight.

나는 체중을 줄이기 위해 간소한 저녁 식사에 대한 아이디어가 필요하다.

0688

resident
[rézədnt]

명 거주자, 주민, 투숙객

Residents commonly have positive views on the economic and sociocultural influences of tourism on quality of life. 수능

주민들은 관광 산업이 삶의 질에 미치는 경제적인, 그리고 사회문화적인 영향에 대해 보통은 긍정적인 시각을 갖고 있다.

함께 외우는 유의어

local [lóukəl] 명 지역민
inhabitant [inhǽbitənt] 명 거주자, 주민
tenant [ténənt] 명 세입자

0689

location
[loukéiʃən]

명 장소, 위치, 야외 촬영지

Actually, I was wondering if you had found any good **locations** yet. 수능

사실 나는 네가 좋은 장소를 이미 찾았는지 궁금해하고 있었어.

◎ **locate** 동 (~의 위치를) 알아내다, (~에) 두다

0690

minister
[mínəstər]

명 1 장관 2 목사

He is said to be named as the **Minister** of Defense.

그는 국방부 장관으로 임명될 것이라는 말이 있다.

0691

potent
[póutnt]

형 강력한, 효력이 있는

This tower is a **potent** reminder of our desire for peace.
이 탑은 평화에 대한 우리의 열망을 강력하게 상기시킨다.

0692

vogue
[voug]

명 유행

There was a **vogue** for flat hats with wide brims in the 1930s.
1930년대에는 넓은 챙이 있는 납작한 모자가 유행했다.

◎ **in vogue** 유행하는 **out of vogue** 유행이 지난

0693

notable
[nóutəbl]

형 유명한, 주목할 만한

Richard Porson, one of Britain's most **notable** classical scholars, was born on Christmas in 1759. 모의
영국의 가장 유명한 고전학자 중 한 명인 Richard Porson은 1759년 크리스마스에 태어났다.

0694

renowned
[rináund]

형 유명한, 명성 있는

The conference includes lectures by **renowned** figures.
학회에는 유명한 인물들의 강연이 포함되어 있다.

0695

geological
[dʒìːəládʒikəl]

형 지질학의, 지질의

The occurrence of earthquakes is a type of **geological** activity caused by heat.
지진 발생이 열로 인한 지질 활동의 한 유형이다.

◎ **geology** 명 지질학

0696

structure
[strʌ́ktʃər]

명 구조, 구조물, 체계 동 구성하다

The design called for some 40 statues, and the tomb was to be a giant **structure**. 모의
설계에는 동상 40개가 필요했고, 무덤은 거대한 구조물이 될 예정이었다.

0697

immense
[iméns]

형 거대한, 어마어마한

Some companies have received **immense** benefits from their investments.
몇몇 회사는 그들이 투자한 것으로부터 어마어마한 이익을 얻어 왔다.

0698

strangle
[strǽŋgl]

동 [1] 목 졸라 죽이다 [2] 억압하다

The owl was **strangled** to death by the snake before it died of wounds inflicted by the owl.
뱀이 부엉이가 입힌 상처로 죽기 전에 부엉이가 뱀에게 목이 졸려 죽었다.

- **strangle *A* to death** A를 목 졸라 죽이다

0699

sum
[sʌm]

명 총계, 액수, 총합

In 2011, the **sum** of the proven oil reserves of the United States, Mexico, and Brazil was greater than those of Venezuela. 모의
2011년에 미국, 멕시코, 그리고 브라질의 확인된 석유 매장량의 총합은 베네수엘라의 그것보다 더 컸다.

- **zero-sum game** 득과 실이 0이 되는 게임

0700

summarize
[sʌ́məràiz]

동 요약하다

Schemata **summarize** the broad pattern of your experience, and so they tell you, in essence, what's typical or ordinary in a given situation. 수능
도식은 여러분의 경험의 광범위한 유형을 요약해서, 본질적으로는 주어진 상황에서 무엇이 전형적이거나 일반적인지 말해 준다.

0701

cellular
[séljulər]

형 [1] 세포의 [2] 휴대 전화의

The **cellular** immune response consists of three phases: cognitive, activation, and effector.
세포의 면역 반응은 인지, 활성화, 반응기의 세 단계로 구성된다.

0702

tide
[taid]

명 **조류, 흐름**

Why does the ocean have **tides**? 수능
왜 바다에는 조류가 있는가?

함께 외우는 유의어

flow [flou] 명 흐름
current [kə́ːrənt] 명 흐름, 조류
trend [trend] 명 경향, 추세
tendency [téndənsi] 명 경향

0703

cast
[kæst]

동 [1] **던지다, (마법 등을) 걸다** [2] **(역을) 배정하다**

However, recent behavioral research **casts** doubt on this fundamental assumption. 수능
그러나 최근의 행동 연구는 이 기본적인 가설에 의심을 던진다.

cast a spell on ~에게 주문을 걸다

0704

bribe
[braib]

명 **뇌물, 미끼** 동 **매수하다**

Alexander received a letter accusing the physician of having been **bribed** to poison his master.
Alexander는 그 의사가 주인을 독살하도록 매수되었다고 고발하는 편지를 받았다.

0705

bribery
[bráibəri]

명 **뇌물 수수**

Over 200 cases of offers of **bribery** to the border guards were spotted this year.
국경 수비대에게 뇌물 수수를 제안한 일이 올해 200건 넘게 발각되었다.

0706

recommend
[rèkəménd]

동 **추천하다, 권하다**

Since you haven't watched the musical, I **recommend** you read the original novel first. 수능
너는 그 뮤지컬을 보지 않았으니 먼저 원작 소설을 읽는 것을 추천해.

0707

seize
[siːz]

동 ¹ 꽉 쥐다, 붙잡다 ² (의미를) 파악하다

The police officer **seized** him by the shoulders and shouted.
경찰관은 그의 어깨를 붙잡고 소리쳤다.

seizure 명 1. 압수, 점령 2. 발작

0708

strain
[strein]

명 긴장, 부담 동 잡아당기다, 혹사하다

The farmers are beginning to feel the **strain** of global warming.
농부들은 온난화가 주는 부담을 느끼기 시작하고 있다.

0709

approach
[əpróutʃ]

동 다가가다, 접근하다 명 접근

This **approach** has met with limited success for major pests of row crops or other ephemeral systems. 모의
이 접근법은 줄뿌림 작물이나 다른 단명 계통 식물의 주요 해충에 대해서는 제한적인 성공을 거두었다.

0710

reproach
[ripróutʃ]

명 비난, 치욕 동 비난하다

She might have to endure the **reproach** again and again.
그녀는 비난을 계속해서 견뎌내야 할지도 모른다.

0711

gigantic
[dʒaigǽntik]

형 거대한

Many were probably killed or severely injured in the close encounters that were necessary to slay one of these **gigantic** animals. 모의
많은 사람이 이 거대한 동물 중 한 마리를 죽이기 위해 가까이 대면해야 했을 때 아마도 죽음을 당하거나 심각하게 부상당했을 것이다.

0712

equate
[ikwéit]

동 **동일시하다**

Some people enjoy showcasing their wealth by **equating** themselves with material objects.

어떤 사람들은 자기 자신과 물질적인 대상을 동일시하여 자신의 부를 전시하는 것을 즐긴다.

equation 명 방정식

0713

plunge
[plʌndʒ]

동 **급락하다, 거꾸러지다**

The dog leapt out through the open space in the railing and **plunged** into the water. 모의

개는 난간의 벌어진 틈 사이로 펄쩍 뛰어 물속에 빠졌다.

plunge into ~에 빠지다

함께 외우는 유의어

drop [drɑp] 동 떨어지다
plummet [plʌ́mit] 동 급락하다
tumble [tʌ́mbl] 동 급락하다, 폭락하다

0714

soar
[sɔːr]

동 **급등하다, 날아오르다**

Both the budget deficit and federal debt have **soared** during the recent financial crisis and recession. 모의

최근의 재정 위기와 경기 침체 동안 재정 적자와 연방 정부의 부채가 모두 급증했다.

함께 외우는 유의어

rise [raiz] 동 상승하다
rocket [rɑ́kit] 동 갑자기 오르다
escalate [éskəlèit] 동 차츰 오르다

0715

render
[réndər]

동 **1 ~이 되게 만들다 2 제공하다**

The hotel staff was very courteous and quick in **rendering** the service.

호텔 직원들은 매우 정중했고 서비스를 제공하는 데 있어 신속했다.

0716

conceive
[kənsíːv]

동 (어떤 생각을) 품다, 상상하다

She **conceived** of a new device that would prevent loss of data on computers.
그녀는 컴퓨터에서 데이터 손실을 막을 수 있는 새로운 장치를 생각해 냈다.

0717

propaganda
[pràpəgǽndə]

명 선전, 선전하는 주의

Art has been used as a good means of **propaganda**.
예술은 선전의 훌륭한 수단으로 이용되어 왔다.

0718

evacuate
[ivǽkjuèit]

동 대피시키다, 비우다

The city **evacuated** the residents to escape the flood.
시는 홍수를 피하기 위해 주민들을 대피시켰다.

시험 빈출 혼동 단어

0719

archaeology
[àːrkiáləʤi]

명 고고학

Archaeology is the study of past human behavior, conducted through the act of excavation and analysis.
고고학은 과거의 인간 행위에 대한 학문으로, 발굴과 분석 행위를 통해 수행된다.

◎ **archaeologist** 명 고고학자

0720

anthropology
[æ̀nθrəpáləʤi]

명 인류학

Anthropology is the study of the origin and development of human societies and cultures.
인류학은 인간 사회와 문화의 기원과 발전에 대한 학문이다.

◎ **anthropologist** 명 인류학자

바로 테스트

정답 436쪽

영어는 우리말로, 우리말은 영어로 쓰세요.

01 dependent
02 exile
03 contradict
04 perspiration
05 lever
06 equate
07 constant
08 indulge
09 potent
10 summarize
11 geographical
12 conceive
13 strain
14 frugal
15 seize
16 disastrous
17 symmetry
18 genuine
19 reproach
20 pneumonia

21 평판, 명성
22 받아들이다
23 찌르다; 막대기
24 두르다, 에워싸다
25 다가가다, 접근하다
26 조류, 흐름
27 밝히다, 드러내다
28 허가, 허락
29 묵살하다, 해고하다
30 길을 포장하다
31 장소, 위치
32 반응하다, 대응하다
33 뇌물, 미끼
34 급등하다, 날아오르다
35 무딘, 퉁명스러운
36 ~이 되게 만들다, 제공하다
37 부정하다, 부인하다
38 위생 시설
39 이익, 이윤
40 뒤집다, 거꾸로 하다

괄호 안에서 알맞은 말을 고르세요.

41 You have to make your credit cards (valid / invalid) if you lose them.

42 In (archaeology / anthropology), some special excavation techniques are required.

DAY 19

5회독 체크

0721

graze
[greiz]

동 풀을 뜯다, 방목하다

Some of the local farmers let their cows and horses **graze** beside the river.

지역 농부 중 일부는 강 옆에서 소와 말이 풀을 뜯게 한다.

0722

tyranny
[tírəni]

명 횡포, 전제 정치

The peasants left the town, unable to bear the **tyranny** of the lord.

농민들이 지주의 횡포를 견디지 못하고 마을을 떠났다.

0723

upset
[ʌpsét]

형 마음이 상한 동 뒤엎다, 속상하게 하다

She was very **upset** and just left, so I couldn't apologize to her. 모의

그녀는 매우 화가 나 바로 떠났고, 그래서 나는 그녀에게 사과하지 못했다.

0724

impartial
[impɑ́ːrʃəl]

형 공정한, 치우치지 않은

Broadcasters should ensure that news is reported in an objective and **impartial** manner.

방송사는 뉴스가 객관적이고 공정한 방식으로 보도되도록 보장해야 한다.

◎ **partial** 형 편파적인

함께 외우는 유의어

fair [fɛər] 형 공정한
unbiased [ʌnbáiəst] 형 치우치지 않은
neutral [njúːtrəl] 형 중립적인

0725

victim
[víktim]

명 피해자, 희생자

When the egg of the thief hatches, it kills the host's offspring and eats the pollen meant for its **victim**. 모의

그 도둑의 알이 부화하면, 그것은 숙주의 새끼를 죽이고 희생자의 몫이었던 꽃가루를 먹는다.

0726

inhale
[inhéil]

동 (숨을) 들이마시다

Inhale deeply and dip your face into the cold water, and stay in this position for as long as you can.

숨을 깊이 들이마시고 얼굴을 찬 물에 담그고는 가능한 한 오래 이 자세를 유지해라.

0727

exhale
[ekshéil]

동 (숨을) 내쉬다, 내뿜다

She relaxed her hands and **exhaled** a deep breath. 모의

그녀는 손의 긴장을 풀고 깊은 숨을 내쉬었다.

0728

grieve
[griːv]

동 비통해 하다, 몹시 슬프게 하다

He is still **grieving** over his daughter's death.

그는 딸의 죽음에 아직도 비통해하고 있다.

0729

paddle
[pǽdl]

명 노, 주걱

I'd like to rent a single kayak and a regular **paddle**.

저는 1인용 카약과 일반 노 한 개를 대여하고 싶습니다.

0730

catastrophe
[kətǽstrəfi]

명 참사, 재앙

The old temple is the only structure that survived the **catastrophe**.

그 오래된 사원이 재앙에서 살아남은 유일한 구조물이다.

0731

advocate

동 [ǽdvəkeit]
명 [ǽdvəkət]

동 지지하다 명 [1] 지지자 [2] 변호사

She strongly **advocated** the policy in order to maintain peace.

그녀는 평화를 유지하기 위해 그 정책을 강력히 지지했다.

- **advocacy** 명 변호, 지지
- **devil's advocate** (토론이 잘 이루어지기 위한) 선의의 비판자

0732

profession

[prəféʃən]

명 직업, 전문직

These days, there are several popular **professions** related to animals.

요즘에는 동물과 관련된 인기 있는 직업들이 여럿 있다.

0733

accurate

[ǽkjurət]

형 정확한, 정밀한

Giving direct, **accurate**, and factual answers may seem to solve the problem from the perspective of the answerer. 모의

직접적이고, 정확하고, 사실에 기반한 답변을 주는 것은 답변자의 관점에서 볼 때 문제를 해결하는 것처럼 보일 수 있다.

0734

accuracy

[ǽkjurəsi]

명 정확, 정확도

An old man holding a puppy can relive a childhood moment with complete **accuracy**. 수능

강아지를 안고 있는 노인은 완벽한 정확도로 어린 시절의 순간을 다시 체험할 수 있다.

0735

strife

[straif]

명 갈등, 불화

She feels that it is important to seek out a different way of living other than through **strife** and conflict.

그녀는 갈등과 충돌을 통해서가 아닌 다른 삶의 방식을 추구하는 것이 중요하다고 느낀다.

0736

farewell
[fɛ̀ərwél]

명 작별, 작별 인사

So, we've decided to have a surprise **farewell** party for him tomorrow. 수능

그래서 우리는 그에게 내일 깜짝 송별 파티를 열어주기로 결정했다.

0737

anonymous
[ənάnəməs]

형 익명의, 특색 없는

The newly-updated application is being reviewed by numerous **anonymous** users on the web.

새로 업데이트된 프로그램은 웹상에서 수많은 익명의 사용자가 검토하는 중이다.

함께 외우는 유의어

unknown [ʌnnóun] 형 알려지지 않은
unidentified [ʌ̀naidéntifàid] 형 신원미상의
incognito [inkάgnitòu] 형 익명의, 가명의

0738

ragged
[rǽgid]

형 누더기가 된, 다 해진

A young man in a **ragged** leather jacket was playing the violin beautifully on the corner of the square.

해진 가죽 재킷을 입은 젊은 남자가 광장 구석에서 바이올린을 아름답게 연주하고 있었다.

0739

shabby
[ʃǽbi]

형 낡은, 지저분한

The room was in a **shabby** condition; the carpet was dusty, and the furniture was worn.

방은 지저분한 상태였다. 카펫은 먼지투성이에 가구는 낡아 있었다.

0740

grin
[grin]

동 (소리 없이) 활짝 웃다 명 (소리 없이) 활짝 웃음

She gave me a small gift box with a big **grin**.

그녀는 커다란 미소를 지으며 내게 작은 선물 상자를 주었다.

0741

struggle
[strʌ́gl]

동 발버둥치다, 투쟁하다 명 투쟁, 노력

Hannah **struggled** with the many class hours, the endless assignments, and the exams. 수능

Hannah는 많은 수업 시간과 끝없는 과제, 시험으로 고군분투했다.

0742

suicide
[sjúːəsàid]

명 자살

A police officer rescued a 31-year-old man who had tried to commit **suicide** by jumping off a bridge.

한 경찰관이 다리에서 뛰어내려 자살하려고 했던 31살의 남성을 구조했다.

- **attempt suicide** 자살을 시도하다

0743

saw
[sɔː]

sawed–sawn[sawed]

명 톱 동 톱질하다

Carpenters may request a lightweight circular **saw**. 수능

목수들은 가벼운 원형 톱을 요구할 수도 있다.

- **saw**[2] see(보다)의 과거형

0744

screw
[skruː]

명 나사 동 나사로 고정시키다

Suppose you have a bag of small hardware — **screws**, nails, and so on. 모의

당신이 나사, 못, 기타 등등의 소형 철물 한 봉지를 갖고 있다고 가정해 보라.

0745

hasten
[héisn]

동 재촉하다, 서두르다

Digital technology accelerates dematerialization by **hastening** the migration from products to services. 모의

디지털 기술은 제품에서 서비스로의 이동을 재촉하여 비물질화의 속도를 높인다.

0746

release
[rilíːs]

동 풀어주다, 발표[발매]하다 명 석방, 면제, 공개

I collect stamps as a hobby, and I heard the rose stamps were just **released**. 수능
저는 취미로 우표를 모으는데, 장미 우표가 막 발매되었다고 들었어요.

함께 외우는 유의어

discharge [distʃáːrdʒ] 동 해방하다, 방출하다
loose [luːs] 동 놓아주다, 느슨하게 하다
set free 석방하다

0747

relieve
[rilíːv]

동 [1] 안도하게 하다 [2] 경감하다 [3] 구제하다

Taking a trip is a great way to **relieve** stress. 수능
여행하는 것은 스트레스를 경감하는 훌륭한 방법이다.

함께 외우는 유의어

ease [iːz] 동 덜다, 편하게 하다
alleviate [əlíːvièit] 동 완화하다

0748

relief
[rilíːf]

명 [1] 안도 [2] 경감 [3] 구제

I want to tell you that this financial **relief** will make a great difference in my life. 모의
저는 당신에게 이 재정적인 부담의 경감이 제 인생에서 커다란 변화를 만들 것이라고 말씀드리고 싶습니다.

0749

invest
[invést]

동 투자하다

Another share will be **invested** in the shift from coal to more expensive fuels, like conventional gas. 수능
또 다른 부분은 석탄에서 전통적인 가스와 같이 더 비싼 연료로 전환하는 데에 투자될 것이다.

0750

surmount
[səːrmáunt]

동 극복하다

You will be the one who will **surmount** these problems.
네가 바로 이 문제들을 극복한 사람이 될 거야.

0751

swarm
[swɔːrm]

명 떼, 군중 동 떼지어 다니다

The bus transporting the players could barely move through the **swarm** of fans.
선수들을 수송하는 그 버스는 팬들 무리를 통과하여 움직일 수 없을 지경이었다.

0752

rot
[rɑːt]

동 썩다, 부패하다

The top of this table was completely **rotten** so we painted it brown and aged it to suit the table.
이 탁자의 윗면은 완전히 썩어서 우리는 그것을 갈색으로 칠하고 탁자에 어울리도록 낡게 했다.

0753

accompany
[əkʌ́mpəni]

동 동반하다, 동행하다

This is a 2-day camp for children aged 6 and over. Children under 6 must be **accompanied** by an adult. 모의
이것은 6세 이상 어린이 대상의 이틀짜리 캠프입니다. 6세 미만의 어린이는 성인이 동반해야 합니다.

0754

vomit
[vɑ́mit]

동 구토하다, 내뿜다

When we eat something that's bad for us, there are several triggers that give us the urge to **vomit**.
해로운 무언가를 먹었을 때 우리가 구토를 하게끔 하는 여러 가지 유발 요인이 있다.

● **throw up** 구토하다

0755

adjust
[ədʒʌ́st]

동 조정하다, 조절하다

They also adaptively **adjust** their eating behavior in response to deficits in water, calories, and salt. 수능
그들은 또한 물, 열량, 소금 결핍에 대한 반응으로 섭식 행위를 순응적으로 조정한다.

0756

revolt
[rivóult]

명 반란, 저항 동 반란을 일으키다

To **revolt** against injustice is to **revolt** for life.
불평등에 저항하는 것은 살기 위해 저항하는 것이다.

revolution 명 혁명

0757

embark
[imbɑ́:rk]

동 승선하다

Thousands of refugees from several countries **embarked** for France.
여러 나라에서 온 수천 명의 난민들이 프랑스행 배에 승선했다.

embark on ~에 착수하다

0758

afford
[əfɔ́:rd]

동 ~할 여유가 되다

They are not sure they can consistently **afford** to pay such high prices.
그들은 그렇게 높은 가격을 지속적으로 지불할 형편이 될지 확신할 수 없다.

affordable 형 (가격을) 감당할 수 있는

시험 빈출 반의어

0759

assent
[əsént]

명 찬성, 승인 동 찬성하다

I nodded my head as a sign of **assent**.
나는 찬성의 표시로 고개를 끄덕였다.

0760

dissent
[disént]

명 반대, 이의 동 반대하다

Her statement provoked murmurs of **dissent** from the audience.
그녀의 발언은 청중에게서 반대의 웅성거림을 일으켰다.

DAY 20

5회독 체크

0761

descend
[disénd]

동 내려가다, 내리막이 되다

As we **descend** underwater, the pressure increases.
물속으로 내려갈수록 압력은 증가한다.

- **descendant** 명 후손
- **descent** 명 1. 하강, 내리막 2. 혈통

0762

rusty
[rʌ́sti]

형 녹슨, 예전 같지 않은

I found some **rusty** coins in that old jewel box.
나는 그 보석 상자에서 녹슨 동전 몇 개를 찾았다.

0763

ingenuity
[ìndʒənjúːəti]

명 기발한 재주, 독창성

There may be a safer alternative to this toxic substance waiting to be discovered through the application of human intellect and **ingenuity**. 모의
이 독성 물질의 보다 안전한 대체품이 인간의 지성과 독창성을 응용하여 발견되기를 기다리고 있을지도 모른다.

0764

intuition
[ìntjuːíʃən]

명 직관력, 직감

Give yourself freedom to follow your **intuition**. 모의
스스로에게 자신의 직감을 따를 수 있는 자유를 주어라.

- **intuitive** 형 직관력이 있는

0765

radical
[rǽdikəl]

형 1 근본적인 2 급진적인

At its most **radical**, moralism produces descriptions of ideal political societies known as Utopias. 모의
도덕주의는 가장 근본적인 입장에서 유토피아로 알려진 이상적 정치 사회에 관한 묘사를 생산해 낸다.

0766

scheme
[skiːm]

명 **계획, 체계**

We need to recognize our own role in the **scheme** of nature.

우리는 자연의 체계 안에서 우리 역할을 인식할 필요가 있다.

함께 외우는 유의어

plan [plæn] 명 계획
strategy [strǽtədʒi] 명 계획, 전략
system [sístəm] 명 체계

0767

incident
[ínsədənt]

명 **일, 사건**

Each year, only a few people are attacked by tigers or bears, and most of these **incidents** are caused by the people themselves. 수능

매년 호랑이나 곰에게 공격받는 사람은 몇 명뿐이고, 이 사건들 대부분은 그 사람들이 자초하는 것이다.

- **incidental** 형 ~에 부수적인 (to)

0768

drastic
[drǽstik]

형 **과감한, 격렬한**

If we don't take **drastic** action to reduce plastic waste, several species of sea animals will face extinction very soon.

우리가 플라스틱 쓰레기를 줄이기 위해 과감한 조치를 취하지 않으면, 해양 동물 여러 종이 곧 멸종 위기를 맞을 것이다.

0769

regard
[rigáːrd]

동 **~을 …으로 여기다** 명 **관련, 관심**

Many of what we now **regard** as "major" social movements were originally due to the influence of an outspoken minority. 수능

현재 우리가 '주요한' 사회 운동으로 여기는 것 중 상당수는 원래 거침없이 발언하는 소수 집단의 영향에 의한 것이었다.

- **regard *A* as *B*** A를 B로 여기다
- **in this regard** 이 점에서

0770

enterprise
[éntərpràiz]

명 기업

Workers began to pay for leisure activities organized by capitalist **enterprises**. 수능

노동자들은 자본주의 기업이 준비한 여가 활동에 돈을 내기 시작했다.

0771

imperative
[impérətiv]

명 명령, 필요 형 명령하는, 필수적인

This need isn't simply learned; it is a biological **imperative** — animals organize their environments instinctively. 모의

이런 욕구는 단순히 학습되는 것이 아니다. 그것은 생물학적인 명령으로, 동물은 본능적으로 자기 환경을 정돈한다.

0772

mimic
[mímik]

동 흉내를 내다, 모방하다

As our body **mimics** the other's, we begin to experience emotional matching.

우리 신체가 다른 사람을 모방할 때, 우리는 감정적 일치를 겪기 시작한다.

함께 외우는 유의어

imitate [ímitèit] 동 모방하다
caricature [kǽrikətʃər] 동 희화화하다
parody [pǽrədi] 동 풍자하여 개작하다

0773

solitary
[sάlətèri]

형 혼자의, 외딴

When food is scarce, locusts are born with coloring designed for camouflage and lead **solitary** lives. 모의

식량이 부족할 때 메뚜기들은 위장용으로 만들어진 색깔을 갖고 태어나며 단독 생활을 한다.

0774

solitude
[sάlətjù:d]

명 고독

If you want to do some serious thinking, then you'd better try spending twenty-four hours in absolute **solitude**. 모의

여러분이 진지한 사색을 하고 싶다면, 완전한 고독 속에서 24시간을 보내는 시도를 해야 할 것이다.

0775

stereotype
[stériətàip]

명 고정 관념

African American women are not as bound as white women by gender role **stereotypes**. 모의

아프리카계 미국 여성들은 성 역할 고정 관념에 백인 여성만큼 매여 있지 않다.

0776

cuisine
[kwizí:n]

명 요리법, (고급) 요리

Garam Masala is a blend of common spices used in Indian **cuisine**.

가람 마살라는 인도 요리에서 흔히 쓰이는 향신료를 배합한 것이다.

0777

eager
[í:gər]

형 열렬한, 열심인

The old women were **eager** to learn how to read and write.

그 나이 많은 여인들은 읽고 쓰는 법을 배우는 데 열심이었다.

0778

paradox
[pǽrədὰks]

명 역설, 역설적인 상황

This creates a **paradox** that rational models of decision making fail to represent. 수능

이것은 의사 결정의 이성적 모형이 표현할 수 없는 역설을 만든다.

0779

torture
[tɔ́:rtʃər]

명 고문 동 고문하다

The victim wrote that he had been kept in a cell and **tortured** by some masked people.

그 피해자는 자신이 감옥에 갇혀 복면을 한 몇몇 사람들에게 고문을 당했다고 썼다.

0780

trade
[treid]

명 교역, 거래 동 교역하다, 거래하다

The rules of international **trade** mainly benefit rich countries. 수능

국제 무역의 원칙은 주로 부유한 나라들에게 득이 된다.

0781

theory
[θíːəri]

명 **이론, 학설**

Among primitives, because of their supernaturalistic **theories**, the prevailing moral point of view gives a deeper meaning to disease. 수능

원시 사회에서는 지배적인 도덕적 관점이 초자연적 이론 때문에 질병에 더 깊은 의미를 부여한다.

0782

undertake
[ʌ̀ndərtéik]

동 **[1] (일에) 착수하다, 맡다 [2] 약속하다**

When a learning activity is **undertaken** explicitly to attain some extrinsic reward, people respond by seeking the least demanding way of ensuring the reward. 수능

학습 행위가 명백히 어떤 외적인 보상을 얻기 위해 행해질 때, 사람들은 그 보상을 보장해 주는 가장 덜 힘든 방법을 찾는 것으로 반응한다.

0783

undergo
[ʌ̀ndərgóu]

동 **겪다, 견디다**

The doctor said that my mother had to **undergo** a brain surgery to recover.

의사는 나의 어머니가 회복하려면 뇌수술을 받아야 한다고 말했다.

0784

neglect
[niglékt]

동 **방치하다, 무시하다**

A child should not be **neglected** under unsanitary environments or dangerous conditions.

아동은 불결한 환경이나 위험한 상태에서 방치되어서는 안 된다.

함께 외우는 유의어

disregard [dìsrigáːrd] 동 무시하다
ignore [ignɔ́ːr] 동 무시하다

0785

urge
[əːrdʒ]

동 **재촉하다, 강요하다** 명 **자극, 충동**

"Try it," the happy man **urged** her. She tasted it. "This coffee is absolutely delicious, too!" 모의

"마셔 보세요." 행복한 남자가 그녀를 재촉했다. 그녀는 그것을 맛보았다. "이 커피도 정말로 맛있네요!"

0786

impersonal
[impə́ːrsənl]

형 비인격적인, 개인에 관계없는

Canadians often use the **impersonal** formality of a lawyer's services to finalize agreements. 모의

캐나다인은 종종 합의를 마무리하기 위해 변호사의 도움이라는, 개인의 감정을 섞지 않는 형식적 절차를 따른다.

0787

collapse
[kəlǽps]

동 붕괴되다, 무너지다 명 붕괴, 폭락

Soft ground caused a sudden **collapse** that killed five workers in 1912.

연약한 지반으로 인해 1912년에 노동자 다섯 명의 목숨을 앗아갔던 갑작스러운 붕괴 사고가 일어났다.

0788

collide
[kəláid]

동 충돌하다, 부딪치다

Billiard balls rolling around the table may **collide** and affect each other's paths.

당구대를 굴러다니는 당구공들은 충돌해서 서로의 길에 영향을 미칠 수 있다.

collision 명 충돌, 대립

0789

deceive
[disíːv]

동 속이다, 기만하다

Some animals are able to change their shapes to **deceive** the predators.

어떤 동물들은 포식자를 속이기 위해 형태를 바꿀 수 있다.

0790

deception
[disépʃən]

명 속임, 사기

In the near future, scientists will create an AI that can detect **deception** in the courtroom.

가까운 미래에 과학자들은 법정에서 거짓을 탐지할 수 있는 인공지능을 만들어 낼 것이다.

deceit 명 속임수, 기만

0791

dwindle
[dwíndl]

동 줄어들다

Theater audiences have been **dwindling** steadily for the last 10 years.

극장 관객은 지난 10년간 꾸준히 줄고 있다.

함께 외우는 유의어

decrease [dikrí:s] 동 감소하다
diminish [dimíniʃ] 동 감소하다
shrink [ʃriŋk] 동 줄다
subside [səbsáid] 동 감퇴하다

0792

erode
[iróud]

동 침식하다, 약화시키다

Over thousands or millions of years the river **erodes** soil and rocks and carves a deep valley.

수천 년 혹은 수백만 년에 걸쳐 강은 흙과 바위를 침식시켜 깊은 계곡을 깎는다.

● **erosion** 명 침식

0793

illustrate
[íləstrèit]

동 1 삽화를 넣다 2 설명하다

This dynamic can be **illustrated** with the example of parents who place equal value on convenience and concern for the environment. 모의

이러한 역학 관계는 편의성과 환경에 대한 우려에 동등한 가치를 두는 부모들의 예로 설명될 수 있다.

0794

possess
[pəzés]

동 소유하다, 지니다

The creativity that children **possess** needs to be cultivated throughout their development. 수능

아이들이 지닌 창의력은 발달 과정에서 계발되어야 한다.

0795

precede
[prisí:d]

동 ~에 앞서다, 우선하다

The witnesses testified that the explosion had **preceded** the fire in the plant.

목격자들은 공장에서 화재에 앞서 폭발이 있었다고 증언했다.

0796

reap
[riːp]

동 **수확하다, 거두다**

I have **reaped** the benefits from jogging for a decade.
나는 10년 동안 조깅으로 이득을 거두었다.

◎ **reap the harvest** 자업자득이다

0797

tangible
[tǽndʒəbl]

형 **만질 수 있는, 실체가 있는**

In contrast to literature or film, tourism leads to "real", **tangible** worlds. 모의
문학이나 영화와 대조적으로, 관광은 '진짜'이며 실체가 있는 세계로 이어진다.

0798

exterior
[ikstíəriər]

형 **외부의** 명 **외부, 겉**

Several major fires that occurred in high-rise buildings involved rapid fire spread upon the **exterior** walls.
고층 건물에서 일어난 심각한 화재 여러 건이 외벽을 타고 불이 급격히 번지는 현상을 수반했다.

◎ **interior** 형 내부의 명 내부, 안쪽

시험 빈출 혼동 단어

0799

inhibit
[inhíbit]

동 **억제하다**

Their physical layout encourages some uses and **inhibits** others. 수능
그것들의 물리적 배치는 어떤 쓰임새는 권장하고 다른 쓰임새는 억제한다.

0800

inhabit
[inhǽbit]

동 **살다, 거주하다**

Denmark has been **inhabited** by the Danes since the Stone Age.
덴마크에는 석기 시대부터 데인 족이 거주해 왔다.

바로 테스트

정답 436쪽

영어는 우리말로, 우리말은 영어로 쓰세요.

01 undergo
02 precede
03 accompany
04 graze
05 catastrophe
06 solitary
07 eager
08 struggle
09 dwindle
10 anonymous
11 advocate
12 rusty
13 imperative
14 surmount
15 inhale
16 release
17 mimic
18 exterior
19 impartial
20 ingenuity
21 횡포, 전제 정치
22 비인격적인
23 만질 수 있는
24 ~할 여유가 되다
25 교역, 거래
26 근본적인, 급진적인
27 계획, 체계
28 붕괴되다; 폭락
29 정확, 정확도
30 속이다, 기만하다
31 침식하다
32 과감한, 격렬한
33 고문; 고문하다
34 찬성, 승인
35 직관력, 직감
36 소유하다, 지니다
37 (일에) 착수하다
38 승선하다
39 조정하다, 조절하다
40 수확하다, 거두다

괄호 안에서 알맞은 말을 고르세요.

41 If you are in (assent / dissent) with me, it means you agree with me.

42 Some people have tried to (inhibit / inhabit) the area because of its mild climate.

DAY 21

5회독 체크

0801

coverage
[kʌ́vəridʒ]

명 ¹(적용·보상 등의) 범위 ²보도 범위

The domestic insurance has little **coverage** outside the country.
국내 보험은 국외에서는 보험 보장이 거의 되지 않는다.

0802

mischievous
[místʃəvəs]

형 짓궂은, 해를 끼치는

The magician gave the audience a **mischievous**, playful smile and took off his top hat.
마술사는 청중에게 짓궂고 장난스러운 미소를 지으며 실크해트를 벗었다.

0803

implicit
[implísit]

형 ¹함축적인, 내재하는 ²맹목적인

Love for nature and children is **implicit** in his poetry.
자연과 어린이에 대한 사랑이 그의 시에 함축되어 있다.

0804

incur
[inkə́ːr]

동 초래하다

The team's decision **incurred** two different reactions from their fans.
구단의 결정은 팬들의 서로 다른 두 가지 반응을 초래했다.

0805

negative
[négətiv]

형 부정적인, 비관적인

At such times, **negative** emotions like grief offer a kind of testimonial to the authenticity of love or respect. 수능
그런 때에 슬픔과 같은 부정적인 감정은 사랑이나 존경의 진정성에 대한 일종의 평가를 제공한다.

◎ **positive** 형 긍정적인

0806

meanwhile
[míːnhwàil]

뷔 그 동안에, 한편

Meanwhile, observing the seller carefully, Paul sensed something wrong in Bob's interpretation. 수능
한편 Paul은 상인을 유심히 관찰하면서 Bob의 통역에서 뭔가 잘못된 점을 감지했다.

0807

scale
[skeil]

명 ¹ 규모, 등급 ² (저울의) 눈금

As time went on, the tomb's **scale** was reduced, and the project was revised again and again. 수능
시간이 갈수록 무덤의 규모는 축소되었고, 프로젝트는 계속해서 수정되었다.

0808

devise
[diváiz]

동 창안하다, 고안하다

My family **devised** a system for dividing labor within our household.
우리 가족은 집안에서의 노동을 분배하는 체계를 고안했다.

◎ **device** 명 장치

함께 외우는 유의어

design [dizáin] 동 고안하다
invent [invént] 동 발명하다
conceive [kənsíːv] 동 (어떤 생각을) 품다

0809

organization
[ɔ̀rgənizéiʃən]

명 조직, 단체, 기구

If you are unable to visit these locations, books can be mailed directly to our **organization**. 모의
당신이 이 장소들을 방문하실 수 없다면, 책을 저희 단체로 바로 발송하실 수도 있습니다.

◎ **organize** 동 조직하다

0810

censorship
[sénsərʃip]

명 검열

They decided to support the fight against the government's **censorship** on the Internet.
그들은 정부의 인터넷 검열에 대한 투쟁을 지지하기로 결정했다.

0811

soak
[souk]

동 **담그다, 흠뻑 적시다**

The pianist looked out at him standing in the rain, completely **soaked**, and took pity on him. 수능

그 피아니스트는 그가 빗속에서 흠뻑 젖은 채로 서 있는 모습을 내다 보고 불쌍한 마음이 들었다.

0812

sob
[sɑb]

동 **흐느끼다**

The man dropped his head and began to **sob**.

그 남자는 고개를 떨구고 흐느끼기 시작했다.

0813

realm
[relm]

명 **영역, 범위, 왕국**

Tourism takes place simultaneously in the **realm** of the imagination and that of the physical world. 모의

관광은 상상의 영역과 물리적 세계의 영역에서 동시에 일어난다.

함께 외우는 유의어

field [fi:ld] 명 분야, 장
area [ɛ́əriə] 명 구역, 분야
department [dipɑ́:rtmənt] 명 부문
territory [térətɔ:ri] 명 영토, 영지

0814

sturdy
[stə́:rdi]

형 **튼튼한, 견고한**

Be sure that the ladder is **sturdy** enough to support your weight before you step onto it.

사다리에 올라서기 전에 그것이 당신의 체중을 견딜 수 있을 만큼 튼튼한지 확인하세요.

0815

steep
[sti:p]

형 **가파른, 급격한**

The road was very **steep** in some places. 모의

그 길은 몇 군데에서 몹시 가팔랐다.

0816

margin
[mɑ́ːrdʒin]

명 1 여백, 가장자리 2 한계

Most animals, including our ancestors and modern-day capuchin monkeys, lived very close to the **margin** of survival. 모의

우리의 조상과 오늘날의 꼬리감는원숭이를 포함한 대부분의 동물들은 생존 한계 상황에 매우 근접한 상태로 살았다.

marginal 형 주변부의, 중요하지 않은

0817

poll
[poul]

명 여론 조사, 투표

The scientific opinion **polls** revealed that most Americans are, at best, poorly informed about politics. 모의

과학적 여론 조사는 대부분의 미국인이 정치에 대해서 잘해야 빈약한 정보를 갖고 있는 상태라는 것을 밝혔다.

0818

infancy
[ínfənsi]

명 유아기, 초창기

An individual grows and develops several abilities from **infancy** to adulthood.

사람은 유아기에서 성인기까지 성장하면서 다양한 능력을 발전시킨다.

infant 명 유아

0819

stride
[straid]

동 성큼성큼 걷다 명 큰 걸음, 보폭

You can run faster if you increase the length of your **strides**.

보폭의 길이를 늘이면 더 빨리 달릴 수 있다.

0820

acute
[əkjúːt]

형 1 심한, 중대한 2 급성의

My younger brother was operated on for **acute** appendicitis yesterday.

어제 내 남동생이 급성 맹장염으로 수술을 받았다.

chronic 형 만성의

0821

survive
[sərváiv]

동 살아남다, (고난을) 견뎌내다

Not all organisms are able to find sufficient food to **survive**.
모든 유기체가 살아남기에 충분한 먹이를 구할 수 있는 것은 아니다.

0822

sustain
[səstéin]

동 지탱하다, 유지하다

Can we **sustain** our standard of living in the same ecological space while consuming the resources of that space? 모의
우리는 동일한 생태 공간에서 그 공간의 자원을 소비하며 생활 수준을 유지할 수 있을까?

sustainable 형 지속 가능한

0823

ambiguity
[æ̀mbigjú:əti]

명 모호함, 모호한 표현

It is the inherent **ambiguity** and adaptability of language as a meaning-making system that makes the relationship between language and thinking special. 수능
언어와 사고의 관계를 특수하게 만드는 것은 의미 생성 체계로서의 언어에 내재된 모호함과 융통성이다.

0824

ambiguous
[æmbígjuəs]

형 모호한, 여러 가지 의미로 해석할 수 있는

This sentence is **ambiguous**. You should make it more clear.
이 문장은 모호하다. 너는 그것을 더 명확하게 해야 한다.

0825

abandon
[əbǽndən]

동 버리다, 버리고 떠나다

When Christmas was at hand, I had **abandoned** all hope of getting a pony. 모의
크리스마스가 가까워지자 나는 조랑말을 갖게 될 희망을 모두 버렸다.

0826

blame
[bleim]

동 비난하다, ~을 탓하다

The actor never **blames** the fans for their intensity.
그 배우는 절대 팬들의 격렬함을 비난하지 않는다.

- **be to blame for** ~에 책임을 져야 한다

0827

inflame
[infléim]

동 흥분시키다, 격앙시키다

Why are they **inflaming** the situation by refusing to make any form of apology?
왜 그들은 어떤 형태로든 사과하기를 거부하여 상황을 악화시키고 있는가?

0828

certify
[sə́ːrtəfài]

동 증명하다, (증명서를) 교부하다

Megan was **certified** in yoga in 2010, and she has been teaching yoga to children.
Megan은 2010년 요가 자격증을 땄고 아이들에게 요가를 가르쳐오고 있다.

- **certificate** 명 자격증, 면허, 증서
- **certify in** ~에 관한 자격증을 주다

0829

contaminate
[kəntǽmənèit]

동 오염시키다, 악영향을 주다

The chemicals **contaminated** the fresh flow of water.
화학물질이 새로 흘러 온 물을 오염시켰다.

함께 외우는 유의어

pollute [pəlúːt] 동 오염시키다
infect [infékt] 동 감염시키다, 오염시키다
corrupt [kərʌ́pt] 동 타락시키다

0830

detect
[ditékt]

동 발견하다, 감지하다

This device can **detect** cancer markers in a tiny drop of blood.
이 장치는 작은 핏방울에서 암 표지자를 감지할 수 있다.

- **detective** 명 형사, 탐정

0831

expose
[ikspóuz]

통 드러내다, 폭로하다, 노출시키다

When the flesh of apples is **exposed** to oxygen, an enzyme-catalyzed reaction causes it to turn brown.
사과 과육은 산소에 노출되면 효소 촉매 반응이 일어나 갈색으로 변한다.

◎ **exposure** 명 폭로, 노출

0832

mighty
[máiti]

형 강력한, 굉장한

The young sailor quickly learned to respect the **mighty** waters of the ocean.
젊은 선원은 대양의 강력한 파도를 존중하는 법을 빠르게 배웠다.

0833

interpret
[intə́ːrprit]

통 해석하다, 통역하다

Too many writers **interpret** the term logical to mean chronological. 수능
너무 많은 작가들이 '논리적'이라는 말을 연대기적이라는 의미로 해석한다.

0834

irritate
[íritèit]

통 짜증나게 하다

The noise outside was **irritating** her, so she opened the window and shouted, "Stop it!"
밖에서 나는 소리가 그녀를 짜증나게 해서, 그녀는 창문을 열고 "그만 하세요!"라고 소리쳤다.

◎ **irritated** 형 짜증이 난

함께 외우는 유의어

annoy [ənɔ́i] 통 짜증나게 하다
bother [bɑ́ðər] 통 성가시게 하다
inflame [infléim] 통 격앙시키다

0835

manufacture
[mæ̀njufǽktʃər]

통 제조하다, 생산하다

I believe the machine's failure is caused by a **manufacturing** defect. 수능
나는 기계 고장은 제조상의 결함 때문에 생긴다고 믿는다.

0836

nourish
[nə́:riʃ]

동 영양분을 공급하다, 키우다

In other words, the destiny of a community depends on how well it **nourishes** its members. 모의

다시 말해, 공동체의 운명은 그 구성원들을 얼마나 잘 먹이는지에 달려 있다.

0837

oppose
[əpóuz]

동 반대하다, 대항하다

This survey found that more than a third of Americans fully **oppose** testing on animals.

이 설문은 1/3이 넘는 미국인들이 동물 실험에 완전히 반대한다는 것을 보여 주었다.

● **opposite** 형 반대의

0838

undo
[ʌndúː]

동 (잠기거나 묶인 것을) 풀다, 원상태로 돌리다

You have to **undo** the chain to open the door.

문을 열려면 그 체인을 풀어야 한다.

시험 빈출 반의어

0839

inflate
[infléit]

동 부풀리다, 과장하다

Using the electric air pump, Jack **inflated** the swimming rings for his younger brothers.

Jack은 전기 공기펌프를 사용하여 남동생들을 위해 튜브를 부풀렸다.

● **inflation** 명 통화 팽창, 인플레이션

0840

deflate
[difléit]

동 [1] 공기를 빼다, 수축시키다 [2] (희망, 자신감을) 꺾다

The girl was totally **deflated** by her teacher's comment.

소녀는 선생님의 지적으로 완전히 풀이 죽었다.

● **deflation** 명 통화 수축, 디플레이션

5회독 체크

0841

inflow
[ínflòu]

명 유입

The **inflow** of foreign capital has been pivotal for the country to maintain a steady growth rate.
외국 자본의 유입이 그 나라가 꾸준한 성장률을 유지하는 데에 중심축이 되어 왔다.

0842

terrify
[térəfài]

동 겁먹게 하다

When I heard Josh's scream, I was **terrified**.
나는 Josh의 비명을 듣고 겁에 질렸다.

terrified 형 겁에 질린 **terrifying** 형 무서운, 겁먹게 하는

0843

sue
[suː]

동 고소하다, 청구하다

Ms. Lawrence **sued** her doctor for failing to notify her of the risks involved in the operation.
Lawrence 씨는 그녀에게 수술에 수반되는 위험성을 알리지 않은 것에 대해 의사를 고소했다.

0844

suffer
[sʌ́fər]

동 고통받다, 겪다

She **suffered** from chest pain for more than a year.
그녀는 1년 넘게 가슴 통증으로 고통을 받았다.

0845

tremendous
[treméndəs]

형 굉장한, 엄청난

They will see in his poems a vibrant cultural performance, an individual springing from the book with **tremendous** charisma and appeal. 수능
그들은 그의 시에서 강렬한 문화적 행위, 즉 한 개인이 엄청난 매력과 호소력을 갖고 책에서 뛰쳐나오는 것을 보게 될 것이다.

0846

overestimate
[òuvəréstəmeit]

동 과대평가하다 명 과대평가

If you are swimming in the sea, it's very important not to **overestimate** your abilities or underestimate the risks.
바다에서 수영할 때에는 당신의 능력을 과대평가하거나 위험을 과소평가하지 않는 것이 매우 중요하다.

◎ **underestimate** 동 과소평가하다 명 과소평가

0847

slaughter
[slɔ́ːtər]

명 도살, 대량 학살 동 도살하다, 학살하다

A large number of various animals, such as cows, pigs, sheep, and chicken, are **slaughtered** for food each year.
매년 많은 수의 소, 돼지, 양, 닭 등 각종 동물이 식용으로 도축된다.

0848

perspective
[pərspéktiv]

명 [1] 관점 [2] 균형, 원근감

By returning to that music with a fresh **perspective** as a result of listening to other music, we find something new and interesting. 모의
다른 음악을 들어서 생겨난 신선한 관점을 가지고 그 음악으로 돌아감으로써, 우리는 무언가 새롭고 흥미로운 것을 발견한다.

0849

agony
[ǽgəni]

명 고뇌, 괴로움

The family left their country in **agony**.
그 가족은 괴로움 속에 조국을 떠났다.

0850

ridicule
[rídikjùːl]

명 조롱, 조소 동 비웃다

I don't think the right to free speech must include the right to **ridicule** others.
나는 발언의 자유에 대한 권리가 다른 사람을 조롱할 권리를 포함해야 한다고 생각하지 않는다.

0851

intolerable
[intálərəbl]

형 **견딜 수 없는**

Huck almost forgot the nearly **intolerable** discomfort of his new clothes.

Huck은 거의 견딜 수 없을 지경으로 불편한 그의 새 옷을 잊을 뻔했다.

◎ **tolerable** 동 견딜 만한

0852

barely
[bέərli]

부 **가까스로, 거의 ~ 아니게**

My son is **barely** five years old.

내 아들은 겨우 5살이다.

함께 외우는 유의어

hardly [háːrdli] 부 거의 ~ 않다
scarcely [skέərsli] 부 거의 ~ 않다
only just 방금, 간신히

0853

infringe
[infríndʒ]

동 **위반하다, 제약하다**

The use of CCTV cameras in school may **infringe** on students' privacy.

학교에서의 CCTV 카메라 사용은 학생들의 사생활을 침해할 수 있다.

◎ **infringe on** ~을 침해하다

0854

savage
[sǽvidʒ]

형 **야만적인, 잔인한**

Words like "**savage**" and "primitive" began to disappear from the vocabulary of cultural studies with the rise of the social sciences. 수능

"야만적인"과 "원시적인"과 같은 단어는 사회 과학이 부상하면서 문화 연구에 사용되는 어휘에서 사라지기 시작했다.

0855

peasant
[péznt]

명 **소농, 소작농**

The capitalist mode of production is affecting **peasant** production in the less developed world. 수능

자본주의적 생산 방식이 저개발 국가에서 소농 생산에 영향을 미치고 있다.

0856

obligation
[àbləgéiʃən]

명 의무

Every student has an **obligation** to his or her team to be at every practice and every game.
모든 학생은 자신의 팀에 대해 모든 연습과 경기에 참여할 의무가 있다.

duty [dúːti] 명 의무
responsibility [rispɑ̀nsəbíləti] 명 책임
compulsion [kəmpʌ́lʃən] 명 강제
liability [làiəbíləti] 명 책임

0857

preference
[préfərəns]

명 선호, 선호되는 것

Do you have a **preference** for any material? We have plastic, maple, and walnut cutting boards. 수능
선호하는 재질이 있으세요? 플라스틱, 단풍나무, 호두나무 도마가 있습니다.

prefer 동 ~을 더 좋아하다, 선호하다

0858

torrent
[tɔ́ːrənt]

명 급류, 빗발침

It was a little thrilling to walk on the bridge over a **torrent** of water.
급류 위에 놓인 다리 위를 걷는 것은 약간 오싹한 일이었다.

0859

adorable
[ədɔ́ːrəbl]

형 사랑스러운

The kids looked forward to seeing those **adorable** kittens after a long trip.
아이들은 오랜 여행 뒤에 그 사랑스러운 아기 고양이들을 보기를 기대했다.

0860

trigger
[trígər]

명 방아쇠, 도화선 동 촉발시키다, 일으키다

Erikson believes that when we reach the adult years, several physical, social, and psychological stimuli **trigger** a sense of generativity. 모의
Erikson은 우리가 성년에 도달하면 여러 신체적, 사회적, 그리고 심리적 자극이 생식성에 대한 인식을 일으킨다고 믿는다.

pull the trigger 방아쇠를 당기다

0861

unify
[jú:nəfài]

동 **통합하다, 통일하다**

The director created a **unifying** theme for the many crowd scenes.
감독은 많은 군중 장면들을 위해 통일된 테마를 만들었다.

함께 외우는 유의어

unite [ju:náit] 동 결합하다, 합병하다
combine [kəmbáin] 동 결합하다
merge [mə:rdʒ] 동 합병하다

0862

unification
[jù:nəfikéiʃən]

명 **단일화, 통일**

The religion played a significant role in the **unification** of the kingdom.
그 종교는 왕국의 통일에 중요한 역할을 했다.

0863

ignoble
[ignóubl]

형 **비열한, 야비한**

How can you speak like such an **ignoble** person?
너는 어떻게 그리 비열한 사람처럼 말할 수 있니?

noble 형 고귀한

0864

duration
[djuréiʃən]

명 **지속, 기간**

The **duration** of copyright protection has increased steadily over the years. 수능
저작권 보호 기간은 여러 해에 걸쳐 꾸준히 길어졌다.

0865

dormant
[dɔ́:rmənt]

형 **휴면기의, 활동을 중단한**

If you think you may have a **dormant** account, you should get it clarified.
만약 당신에게 휴면 계좌가 있는 것 같다는 생각이 들면, 확실히 해야 한다.

lie[stay] dormant 동면 중이다

0866

fossil
[fάsəl]

명 화석

Fossil fuels will soon run out and we need to find an alternative.
화석 연료는 곧 동이 날 것이고 우리는 대체품을 찾아야 한다.

0867

convince
[kənvíns]

동 확신시키다, 납득시키다

Ms. Baker was **convinced** by Jean's improvement that her new teaching method was a success. 모의
Baker 선생님은 Jean의 발전으로 그녀의 새로운 교수법이 성공했다는 것을 확신했다.

0868

magnify
[mǽgnəfài]

동 확대하다, 과장하다

Mr. Skinner **magnified** the picture to 400% and looked at the car facing the camera.
Skinner 씨는 사진을 400%로 확대해서 카메라에 정면으로 보이는 차를 보았다.

◎ **magnification** 명 확대, 배율

0869

compete
[kəmpí:t]

동 경쟁하다, (시합에) 참가하다

Organisms must **compete** for resources not only with members of their own species, but with members of other species. 모의
생물은 자기 종의 구성원뿐만 아니라 다른 종의 구성원과도 자원을 두고 경쟁해야 한다.

◎ **competition** 명 경쟁, 대회

0870

competitive
[kəmpétətiv]

형 경쟁의, 경쟁력이 있는

The bank tried to gain a **competitive** advantage by opening on Saturday mornings. 모의
그 은행은 토요일 오전에 영업함으로써 경쟁 우위를 점하려고 했다.

0871

carve
[kɑːrv]

동 조각하다, 새기다

After some years of **carving**, Michelangelo completed *Moses*, one of the most famous statues of the tomb. 모의
몇 년간 조각을 한 후에, 미켈란젤로는 그 무덤에서 가장 유명한 조각상 중 하나인 '모세'를 완성했다.

0872

restore
[ristɔ́ːr]

동 회복시키다, 복구하다

He wants to **restore** the relationship with his parents.
그는 부모님과의 관계를 회복시키고 싶어 한다.

0873

exchange
[ikstʃéindʒ]

명 교환 동 교환하다

However, language offers something more valuable than mere information **exchange**. 수능
그러나 언어는 단순한 정보의 교환보다 더 가치 있는 무언가를 제공한다.

함께 외우는 유의어

change [tʃeindʒ] 동 교환하다
trade [treid] 동 교환하다
barter [bɑ́ːrtər] 동 물물교환하다

0874

explode
[iksplóud]

동 터지다, 폭발하다

Any item like hair spray may **explode** under extreme pressure. 모의
헤어스프레이와 같은 물건은 압력이 심하면 폭발할 수도 있다.

◎ **explosion** 명 폭발

0875

contemplate
[kɑ́ntəmplèit]

동 고려하다, 심사숙고하다

We have to slow down a bit and take the time to **contemplate** and meditate.
우리는 속도를 조금 늦추고 생각하고 명상할 시간을 가져야 한다.

◎ **contemplation** 명 명상, 숙고

0876

repel
[ripél]

동 **쫓아버리다, 물리치다**

Leaders who emit negative emotional states of mind **repel** people and have few followers.
마음의 부정적인 감정 상태를 표출하는 지도자는 사람들을 쫓아 버려서 추종자가 거의 없다.

0877

operate
[ápərèit]

동 **작동되다, 가동하다**

The washing machine stopped **operating** entirely.
세탁기가 작동을 아예 멈췄다.

0878

allot
[əlát]

동 **할당하다, 분배하다**

Allot time to everything you need to get done today.
오늘 마쳐야 하는 모든 일에 시간을 분배하라.

0879

calculate
[kǽlkjulèit]

동 **계산하다, 추정하다**

The distance between the Earth and the Moon has been **calculated** to be 384,400 km.
지구와 달 사이의 거리는 384,400km로 계산된다.

시험 빈출 다의어

0880

rear
[riər]

1 명 **뒤쪽** 형 **뒤쪽의**

A large bedroom with an en suite shower room is situated at the **rear** of the house.
샤워실이 딸린 큰 침실이 집 뒤쪽에 위치해 있다.

2 동 **기르다, 양육하다**

High-density **rearing** often led to outbreaks of infectious diseases. 수능
고밀도 사육은 종종 전염성 질병의 발병으로 이어졌다.

바로 테스트

DAY 21-22

정답 437쪽

영어는 우리말로, 우리말은 영어로 쓰세요.

01 meanwhile
02 restore
03 magnify
04 censorship
05 devise
06 infringe
07 operate
08 infancy
09 terrify
10 torrent
11 unify
12 convince
13 contemplate
14 obligation
15 sustain
16 repel
17 certify
18 implicit
19 contaminate
20 fossil
21 계산하다, 추정하다
22 발견하다, 감지하다
23 과대평가하다
24 심한, 급성의
25 모호한
26 영역, 범위, 왕국
27 비난하다
28 지속, 기간
29 관점, 균형
30 회복시키다
31 살아남다
32 조각하다, 새기다
33 초래하다
34 방아쇠, 도화선
35 버리다, 버리고 떠나다
36 단일화, 통일
37 반대하다, 대항하다
38 영양분을 공급하다
39 고소하다, 청구하다
40 제조하다, 생산하다

괄호 안에서 알맞은 말을 고르세요.

41 If you (inflate / deflate) a balloon too much, it can pop easily.

42 The farmer **rears** more than 50 cows on his farm. (뒤 / 기르다)

DAY 23

5회독 체크

0881

inseparable
[insépərəbl]

형 **떼어놓을 수 없는, 불가분의**

Humans have an **inseparable** relationship with nature.
인간은 자연과 불가분의 관계이다.

separable 형 분리될 수 있는

0882

politician
[pàlitíʃən]

명 **정치인**

She is considered one of the most powerful **politicians** in South Korea.
그녀는 남한에서 가장 영향력 있는 정치인 중 한 명으로 여겨진다.

statesman[stateswoman] 명 정치가

0883

politics
[pálətiks]

명 **정치, 정치학**

African American males have played an increasingly important role in global **politics**. 모의
아프리카계 미국인 남성들은 국제 정치에서 갈수록 더 중요한 역할을 수행하고 있다.

0884

humble
[hʌ́mbl]

형 **겸손한**

We were really touched with her **humble** attitude and heartwarming smile.
우리는 그녀의 겸손한 태도와 마음이 따뜻해지는 미소에 정말로 감동을 받았다.

0885

offer
[ɔ́:fər]

동 **제안하다, 제공하다**

The camp **offers** fun, hands-on activities. 수능
캠프에서는 재미있고, 직접 해 보는 활동을 제공한다.

0886

swear
[swεər]

동 1 맹세하다, 선서하다 2 욕을 하다

I **swear** to god that I have never heard about that man.
신께 맹세컨대 나는 그 남자에 대해 들은 적이 없다.

함께 외우는 유의어

vow [vau] 동 맹세하다
declare [diklέər] 동 선언하다
affirm [əfə́ːrm] 동 단언하다

0887

drought
[draut]

명 가뭄

Having an adequate farming system helps farmers overcome long-term **droughts**.
적절한 영농 조직이 있으면 농부들이 장기간의 가뭄을 이겨내는 데 도움이 된다.

◎ **flood** 명 홍수

0888

scope
[skoup]

명 범위, 여지, 기회

He broadened the **scope** of the movie's frame frequently to illustrate the world around his characters.
그는 등장인물을 둘러싼 세계를 묘사하기 위해 빈번하게 영화의 장면 범위를 넓혔다.

0889

parallel
[pǽrəlèl]

형 평행한, 아주 유사한

Parallel bars are used to help patients learn how to walk again.
평행봉은 환자들이 다시 걷는 법을 배우는 것을 돕는 데 사용된다.

0890

astronomy
[əstrάnəmi]

명 천문학

Interest in extremely long periods of time sets geology and **astronomy** apart from other sciences. 모의
극도로 오랜 기간에 대한 관심이 지질학과 천문학을 다른 과학과 구별한다.

◎ **astronomer** 명 천문학자 **astronaut** 명 우주비행사

0891

equator
[ikwéitər]

명 적도

The closer you get to the **equator**, the hotter it gets.
적도에 가까이 갈수록 더 더워진다.

0892

equation
[ikwéiʒən]

명 1 평균화 2 방정식, 등식

If you want to solve this problem using basic algebra methods, set up an **equation** that has only one variable such as x.
기본 대수법을 사용하여 이 문제를 풀고 싶다면, x와 같이 하나의 변수만 있는 방정식을 세워라.

0893

equilibrium
[ìːkwəlíbriəm]

명 평형, 균형, 평정

The value of carbon sinks is that they can help create **equilibrium** in the atmosphere by removing excess CO_2. 모의
카본 싱크(이산화탄소 흡수계)의 가치는 과도한 이산화탄소를 제거하여 대기 중의 평형을 만드는 것을 도울 수 있다는 데 있다.

0894

conception
[kənsépʃən]

명 개념, 구상

The actress looks as if she had no **conception** of what she is doing in the movie.
그 여배우는 영화 속에서 자신이 무엇을 하는지에 대한 구상이 없는 것처럼 보인다.

● **misconception** 명 오해

0895

intermingle
[ìntərmíŋgl]

동 섞다, 섞이다

Some people believe that aliens **intermingle** with us to live on this planet.
어떤 사람들은 외계인이 우리 틈에 섞여 지구에서 살아간다고 믿는다.

0896

sibling
[síbliŋ]

명 **형제자매**

Louise, a mother who attended my seminars, shared how her mother dealt with **sibling** fighting. 모의

Louise는 나의 세미나에 참석한 어머니였는데, 자신의 어머니가 형제자매 간의 싸움을 어떻게 다루었는지 사람들에게 들려주었다.

0897

situation
[sìtʃuéiʃən]

명 **상황, 환경, 처지**

In this **situation**, what would David most likely say to Jane? 수능

이 상황에서 David가 Jane에게 가장 할 것 같은 말은 무엇인가?

0898

sparkle
[spáːrkl]

동 **반짝이다** 명 **광채, 생기**

I like this white costume with **sparkles**.

나는 이 광택이 있는 흰색 의상이 마음에 들어.

0899

regretful
[rigrétfəl]

형 **유감스러워하는, 후회하는**

I felt disappointed and **regretful** about the test results.

나는 시험 결과에 실망도 하고 후회도 됐다.

0900

spread
[spred]
spread – spread

동 **펼치다, 퍼지다** 명 **확산, 전파**

Prior to low-cost printing, ideas **spread** by word of mouth. 수능

저비용 인쇄술이 등장하기 전에는 사상이 구전으로 확산되었다.

0901

impact
[ímpækt]

명 **영향, 충격, 충돌**

The **impact** of color has been studied for decades. 수능
색의 영향은 수십 년간 연구되어 왔다.

함께 외우는 유의어

effect [ifékt] 명 영향, 결과
influence [ínfluəns] 명 영향
consequence [kánsəkwèns] 명 결과

0902

tender
[téndər]

형 **상냥한, 부드러운, (음식이) 연한**

Cook green beans low and slow until they are **tender**.
껍질콩이 연해질 때까지 약한 불로 천천히 조리하시오.

0903

through
[θruː]

전 **~을 통해, ~을 지나** 부 **내내, 통과하여**

I believe that the path to success is **through** analyzing failure. 수능
나는 성공으로 가는 길이 실패를 분석하는 것을 통해 있다고 믿는다.

0904

character
[kǽriktər]

명 **1 성격, 특징 2 등장인물**

In one sense, every **character** you create will be yourself. 수능
어떤 의미에서는 당신이 창조하는 등장인물 모두가 당신 자신일 것이다.

◎ **characteristic** 형 특유의, 독특한

0905

acquisition
[ækwizíʃən]

명 **습득, 뜻밖에 얻은 물건**

The one area in which the Internet could be considered an aid to thinking is the rapid **acquisition** of new information. 고1 모의
인터넷이 사고를 보조하는 도구로 생각될 수 있었던 하나의 영역은 새로운 정보의 신속한 습득이다.

◎ **acquire** 동 습득하다, 획득하다

0906

refute
[rifjúːt]

동 논박하다, 반박하다

I couldn't **refute** his arguments, so I sat and said nothing.
나는 그의 주장에 반박할 수가 없어서 앉아서 아무 말도 하지 않았다.

0907

assert
[əsə́ːrt]

동 주장하다, 단언하다

The professor **asserted** that some questions of the test had no answers.
교수는 그 시험의 몇몇 문제에는 답이 없다고 단언했다.

assertive 형 확신에 찬

0908

profess
[prəfés]

동 주장하다, 공언하다

He **professed** that he had no moral judgment on that matter.
그는 그 사안에 대해 어떠한 도덕적 판단도 하지 않는다고 공언했다.

0909

restrict
[ristríkt]

동 제한하다, 방해하다

The narrow neck of a bottle **restricts** the flow into or out of the bottle. 모의
병의 목이 좁으면 병 안팎으로의 흐름에 제한이 있다.

함께 외우는 유의어

inhibit [inhíbit] 동 억제하다
restrain [ristréin] 동 억제하다
regulate [régjulèit] 동 규제하다
limit [límit] 동 제한하다

0910

degrade
[digréid]

동 강등시키다, 저하시키다

They **degraded** him from colonel to simple soldier.
그들은 그를 대령에서 일반 병사의 지위로 강등시켰다.

0911

motivate
[móutəvèit]

동 ~에게 동기를 주다

Fear can **motivate** change in order to avoid something you're afraid of, such as dying young. 모의
공포는 젊은 나이에 죽는 것과 같은 두려운 일을 피하기 위해 변화의 동기를 줄 수 있다.

0912

impose
[impóuz]

동 (의무·세금 등을) 부과하다, 도입하다

Tea was Americans' favorite drink until a heavy tax was **imposed** on it by King George III.
조지 3세가 무거운 세금을 부과하기 전까지 차는 미국인들이 가장 좋아하는 음료였다.

0913

hire
[haiər]

동 고용하다

I'm going to **hire** you as my speechwriter. 수능
나는 당신을 나의 연설 원고 작성자로 고용하려고 합니다.

0914

execute
[éksikjùːt]

동 처형하다, 사형하다

As far as I know, no one has been **executed** for 43 years in this country.
내가 알기로 이 나라에서는 43년간 사형 당한 사람이 없다.

0915

punish
[pʌ́niʃ]

동 처벌하다, 벌주다

Some people **punish** themselves when they are under time pressure. 수능
어떤 사람들은 그들이 시간의 압박을 받을 때 스스로에게 벌을 준다.

0916

admit
[ædmít]

동 [1] 인정하다, 자백하다 [2] 입장을 허락하다

Minimum Age: Children under 7 will not be **admitted**. 모의
최소 연령: 7세 미만 어린이는 입장이 허가되지 않을 것입니다.

0917

admission
[ædmíʃən]

명 [1] 시인, 인정 [2] 입장, 입학, 입장료

Members also get discounted **admission** to national parks. 수능
회원은 또한 국립 공원 입장료 할인을 받는다.

0918

enlighten
[inláitn]

동 이해시키다, 깨우치다

Many people who watched those experts' debate on TV were **enlightened** about the seriousness of the plastic waste problem.
TV에서 전문가들의 토론을 시청한 많은 사람들이 플라스틱 쓰레기 문제의 심각성을 깨달았다.

시험 빈출 혼동 단어

0919

commence
[kəméns]

동 시작하다, 착수하다

The company says that they decided to **commence** legal proceedings.
그 회사는 이제 그들이 법적 절차에 착수하기로 결정했다고 한다.

0920

comment
[kάment]

명 논평, 지적 동 논평하다

No one **commented** on his mistake — apart from his drama teacher. 모의
그의 연극 선생님을 제외하고는 아무도 그의 실수를 언급하지 않았다.

DAY 24

5회독 체크

0921

constraint
[kənstréint]

명 **제약, 제한, 통제**

He soon found his reputation to be a **constraint**.
그는 곧 그의 명성이 제약이 된다는 것을 알았다.

0922

ritual
[rítʃuəl]

명 **의식, 의례, 풍습**

Holiday **rituals** were typically structured around cultural practices such as song, dance, theater, and feasting. 모의
명절 의례는 일반적으로 노래, 춤, 연극, 그리고 잔치와 같은 문화적 관습을 중심으로 조직되었다.

0923

sniff
[snif]

동 **코를 킁킁거리다, 냄새를 맡다**

The dog **sniffed** the object and started to follow the trail.
개는 대상의 냄새를 맡은 뒤 흔적을 따라가기 시작했다.

0924

extreme
[ikstríːm]

형 **극도의, 지나친** 명 **극단**

In the 19th century, crop failures of potatoes caused **extreme** hunger in Ireland.
19세기에 감자 경작 실패는 아일랜드에 극심한 기아를 초래했다.

0925

intense
[inténs]

형 **극심한, 강렬한**

The bargaining became **intense**, with Paul stepping up his price slightly and the seller going down slowly. 수능
흥정은 Paul이 가격을 조금씩 올리고, 상인은 서서히 내리면서 치열해졌다.

함께 외우는 유의어

acute [əkjúːt] 형 격렬한, 심한
severe [sivíər] 형 엄중한
bitter [bítər] 형 격렬한, 혹독한
fierce [fiərs] 형 격렬한, 맹렬한

0926

intuitive
[intjúːəitiv]

형 **직관에 의한, 직관력이 있는**

The notion that events always occur in a field of forces would have been completely **intuitive** to the Chinese. 수능

사건은 늘 여러 힘이 작용하는 장에서 일어난다는 개념은 중국인들에게 전적으로 직관적이었을 것이다.

◎ **intuition** 명 직관력, 직감

0927

ancestor
[ǽnsestər]

명 **선조, 조상, 원형**

Our **ancestors** gave priority to securing minimum resources rather than pursuing maximum gains. 모의

우리 선조들은 최대한의 이득을 추구하는 것보다 최소한의 자원을 확보하는 것을 우선시했다.

0928

alien
[éiljən]

형 **생경한, 외국의** 명 **외국인**

Survival in such an **alien** environment was not easy.

그런 생경한 환경에서 살아남기란 쉽지 않았다.

0929

ratio
[réiʃou]

명 **비율, 비**

They shared the profit in the **ratio** of 60:40.

그들은 수익을 60:40 비율로 나누었다.

◎ **the ratio of *A* to *B*** B에 대한 A의 비율

0930

trait
[treit]

명 **특징, 특성**

Many of our physical **traits** are inherited from our parents.

우리의 신체적 특징 중 많은 것이 우리의 부모로부터 물려받은 것이다.

0931

commerce
[kɑ́məːrs]

명 상업, 무역, 교역

The rise in **commerce** and the decline of authoritarian religion allowed science to follow reason in seventeenth-cenury Europe. 수능

상업이 부상하고 권위주의적 종교가 쇠락하면서 17세기 유럽에서 과학이 이성을 좇을 수 있었다.

0932

commercial
[kəmə́ːrʃəl]

형 상업의, 상업적인

Factories were discharging mercury into the waters of Minamata Bay, which also harbored a **commercial** fishing industry. 수능

공장들은 미나마타 만의 물속으로 수은을 방출하고 있었는데, 그곳은 상업 수산 회사도 자리하고 있는 곳이었다.

0933

fraud
[frɔːd]

명 사기, 사기꾼

You should keep your personal information confidential to protect yourself from online **fraud**.

온라인 사기에서 스스로를 보호하려면 당신의 개인정보를 비밀로 해야 한다.

0934

undermine
[ʌ̀ndərmáin]

동 약화시키다, ~의 밑을 파다

Bad writing can **undermine** your credibility.

형편없는 글쓰기는 당신의 신뢰성을 약화시킬 수 있다.

0935

underlie
[ʌ̀ndərlái]

동 ~의 기초가 되다, ~의 밑에 있다

This tension **underlies** the growing sense of crisis between the two countries.

이 긴장감이 두 나라 사이의 커지는 위기감 아래 깔려 있다.

0936

invader
[invéidər]

명 침략자, 침입자

The woman is insisting that there was an **invader** in her garden.
그 여자는 정원에 침입자가 있었다고 주장하고 있다.

0937

denial
[dináiəl]

명 부정, 거부

Being in **denial** only makes things worse.
부정 상태에 있는 것은 상황을 더 악화시킬 뿐이다.

함께 외우는 유의어

dissent [disént] 명 부정, 이의
refusal [rifjú:zəl] 명 거절
rejection [ridʒékʃən] 명 거절, 부결

0938

corridor
[kɔ́:ridər]

명 복도, 통로

The narrow **corridor** led to a grand lobby.
좁은 복도는 거대한 로비로 이어졌다.

0939

behalf
[bihǽf]

명 (on[in] behalf of로) ~을 대신[대표]하여, ~을 위하여

Again, on **behalf** of our museum, we appreciate your donation. 수능
우리 박물관을 대표하여 다시 한번 저희는 당신의 기부에 감사를 표합니다.

0940

curriculum
[kəríkjuləm]

명 교육과정

In many school physical education programs, team sports dominate the **curriculum** at the expense of various individual and dual sports. 모의
많은 학교 체육 프로그램에서는 단체 스포츠가 다양한 개인 스포츠와 2인 스포츠를 희생하며 교육과정을 점령한다.

0941

professor
[prəfésər]

명 교수

Do you want to talk to my sociology **professor** from college? He's an expert on the reunification of Korea. 모의

너 내 대학교 사회학 교수님과 이야기해 볼래? 그분은 한국통일 전문가이셔.

0942

adore
[ədɔ́ːr]

동 흠모하다, 아주 좋아하다

We're sure that she **adores** her students very much.

우리는 그녀가 학생들을 매우 사랑한다고 확신한다.

0943

thieve
[θiːv]

동 훔치다

The company **thieved** the crown from the competitor shortly after its debut in 2015.

그 회사는 2015년에 등장한 직후 경쟁사로부터 왕관을 빼앗았다.

◎ **theft** 명 절도

0944

penetrate
[pénətrèit]

동 관통하다, 침투하다

While the eye sees at the surface, the ear tends to **penetrate** below the surface. 수능

눈이 표면을 보는 반면, 귀는 표면 아래로 침투하는 편이다.

0945

administer
[ədmínistər]

동 관리하다, 집행하다

Sometimes, after punishment has been **administered** a few times, it needn't be continued. 수능

때로, 처벌은 몇 번 내려지고 나면 계속될 필요가 없다.

함께 외우는 유의어

run [rʌn] 동 운영하다 manage [mǽnidʒ] 동 경영하다

control [kəntróul] 동 감독하다 conduct [kɑ́ndʌkt] 동 수행하다

0946

abuse
명 [əbjúːs]
동 [əbjúːz]

명 남용, 오용, 학대 동 남용하다, 학대하다

A police officer was fired for **abusing** his authority after he illegally detained a homeless man.
한 경찰이 노숙인 남성 한 명을 불법으로 구금한 뒤 권력 남용으로 해고되었다.

0947

anchor
[ǽŋkər]

명 닻 동 닻을 내리다, ~에 기반을 두다

But now this confirmation is **anchored** in a physical experience. 모의
하지만 이제 이 확고함은 물리적인 경험에 기반을 두고 있다.

◎ **anchorage** 명 정박지, 보관대

0948

embarrass
[imbǽrəs]

동 당황하게 하다

Linx looked **embarrassed**, but nonetheless he called out the respected elder to battle. 수능
Linx는 당황스러워 보였지만, 그럼에도 불구하고 대결하기 위해 그 존경받는 어른을 불러냈다.

◎ **embarrassed** 형 당황한 **embarrassing** 형 당황하게 하는

0949

resume
[rizúːm]

동 재개하다, 다시 시작하다

When this chimp was reunited with his fellows outside the enclosure, they quickly **resumed** their normal activities.
이 침팬지가 울타리 밖의 동료들과 재회했을 때, 그들은 일상적인 활동을 빠르게 다시 시작했다.

◎ **resumption** 명 재개

0950

renew
[rinjúː]

동 재개하다, 갱신하다

You have to **renew** your driver's license. 수능
너는 운전면허를 갱신해야 해.

0951

decode

[di:kóud]

동 (암호를) 해독하다, 이해하다

Neuroscientists will **decode** brain speech signals into written words.

신경과학자들이 뇌의 언어 신호를 문자로 해독할 것이다.

◎ **encode** 동 암호화하다

0952

alert

[ələ́:rt]

형 경계하는, 기민한 명 경보, 경계 동 경계시키다

An incident in Japan in the 1950s **alerted** the world to the potential problems of organic mercury in fish. 수능

1950년대에 일본에서 있었던 사고가 어류 내 유기 수은의 잠재적 문제에 대한 경계심을 전 세계에 불러일으켰다.

함께 외우는 유의어

warning [wɔ́:rniŋ] 명 경고
signal [sígnəl] 명 신호, 경보
alarm [əlɑ́:rm] 명 경보

0953

intervene

[ìntərví:n]

동 개입하다, 끼어들다

The teacher **intervened** to encourage the debate among the students.

선생님은 학생들 사이에서의 토론을 열띠게 하려고 끼어들었다.

0954

introvert

[íntrəvə̀:rt]

명 내성적인 사람 형 내향적인

An **introvert** may prefer online to in-person communication. 모의

내향적인 사람은 직접적인 의사소통보다 온라인을 선호할지도 모른다.

0955

introverted

[íntrəvə̀:rtid]

형 내향적인, 내성적인

Josh's friends described him as very **introverted** and shy.

Josh의 친구들은 그를 매우 내성적이고 수줍음 많다고 묘사했다.

0956

extrovert
[ékstrəvə̀ːrt]

명 외향적인 사람 형 외향적인

My sister is an **extrovert**, who makes friends easily and enjoys talking to anyone.
내 여동생은 외향적인 사람으로, 쉽게 친구를 사귀고 누구와도 이야기하는 것을 즐긴다.

0957

extroverted
[ékstrəvə̀ːrtid]

형 외향적인

It would not be good for you to pretend to be outgoing and **extroverted**.
사교적이고 외향적인 척하는 것은 너에게 좋지 않을 거야.

0958

equity
[ékwəti]

명 [1] 공평, 공정 [2] 자기 자본

The spirit of the law is based in **equity**.
법의 정신은 공평함에 기초한다.

시험 빈출 혼동 단어

0959

eccentric
[ikséntrik]

형 괴짜인, 별난

She enjoys giving **eccentric** presents to others.
그녀는 다른 사람들에게 별난 선물을 하는 것을 좋아한다.

0960

egocentric
[ìːgouséntrik]

형 자기중심적인

It is very common for couples to become **egocentric** when they are having a quarrel.
부부가 말다툼할 때 자기중심적이 되는 것은 매우 흔한 일이다.

바로 테스트

정답 437쪽

영어는 우리말로, 우리말은 영어로 쓰세요.

01 resume
02 commercial
03 intermingle
04 assert
05 administer
06 inseparable
07 sibling
08 extreme
09 extroverted
10 drought
11 enlighten
12 restrict
13 refute
14 execute
15 parallel
16 conception
17 trait
18 equilibrium
19 intervene
20 intuitive
21 경계하는, 기민한
22 부정, 거부
23 흠모하다
24 닻; 닻을 내리다
25 ~의 밑을 파다
26 고용하다
27 펼치다, 퍼지다
28 겸손한
29 남용; 남용하다
30 맹세하다, 선서하다
31 ~에게 동기를 주다
32 부과하다, 도입하다
33 인정하다, 자백하다
34 침략자
35 관통하다, 침투하다
36 극심한, 강렬한
37 처벌하다, 벌주다
38 제약, 통제
39 강등시키다
40 해독하다, 이해하다

괄호 안에서 알맞은 말을 고르세요.

41 The celebration will be (commenced / commented) with a welcoming speech.

42 She is very (eccentric / egocentric). She always assumes that others feel the same as she does.

DAY 25

5회독 체크

0961

skeptical
[sképtikəl]

형 회의적인, 의심이 많은

At first, many of the farmers were **skeptical** about the new agricultural methods.
처음에는 농부 다수가 그 새로운 경작법에 회의적이었다.

skeptic 명 회의론자

0962

spectacle
[spéktəkl]

형 장관, 광경, 구경거리

The night sky in the desert offers a stunning **spectacle**.
사막의 밤하늘은 놀라운 광경을 보여준다.

0963

spectrum
[spéktrəm]

명 (빛의) 스펙트럼, 범위

There's a wide **spectrum** of possibilities in how to deliver a song.
노래를 전달하는 방식에는 넓은 범위의 가능성이 존재한다.

spectra spectrum의 복수형

0964

equipment
[ikwípmənt]

명 장비, 용품, 설비

You'll practice how to use various **equipment** for extinguishing fires. 수능
여러분은 불을 끄는 다양한 장비를 사용하는 법을 연습하게 될 것이다.

함께 외우는 유의어

apparatus [æ̀pərǽtəs] 명 장치
tool [tuːl] 명 연장, 공구

0965

prejudice

[prédʒudis]

명 **편견** 동 **편견을 갖게 하다**

We are to be guided by the science and the facts and not by **prejudice**.

우리는 편견이 아니라 과학과 사실에 의해 인도되어야 한다.

함께 외우는 유의어

bias [báiəs] 명 선입견, 편견

discriminate [discrímənèit] 동 차별하다

0966

outgoing

[áutgòuiŋ]

형 **외향적인, 사교적인**

Mr. Leigh is a very **outgoing** person who likes hanging out with others.

Leigh 씨는 다른 사람들과 어울리기를 좋아하는 매우 사교적인 사람이다.

0967

secure

[sikjúər]

형 **안전한, 안심하는** 동 **확보하다, 지키다**

This means there are fewer eggs and larvae to **secure** future generations. 수능

이것은 미래 세대를 확보하는 알이나 유충이 더 적어진다는 것을 의미한다.

◎ **security** 명 보안, 보장, 안심

0968

insecure

[ìnsikjúər]

형 **자신이 없는, 불안정한**

They may feel **insecure** in their ability to "keep up" in their fields. 모의

그들은 자기 분야에서 '따라가는' 능력에 있어서 자신 없어 할지도 모른다.

◎ **insecurity** 명 불안, 불안정, 위험성

0969

jeopardize

[dʒépərdàiz]

동 **위태롭게 하다**

Exposure to chemical substances can **jeopardize** your health.

화학 물질에 노출되는 것이 당신의 건강을 위태롭게 할 수 있다.

0970

barrier
[bǽriər]

명 **장벽, 장애물**

Certain birds and rodents create **barriers** around their nests in order to more easily detect invaders. 모의
어떤 새들과 설치류는 침입자를 더 쉽게 발견할 수 있도록 둥지 주위에 장벽을 만든다.

0971

compartment
[kəmpɑ́ːrtmənt]

명 **구획, 칸, (칸막이) 객실**

The collision alarm sounded through every **compartment** on the ship.
충돌 경보음이 배의 모든 객실에 울렸다.

0972

arrogant
[ǽrəgənt]

형 **거만한**

You know sometimes you are being a little **arrogant**.
너도 네가 가끔은 조금 거만하게 군다는 걸 알잖아.

0973

roar
[rɔːr]

동 **으르렁거리다, 고함치다, 굉음을 내다**

I heard the waterfall **roaring** a hundred meters away.
나는 100미터 밖에서 폭포가 굉음을 내는 것을 들었다.

0974

whole
[houl]

형 **전체의, 완전한** 명 **전부, 전체**

We'll probably need another memory card to record the **whole** play. 수능
전체 경기를 녹화하려면 우린 아마 메모리카드가 하나 더 필요할 거야.

0975

wicked
[wíkid]

형 **사악한, 짓궂은**

The Wicked Witch of the West is one of the most impressive characters in the original *Wizard of Oz*.
'사악한 서쪽 마녀'는 〈오즈의 마법사〉 원작에서 가장 인상적인 등장인물 중 하나이다.

0976

atom
[ǽtəm]

명 원자

A molecule of carbon dioxide is made up of one carbon **atom** and two oxygen **atoms**.
이산화탄소 분자 한 개는 탄소 원자 한 개와 산소 원자 두 개로 이루어진다.

0977

particle
[pɑ́:rtikl]

명 (아주 작은) 입자, 미립자, 조각

The movements of **particles** are related to their energy or temperature.
입자의 운동은 그것들의 에너지 또는 온도와 관련이 있다.

0978

elaborate
형 [ilǽbərət]
동 [ilǽbərèit]

형 정교한, 정성을 들인 동 정교하게 하다

Many parents attempt to **elaborate** their children's table etiquette for educational purposes. 모의
많은 부모들이 교육적인 목적으로 자녀들의 식탁 예절을 정교화하려고 시도한다.

0979

monotonous
[mənɑ́:tənəs]

형 단조로운, 변함없는

Ms. Cuthbert had been living a **monotonous** life until the young girl came to her house.
Cuthbert 씨는 그 어린 소녀가 그녀의 집으로 오기 전까지는 단조로운 삶을 살고 있었다.

0980

contrary
[kɑ́ntreri]

형 ~와는 다른, 반대되는

Sometimes, animals behave in a way quite **contrary** to what might be expected from their physical form. 모의
때로 동물들은 그들의 외형에서 기대될 법한 것과는 상당히 다른 방식으로 행동한다.

- **on the contrary** 그 반대로

0981

versus
[və́ːrsəs]

전 ~ 대, ~에 비해

The timing of positive **versus** negative behavior seems to influence attraction. 모의
긍정적 행동 대 부정적 행동의 시기 선택은 매력에 영향을 주는 것처럼 보인다.

0982

thorough
[θə́ːrou]

형 철저한, 빈틈없는

Our socialization is so **thorough** that we usually want to do what our roles indicate is appropriate. 모의
우리의 사회화는 매우 철저해서 우리는 대개 우리의 역할이 적절한 것이라고 가리키는 것을 하고 싶어 한다.

0983

rescue
[réskjuː]

동 구하다, 구조하다 명 구출

One thing we do is search for and **rescue** people during natural disasters like floods. 수능
우리가 하는 일 한 가지는 홍수와 같은 자연재해 때 사람들을 찾고 구조하는 것입니다.

0984

conceited
[kənsíːtid]

형 자만하는, 우쭐대는

It's difficult to work with a very **conceited** person.
자만심이 매우 강한 사람과 함께 일하는 것은 어렵다.

함께 외우는 유의어

vain [vein] 형 자만심이 강한, 허영심이 많은
egocentric [ìːgouséntrik] 형 자기중심적인
self-regarding [selfrigáːrdiŋ] 형 이기적인

0985

manage
[mǽnidʒ]

동 [1]간신히 해내다 [2]관리하다, 운영하다

He had tried more than ten times to stand up but never **managed** it. 수능
그는 열 번도 넘게 일어서려고 해 봤지만 결코 해낼 수 없었다.

0986

metropolitan
[mètrəpάlitən]

동 대도시의, 수도의

In South Korea, about half of all the residents in the country live in **metropolitan** areas.
남한에서는 국내 거주자 약 절반이 수도권 지역에 산다.

◎ **metropolis** 명 대도시

0987

reject
[ridʒékt]

동 거부하다, 거절하다

People **reject** unfair offers even if it costs them money to do so. 모의
사람들은 불공정한 제안을 거부하는 것에 돈이 든다고 해도 그렇게 한다.

0988

tablet
[tǽblit]

명 [1]둥글넓적한 모양의 약제 [2]평판

Get some water purifier **tablets** to be able to ensure safe drinking water in the wild.
야생에서 안전한 식수를 보장할 수 있도록 정수 알약을 챙겨라.

◎ **pill** 명 알약

0989

rush
[rʌʃ]

동 급히 움직이다, 서두르다

Laura, you seem very busy these days. You **rush** away right after school. 수능
Laura, 너 요즘 아주 바빠 보여. 학교 끝나면 바로 서둘러 가 버리잖아.

0990

shuffle
[ʃʌ́fl]

동 [1]발을 끌며 걷다 [2]…을 이리저리 움직이다 [3]뒤섞다

The magician pointed out a man from the audience to ask him to **shuffle** the cards.
마술사는 관객 중 한 남자를 지목하여 카드를 섞어 달라고 부탁했다.

0991

skim
[skim]

동 [1]걷어내다 [2]훑어보다

Skim the passage and figure out what the main argument is.
글을 훑어보고 주요 쟁점이 무엇인지 알아내시오.

0992

estimate
동 [éstimèit]
명 [éstəmət]

동 평가하다, 추정하다　명 견적, 추정

I **estimate** that 50 students from our school would like to participate in that program.
내가 추산하기로는 우리 학교에서 50명의 학생들이 그 프로그램에 참석하고 싶어 한다.

함께 외우는 유의어

assess [əsés] 동 평가하다
evaluate [ivǽljuèit] 동 평가하다

0993

exclude
[iksklúːd]

동 제외[배제]하다, 거부하다

Sometimes a competitively superior species is prevented from **excluding** poorer competitors. 모의
때로는 경쟁적 우수종이 열등한 경쟁자를 배제하지 못하게 되기도 한다.

◎ **exclusion** 명 제외, 배제

0994

include
[inklúːd]

동 포함하다

The prize for the winner **includes** the hotel and airfare for the winner and the winner's family. 수능
우승자 상품에는 우승자와 우승자 가족의 호텔 및 항공료가 포함된다.

◎ **inclusion** 형 포함, 포함된 것

0995

emigrate
[émigrèit]

동 이민을 가다, 이주하다

Later, he **emigrated** to the U.S. and continued to make films. 수능
후에 그는 미국으로 이민을 가서 계속 영화를 만들었다.

0996

clarify
[klǽrəfài]

동 ¹명확하게 하다 ²정화하다

Big words are often used to confuse rather than **clarify**.
과장된 말은 종종 명확하게 하기 위해서보다는 혼란시키기 위해 쓰인다.

0997

classify
[klǽsəfài]

동 분류하다

Music has traditionally been **classified** by musical instruments. 모의
음악은 전통적으로 악기에 따라 분류되었다.

◎ **classified** 형 기밀의, 분류된

0998

merge
[məːrdʒ]

동 합병하다, 합치다

Those three schools are going to be **merged**.
그 세 학교는 합병될 것이다.

0999

emerge
[imə́ːrdʒ]

동 나오다, 드러나다, 알려지다

These nymphs take 13 years to **emerge** as adults.
이 유충들은 성체가 되어 나오는 데 13년이 걸린다.

시험 빈출 다의어

1000

legend
[lédʒənd]

1 명 전설, 전설적 인물

By the time he was through with baseball, he had become a **legend**. 모의
그가 야구를 그만두었을 때 그는 전설이 되어 있었다.

2 명 (지도·도표의) 범례

The **legend** and scale information of a map help you read it.
지도의 범례와 축척 정보는 여러분이 지도를 읽는 데 도움이 된다.

DAY 26

5회독 체크

1001

soothe
[suːð]

동 **달래다, 누그러뜨리다**

Beautiful music can **soothe** your body and mind.
아름다운 음악은 당신의 몸과 마음을 달랠 수 있다.

1002

strict
[strikt]

형 **엄격한, 엄밀한**

People think that this **strict** approach is very old-fashioned. 모의
사람들은 이 엄격한 접근법이 아주 구식이라고 생각한다.

1003

melancholy
[mélənkɑ̀li]

명 **우울** 형 **우울한, 구슬픈**

Some emotions such as **melancholy** can quickly become contagious. 모의
우울감과 같은 몇몇 감정은 빠르게 전염될 수 있다.

1004

feat
[fiːt]

명 **위업, 공적**

Many who have experienced a major loss often go on to achieve remarkable **feats** in spite of their hardships.
큰 손실을 경험한 많은 사람들이 자신들이 처한 역경에도 불구하고 종종 놀랄만한 위업을 달성해 나간다.

1005

mobility
[moubíləti]

명 **유동성, 기동성**

Experts said increased air **mobility** would help ease traffic congestion in cities.
전문가들은 증가한 항공 기동성이 도시의 교통 혼잡을 완화하는 데 도움이 될 것이라고 말했다.

◎ **mobile** 형 이동식의, 기동성 있는

1006

sprout

[spraut]

동 싹이 나다, 발생하다 명 새싹, 새순

Seeds with thinner coats allow seedlings to **sprout** more quickly when sown. 수능

얇은 껍데기의 씨앗들은 뿌려졌을 때 새싹이 더 빨리 움틀 수 있게 한다.

1007

respect

[rispékt]

명 [1]존경, 경의 [2]점, 사항 동 존경하다, 존중하다

He was finally proud of Ricky and **respected** his accomplishments. 모의

그는 마침내 Ricky를 자랑스러워 했고, 그의 성취를 존중했다.

함께 외우는 유의어

deference [défərəns] 명 존중, 경의
appreciation [əprìːʃiéiʃən] 명 감사, 감탄
esteem [istíːm] 명 존경 동 존중하다

1008

ranch

[ræntʃ]

명 (대규모) 목장

My family spends every summer on the **ranch** in Australia.

우리 가족은 매년 여름을 호주에 있는 목장에서 보낸다.

1009

appliance

[əpláiəns]

명 (가정용) 기기

Home **appliances** are on sale this week. 수능

이번 주에 가정용 기기들은 할인을 한다.

1010

apparatus

[æ̀pərǽtəs]

명 기구, 장치

The scientists were excited to use a new **apparatus** in the experiment.

과학자들은 실험에서 새로운 장치를 사용해서 들떠 있었다.

1011

decent

[dí:snt]

형 **제대로 된, 품위 있는**

The local restaurant we visit frequently may not be fancy, but it has **decent** food.

우리가 자주 방문하는 지역 식당은 고급스럽지 않을지는 몰라도 괜찮은 음식을 내놓는다.

1012

poisonous

[pɔ́izənəs]

형 **유독한, 독성이 있는**

More people are killed by bites from small **poisonous** snakes than by these large animals. 수능

이런 큰 동물들보다 작은 독사들에 물려서 죽는 사람이 더 많다.

- **poison** 명 독, 해악 동 독을 넣다, 독살하다

1013

desperate

[déspərət]

형 **자포자기한, 필사적인**

Charles Dickens used his **desperate** experience as a child laborer to write *David Copperfield*. 수능

Charles Dickens는 〈David Copperfield〉를 쓰기 위해 아동 노동자로서 그의 절박했던 경험을 사용했다.

- **despair** 명 절망, 체념
- **be desperate to** ~하기를 간절히 원하다

1014

county

[káunti]

명 **자치주, 군**

Some people never left the **counties** where they were born.

어떤 사람들은 그들이 태어난 주를 떠난 적이 없다.

1015

pregnant

[prégnənt]

형 **임신한**

Pregnant women should take good care of their health for themselves and their babies.

임산부는 자신과 아기를 위해서 건강을 신경 써야 한다.

- **pregnancy** 명 임신

1016

disposable
[dispóuzəbl]

형 **일회용의, 마음대로 쓸 수 있는**

The environmentalists may experience value conflict if they buy **disposable** diapers for their babies.
환경주의자들이 자신의 아기를 위해 일회용 기저귀를 산다면 그들은 가치 갈등을 경험할 수도 있다.

1017

sensitive
[sénsətiv]

형 **민감한, 예민한**

Those who have low self-monitoring are not very **sensitive** to signals indicating socially acceptable behavior. 수능
자기 감시 수준이 낮은 사람들은 사회적으로 용인되는 행동을 가리키는 신호에 그리 민감하지 않다.

◎ **insensitive** 형 둔감한, 영향 받지 않는

1018

hospitality
[hàspətǽləti]

명 **환대, 친절히 대접함**

The local people showed the delegation great **hospitality**.
지역 사람들은 대표단에 큰 호의를 보였다.

1019

stationery
[stéiʃənèri]

명 **문방구, 문구류**

Ronnie became the owner of a **stationery** shop that he had always dreamed of.
Ronnie는 그가 항상 꿈꿔왔던 문구점 주인이 되었다.

◎ **stationary** 형 움직이지 않는

1020

peninsula
[pənínsjulə]

명 **반도**

The Korean **Peninsula** is getting hotter every year because of global warming.
한반도는 지구 온난화 때문에 매년 더워지고 있다.

1021

thermometer

[θərmάmətər]

명 온도계, 체온계

The company had a breakthrough with a super-accurate **thermometer** that was created in their lab. 모의

그 회사는 그들의 실험실에서 만들어진 초정밀 온도계로 획기적 발전을 이룩했다.

1022

thermal

[θə́ːrməl]

형 열의, 보온성이 좋은 명 상승 온난 기류

Scientists took a **thermal** scan to get an idea of where the bees were located.

과학자들은 벌이 위치한 곳에 대한 아이디어를 얻기 위해 열 스캔을 했다.

1023

novelty

[nάvəlti]

명 새로움, 참신함

Remember that the **novelty** of a new relationship will wear off soon.

새로운 관계의 신선함이 곧 사라질 것임을 기억해라.

1024

storage

[stɔ́ːridʒ]

명 저장, 저장소

My school has a huge **storage** area in the basement.

우리 학교는 지하에 큰 저장고가 있다.

1025

expand

[ikspǽnd]

동 확대되다, 확대시키다

The construction for **expanding** the parking lot will begin next Monday.

주차장 확장 건설 공사가 다음주 월요일에 시작될 것이다.

함께 외우는 유의어

extend [iksténd] 동 넓히다, 연장하다
enlarge [inlάːrdʒ] 동 확대하다
swell [swel] 동 부풀다, 증가하다

1026

freight
[freit]

명 **화물운송, 화물** 동 **화물을 보내다**

The adjacent railroad tracks remain active with **freight** trains.
인접한 철도는 화물 열차들로 활성화되어 남아있다.

1027

account
[əkáunt]

명 **¹설명 ²계좌, 이용 계정** 동 **설명하다, ~이라고 생각하다**

Biologists **account** for the human desire for art in other terms. 모의
생물학자들은 예술에 대한 인간의 욕망을 다른 관점들로 설명한다.

- **account for** 설명하다, 차지하다
- **on account of** ~ 때문에

1028

renovate
[rénəvèit]

동 **개조하다, 보수하다**

We will close our store temporarily to **renovate** it.
우리는 가게를 보수하기 위해 잠시 문을 닫을 것이다.

- **renovation** 명 혁신, 수리

1029

reform
[rifɔ́:rm]

동 **개혁하다, 교화시키다** 명 **개혁, 개선**

The new policy **reform** involves many important issues.
새로운 정책 개혁은 많은 중요한 문제를 수반한다.

1030

despise
[dispáiz]

동 **경멸하다**

She **despised** herself for being such a coward in the situation.
그녀는 그 상황에서 자신이 그렇게 겁쟁이처럼 군 것을 경멸했다.

함께 외우는 유의어

abhor [æbhɔ́:r] 동 혐오하다
scorn [skɔ:rn] 동 경멸하다
detest [ditést] 동 몹시 싫어하다

1031

tangle
[tǽŋgl]

명 얽힘, 엉킴 동 엉키다, 엉키게 하다

She brushes her hair out with a comb to remove all the **tangles**.

그녀는 엉킨 것을 전부 없애기 위해 빗으로 머리를 빗는다.

1032

reprove
[riprúːv]

동 꾸짖다, 나무라다, 비난하다

I **reproved** the boy's carelessness in very loud and angry tones.

나는 그 소년의 부주의함을 매우 크고 화난 어조로 꾸짖었다.

1033

interfere
[ìntərfíər]

동 간섭하다, 참견하다

The government has no right to **interfere** with individual liberties.

정부는 개인의 자유를 방해할 권리가 없다.

◎ **interfere with** ~을 방해하다

함께 외우는 유의어

hinder [híndər] 동 방해하다
intrude [intrúːd] 동 개입하다, 침범하다
get involved in ~에 관여하다

1034

hesitate
[hézitèit]

동 망설이다

She never **hesitated** to share her ideas with the group.

그녀는 그룹과 함께 그녀의 생각을 공유하는 것을 전혀 망설이지 않았다.

◎ **hesitation** 명 주저, 망설임

1035

surge
[səːrdʒ]

동 밀려들다

Suddenly, pain **surged** through her right arm.

갑자기 통증이 그녀의 오른팔에 밀려들었다.

1036

allocate
[ǽləkèit]

동 할당하다

The customer service department was **allocated** 60,000 dollars. 모의

고객 서비스 부서에 6만 달러가 할당되었다.

◎ **allocation** 명 할당량

1037

require
[rikwáiər]

동 필요하다, 요구하다

Reservations are **required** and must be made on our website by this weekend.

예약이 필요하며 이번 주말까지 저희 웹사이트에서 하셔야 합니다.

1038

erect
[irékt]

동 건립하다, 세우다

This monument was **erected** by the government in 1945.

이 기념비는 1945년 정부에 의해 세워졌다.

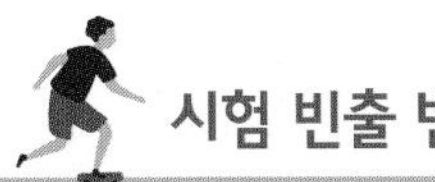

시험 빈출 반의어

1039

inferior
[infíəriər]

형 열등한, 하위의

Temporocentrism is the belief that your times are the best of all possible times. All other times are thus **inferior**. 수능

자기시대중심주의는 자신의 시대가 모든 가능한 시대 중에 최고라는 믿음이다. 따라서 다른 모든 시대는 열등하다.

◎ **inferior to** ~보다 못한

1040

superior
[səpíəriər]

형 우수한, 상위의

Some people judge all other individuals and cultures by the "**superior**" standards of their current culture. 수능

어떤 사람들은 현재 자기 문화의 '우월한' 기준으로 다른 모든 개인과 문화를 판단한다.

◎ **superior to** ~보다 우수한

바로 테스트

정답 437쪽

영어는 우리말로, 우리말은 영어로 쓰세요.

01 surge
02 sprout
03 elaborate
04 despise
05 reprove
06 classify
07 thermal
08 emigrate
09 conceited
10 contrary
11 particle
12 merge
13 emerge
14 desperate
15 apparatus
16 jeopardize
17 prejudice
18 allocate
19 metropolitan
20 thorough

21 장비, 용품, 설비
22 확대시키다
23 걷어내다, 훑어보다
24 엄격한, 엄밀한
25 제외하다, 거부하다
26 저장, 저장소
27 민감한, 예민한
28 환대, 친절히 대접함
29 일회용의
30 평가하다, 추정하다
31 외향적인, 사교적인
32 원자
33 구하다, 구조하다
34 유동성, 기동성
35 명확하게 하다
36 필요하다, 요구하다
37 안전한, 안심하는
38 달래다, 누그러뜨리다
39 거부하다, 거절하다
40 존경; 존중하다

괄호 안에서 알맞은 말을 고르세요.

41 The **legend** says that King Arthur pulled Excalibur out of a stone. (전설 / 범례)

42 The (inferior / superior) team usually wins in sports, but not always.

DAY 27

5회독 체크

1041

vulnerable
[vʌ́lnərəbl]

형 **상처 입기 쉬운, 취약한**

Happiness is often found in those moments when we are most **vulnerable**, alone or in pain. 모의

행복은 우리가 가장 상처 입기 쉽고, 혼자이거나 괴로운 순간에 종종 발견된다.

◎ **invulnerable** 형 상하지 않는, 안전한

1042

dose
[dɔːs]

명 **복용량, 투여량**

A pharmacist says to take a **dose** of the medicine three times a day.

약사는 하루에 세 번 1회 복용량을 먹으라고 말한다.

◎ **overdose** 명 과다 복용

1043

normal
[nɔ́ːrməl]

형 **보통의, 평범한** 명 **보통, 정상**

It is quite **normal** to experience high and low moods in our daily lives.

일상생활에서 감정의 고저를 경험하는 것은 지극히 보통이다.

1044

twilight
[twáilàit]

명 **여명, 황혼, 땅거미**

She was happy that she could view the bridge in the **twilight**. 모의

그녀는 황혼녘에 그 다리를 볼 수 있어서 기뻤다.

1045

halt
[hɔːlt]

동 **멈추다, 세우다** 명 **멈춤**

The bus came to a sudden **halt** to avoid hitting a dog.

그 버스는 개를 치는 것을 피하려고 갑자기 멈췄다.

1046

superstition
[sù:pərstíʃən]

명 **미신, 미신적 습관[행위]**

One **superstition** says that carrying a rabbit's foot brings you good fortune.
토끼 발을 가지고 다니는 것이 좋은 운을 가져온다는 미신이 있다.

1047

sociologist
[sòusiálədʒist]

명 **사회학자**

Sociologists study all aspects and levels of society.
사회학자는 사회의 모든 양상과 수준을 연구한다.

- **sociology** 명 사회학

1048

philosopher
[filásəfər]

명 **철학자**

Utopian political thinking dates back to the ancient Greek **philosopher** Plato's book *The Republic*. 모의
유토피아적 정치사상은 고대 그리스 철학자인 플라톤의 책 〈국가론〉으로 거슬러 올라간다.

- **philosophy** 명 철학

1049

fierce
[fiərs]

형 **사나운, 험악한, 격렬한**

After several **fierce** battles, Andrew's concentration wavered for a moment. 모의
몇 차례의 격전 후에 Andrew의 집중력이 잠깐 흔들렸다.

1050

analogy
[ənǽlədʒi]

명 **비유, 유사점, 유추**

The lecturer drew an **analogy** between the universe and a balloon.
강연자는 우주를 풍선에 비유했다.

1051

fond
[fɑnd]

형 애정을 느끼는, 좋아하는

I'm not very **fond** of the new logo of the brand.
나는 그 브랜드의 새 로고가 별로 마음에 들지 않는다.

- **fondly** 부 다정하게
- **be fond of** ~을 좋아하다

1052

dynasty
[dáinəsti]

명 왕조

The Joseon **dynasty** had a status system with four classes.
조선왕조에는 네 가지 계급이 있는 신분제도가 있었다.

1053

whereas
[*h*wɛəræ̋z]

접 반면에

Print ranked second in advertising spending, **whereas** it ranked last in consumer time spent. 모의
인쇄물은 광고비 지출에서는 2위였지만, 반면에 소비자 사용 시간에서는 순위가 마지막이었다.

1054

conservative
[kənsə́ːrvətiv]

형 [1]보수적인 [2](실제 수나 양보다) 적게 잡은

We have a very **conservative** approach to dealing with the issue.
우리는 매우 보수적인 접근법으로 그 문제를 다룬다.

1055

frantic
[frǽntik]

형 제정신이 아닌, 정신없이 서두는

The crowd was almost **frantic** with joy while celebrating the win.
군중은 승리를 축하하는 동안 기쁨으로 거의 제정신이 아니었다.

1056

sprint
[sprint]

동 전력 질주하다 명 단거리 경주

Fast muscle fibers function best for short bursts of intense activity, like weight lifting or **sprinting**. 수능

속근섬유는 역도나 단거리 경주와 같은 짧고 폭발적인 격렬한 활동에 가장 잘 기능한다.

- **sprinter** 명 단거리 주자

1057

squeeze
[skwiːz]

동 짜내다, 꽉 쥐다

Squeeze out as much juice as you can into a bowl. 모의

가능한 한 많은 양의 즙을 그릇에 짜내라.

1058

crude
[kruːd]

형 가공하지 않은, 대강의

People's dwellings were **crude** things of leaves and branches in the Stone Age.

석기 시대에 사람들의 거주지는 나뭇잎과 가지로 대강 만든 것이었다.

1059

merchandise
[mə́ːrtʃəndàiz]

명 물품, 상품

He entered into many profitable partnerships dealing in wool, silk, and other **merchandise**. 수능

그는 양모, 비단, 그리고 다른 상품을 취급하는 많은 수익을 내는 동업을 시작했다.

1060

circumstance
[sə́ːrkəmstæ̀ns]

명 환경, 상황, 정황

And so we drift, driven by the winds of **circumstance**, tossed about by the waves of tradition and custom. 모의

그리하여 우리는 주변 상황의 바람에 휩쓸리고 전통과 관습의 물결에 내던져지며 표류한다.

- **under no circumstances** 어떠한 상황에서도

1061

environment
[inváirənmənt]

명 **자연환경, (주변의) 환경**

She didn't wish to disturb the natural balance of the **environment**. 수능

그녀는 자연환경의 자연스러운 균형을 방해하고 싶지 않았다.

1062

traitor
[tréitər]

명 **배신자, 반역자**

She denied that she had turned a **traitor**.

그녀는 배신자가 된 것을 부인했다.

1063

punctual
[pʌ́ŋktʃuəl]

형 **시간을 지키는**

This line is a very **punctual** and efficient transportation system for commuting.

이 노선은 통근용으로 시간을 엄수하며 효율적인 교통 시스템이다.

◎ **punctuality** 명 시간 엄수

1064

oriental
[ɔ̀:riéntl]

형 **동양의**

His house is full of **oriental** vases from Asian countries.

그의 집은 아시아 국가에서 온 동양적인 도자기들로 가득 차 있다.

◎ **occidental** 형 서양의

1065

vice
[vais]

명 **악, 비행, 범죄**

Virtue and **vice** is one of the great themes of most literature.

선과 악은 대부분의 문학에서 좋은 주제 중 하나이다.

◎ **virtue** 명 미덕, 선행, 장점

1066

comprise
[kəmpráiz]

동 [1]포함하다, (전체가 부분으로) 구성되다
[2](부분이 모여 전체를) 이루다

Our world is **comprised** of a great number of countries, an array of cultures, and rich traditions.
세계는 수많은 나라와 문화, 그리고 풍부한 전통으로 이루어져 있다.

be comprised of ~으로 구성되다

1067

perform
[pərfɔ́ːrm]

동 수행하다, 공연하다

This will enable me to **perform** better at my work and contribute more to the company. 모의
이렇게 해서 나는 일을 더 잘 할 수 있고 회사에 더 기여할 수 있을 것이다.

performance 명 수행, 성과, 공연

1068

grumble
[grʌ́mbl]

동 투덜거리다

Most of the passengers **grumbled** at the tiresome journey.
대부분의 탑승객들은 지루한 여정에 투덜거렸다.

1069

vigorous
[vígərəs]

형 활발한, 격렬한

They seemed **vigorous** and energetic during the debate.
그들은 토론하는 동안 활발하고 기운차 보였다.

1070

insist
[insíst]

동 주장하다

Many purists **insist** on hearing baroque music on period instruments. 수능
많은 순수주의자들은 시대 악기로 바로크 음악을 들어야 한다고 주장한다.

함께 외우는 유의어

assert [əsə́ːrt] 동 단언하다
declare [diklέər] 동 선언하다
claim [kleim] 동 주장하다

1071

inspect
[inspékt]

동 점검하다, 조사하다

Two detectives entered the crime scene to **inspect** it.
두 명의 형사들은 조사하기 위해 사건 현장에 들어갔다.

1072

insulate
[ínsəlèit]

동 [1]절연[방음] 처리를 하다 [2]격리하다

He learned through the Internet how to **insulate** the window against noise.
그는 창문을 방음 처리하는 방법을 인터넷으로 배웠다.

◎ **insulation** 명 절연, 방음, 격리

1073

register
[rédʒistər]

동 등록하다, 신고하다

I would really appreciate it if you could additionally allow my son to **register**. 수능
제 아들이 추가로 등록하도록 허락해 주실 수 있다면 정말 감사하겠습니다.

◎ **registration** 명 등록

1074

creep
[kriːp]

동 살금살금 움직이다, 기다

A red squirrel was **creeping** down the tree.
붉은 다람쥐 한 마리가 나무에서 살금살금 기어 내려오고 있었다.

◎ **creepy** 형 오싹하게 하는, 으스스한

1075

shatter
[ʃǽtər]

동 산산조각 내다

Anna felt her dreams were **shattered** by that news.
Anna는 그 소식에 그녀의 꿈이 산산조각 나는 것을 느꼈다.

1076

cater
[kéitər]

동 (연회 등에) 음식을 제공하다

The restaurant **caters** for weddings and parties.
이 식당은 결혼식과 파티에 음식을 제공한다.

1077

flush
[flʌʃ]

동 1(얼굴이) 상기되다 2(변기의) 물을 내리다

Their faces **flushed** with accomplishment after the match.
시합이 끝난 후 그들의 얼굴은 성취감으로 상기되었다.

flushed 형 홍조를 띤, 상기된

1078

royal
[rɔ́iəl]

형 왕의, 왕립의

Being a member of the **royal** family is an amazing privilege, but it comes with a lot of traditions and rules.
왕실의 가족 구성원이 되는 것은 놀라운 특권이지만, 그것에는 많은 전통과 규칙이 따라온다.

royalty 명 1. 왕족 2. 저작권 사용료

시험 빈출 혼동 단어

1079

command
[kəmǽnd]

명 명령 동 명령하다, 지시하다

Rita immediately bonded with the dog, petting it, feeding it, and teaching it basic **commands**. 모의
Rita는 그 개를 쓰다듬어 주고, 먹이를 주고, 기본적인 명령을 가르치면서 빠르게 유대감을 형성했다.

1080

commend
[kəménd]

동 1칭찬하다 2추천하다, 권하다

The firefighters should be **commended** for their hard work.
소방관들은 그들의 노고에 대해 칭찬받아야 한다.

DAY 28

5회독 체크

1081

whip
[*h*wip]

명 채찍 동 채찍질하다, 홱 잡아채다

Animal Aid requested a ban on the use of the **whip**.
동물 지원단체는 채찍 사용을 금지할 것을 요구했다.

1082

whirl
[*h*wəːrl]

동 빙빙 돌다, 빙빙 돌리다 명 회전, 연속

Your clothes are **whirling** in the washing machine.
네 옷들은 세탁기에서 돌아가고 있다.

1083

jury
[dʒúəri]

명 배심원단, 심사위원단

We expect the **jury** to rely on what they heard during the trial.
우리는 배심원단이 재판 중에 들은 것을 신뢰하기를 기대한다.

1084

retention
[riténʃən]

명 ¹보유, 유지 ²정체

The company focuses on the recruitment and **retention** of good employees.
회사는 좋은 직원들의 채용과 유지에 집중한다.

1085

miserable
[mízərəbl]

형 비참한

He had a **miserable** childhood, but he ended up becoming one of the most influential people in the world.
그는 비참한 유년 시절을 보냈지만 결국 세계에서 가장 영향력 있는 사람 중 하나가 되었다.

1086

vital

[váitl]

형 ¹필수적인, 생명 유지에 필요한 ²활기 있는

Understanding how climate has changed over millions of years is **vital** to properly assess current global warming trends. 모의

수백만 년에 걸쳐 기후가 어떻게 변해 왔는지를 이해하는 것은 현재의 지구 온난화 추세를 제대로 가늠하기 위해 필수적이다.

◎ **vitality** 명 활기, 활력

1087

vanish

[vǽniʃ]

동 사라지다, 없어지다

Do you mean she just **vanished** without a trace?

당신 말은 그녀가 흔적도 없이 그냥 사라졌다는 건가요?

1088

remnant

[rémnənt]

동 남은 부분, 나머지, 자취

The renowned artist's compact atelier is home to **remnants** of his life.

그 유명한 예술가의 작은 아틀리에는 그의 삶의 자취가 남은 곳이다.

함께 외우는 유의어

remains [riméinz] 명 나머지, 유적

leftover [léftòuvər] 명 남은 음식, 잔재, 유물

1089

tranquility

[trǽŋkwiləti]

명 평온함

We sat outside in the sunshine enjoying the peace and **tranquility** of the park.

우리는 공원의 평화로움과 고요함을 즐기면서 햇빛을 쬐며 밖에 앉아 있었다.

◎ **tranquil** 형 고요한, 평온한

1090

reasonable

[rí:zənəbl]

형 타당한, 사리에 맞는, 합리적인

Problems can be distinguished according to whether they are **reasonable** or unreasonable. 모의

문제는 그것들이 합리적인지 혹은 비합리적인지에 따라 구분될 수 있다.

1091

mustache
[mʌ́stæʃ]

명 **콧수염, 동물의 수염**

Fans were shocked to see the actor without his iconic **mustache** and beard.
팬들은 그 배우의 상징적인 콧수염과 턱수염이 없는 것을 보고 깜짝 놀랐다.

1092

sovereign
[sάvərin]

명 **국왕, 군주** 형 **주권을 가진**

The **sovereign** represents the power of the state.
군주는 국가의 힘을 상징한다.

● **sovereignty** 명 주권, 통치권

1093

instinct
[ínstiŋkt]

명 **본능**

All living creatures on the earth are born with an **instinct** for survival.
지구상의 모든 생명체는 살아남기 위한 본능을 가지고 태어난다.

1094

thoughtful
[θɔ́:tfəl]

형 **심사숙고하는, 생각이 깊은**

Respect, good manners, and **thoughtful** behaviors are keys to successful teamwork. 수능
존중, 좋은 매너, 그리고 사려 깊은 행동이 성공적인 팀워크의 핵심이다.

1095

thread
[θred]

명 **실, 맥락** 동 **(실 등을) 꿰다, 요리조리 빠져나가다**

In the other kind of spinning two or more fibers are twisted together to form a **thread**. 모의
다른 종류의 실잣기에서는 둘 이상의 섬유가 한데 꼬여 한 가닥의 실을 이룬다.

1096

casualty
[kǽʒuəlti]

명 **사상자, 피해자**

No further details about the accident were reported, and the number of **casualties** was yet unclear.
사고에 대한 더 이상의 자세한 내용이 보고되지 않았고, 사상자 수는 아직 불분명하다.

1097

criterion
[kraitíəriən]

명 **기준, 표준**

Every person has their own **criteria** for happiness.
모든 사람들은 행복에 대한 자신만의 기준이 있다.

◎ **criteria** criterion의 복수형

1098

adolescence
[ӕdəlésns]

명 **청소년기**

Some people say that we cannot learn a language perfectly after **adolescence**.
어떤 사람들은 청소년기 이후에는 언어를 완벽하게 배울 수 없다고 말한다.

◎ **adolescent** 명 청소년 형 청소년기의

1099

taboo
[təbúː]

명 **금기, 터부**

In their society, it is a **taboo** to eat beef.
그들의 사회에서 쇠고기를 먹는 것은 금기시된다.

1100

insight
[ínsàit]

명 **통찰력, 이해, 간파**

Experimental studies have shown that **insight** is actually the result of ordinary analytical thinking. 모의
실험 연구들은 통찰력이 실제로는 평범한 분석적 사고의 결과라는 점을 보여주었다.

◎ **insightful** 형 통찰력 있는, 예리한

1101

competence

[kámpətəns]

명 능력, 적성, 권한

As the result of having new skills or **competence**, we discover new or different aspects of that object. 모의

새로운 기술이나 능력을 갖추게 된 결과 우리는 그 대상의 새롭거나 다른 측면을 발견한다.

◎ **competent** 형 능숙한, 유능한

1102

drain

[drein]

동 물[액체]을 빼내다, 물[액체]이 빠지다 명 배수관

The baby was watching the water slowly **draining** from the bathtub.

아기는 물이 천천히 욕조에서 빠져나가는 것을 보고 있었다.

1103

antonym

[ǽntənim]

명 반의어

The **antonym** of love is indifference.

사랑의 반대말은 무관심이다.

◎ **synonym** 명 유의어

1104

gaze

[geiz]

동 응시하다 명 응시, 시선

Subordinates tend to **gaze** at dominant individuals at a distance. 수능

하급자들은 지배하는 사람들을 멀리서 바라보는 경향이 있다.

1105

utensil

[juːténsəl]

명 (부엌에서 쓰는) 도구

Teflon, an extremely slippery synthetic substance employed as a coating on cooking **utensils**, was invented in 1938. 모의

조리 기구의 코팅 막으로 쓰이는 매우 미끄러운 합성 물질인 테플론은 1938년에 발명되었다.

1106

utilize

[jú:təlàiz]

동 활용하다, 이용하다

Lawyers **utilize** information selectively to support their arguments. 모의

변호사들은 자신들의 주장을 뒷받침하기 위해 정보를 선택적으로 활용한다.

◎ **utilization** 명 활용, 이용

1107

found

[faund]

동 설립하다, 세우다

England's plan to establish colonies in North America was **founded** on a false idea.

북아메리카 대륙에 식민지를 건설하려는 영국의 계획은 잘못된 생각에 기반을 두고 있었다.

◎ **foundation** 명 설립, 기반, 재단

1108

infect

[infékt]

동 감염시키다, 오염시키다

Later, the dog was proven not to have been **infected** with rabies.

후에 그 개는 광견병에 감염되지 않은 것으로 확인되었다.

◎ **infection** 명 감염, 전염병

1109

judge

[dʒʌdʒ]

명 판사, 심판 동 판단하다

They **judged** new music by the standards of the classics already enshrined in the repertoire. 모의

그들은 새로운 음악을 레퍼토리 안에 이미 고이 간직되어 있는 클래식 음악의 기준으로 평가했다.

1110

justify

[dʒʌ́stəfài]

동 정당성을 증명하다, 정당화하다

It is easy to **justify** your failure to help by telling yourself someone else will stop. 모의

다른 누군가가 멈춰설 것이라고 자신에게 말함으로써 도와주지 못한 것을 정당화하는 것은 쉽다.

◎ **justification** 명 정당화

1111

mourn

[mɔːrn]

동 **슬퍼하다, 애도하다**

They wore white clothes for three months to **mourn** the death of the king.

그들은 왕의 죽음을 애도하기 위해 3개월 동안 흰 옷을 입었다.

함께 외우는 유의어

grieve [griːv] 동 비통해 하다
lament [ləmént] 동 슬퍼하다, 애도하다
sob [sab] 동 흐느끼다

1112

plead

[pliːd]

동 **변호하다, 변론하다, 주장하다**

They hired the best lawyer to **plead** her case.

그들은 그녀의 사건을 변호할 최고의 변호사를 고용했다.

◎ **plea** 명 탄원, 변명

1113

lure

[luər]

동 **꾀다, 유혹하다**

The hunter set a trap and **lured** the fox into it.

사냥꾼은 덫을 놓았고 여우를 그곳으로 유인했다.

1114

prophesy

[prάfəsài]

동 **예언하다**

She is said to have **prophesied** the death of the famous politician.

그녀는 유명 정치인의 죽음을 예언했다고 한다.

◎ **prophecy** 명 예언

1115

quote

[kwout]

동 **인용하다, 진술하다**

In his graduation speech, he **quoted** the lines from his favorite movie.

졸업 연설에서 그는 가장 좋아하는 영화의 대사를 인용했다.

1116

reveal
[rivíːl]

동 드러내다, 밝히다

The data **revealed** that the news of the king's death had been widely socially shared. 수능
그 자료는 왕의 죽음에 대한 소식이 널리 사회적으로 공유되었다는 것을 드러냈다.

1117

subdue
[səbdjúː]

동 진압하다, 가라앉히다

The attacker was quickly **subdued** by security personnel.
공격자는 보안 요원들에 의해 신속히 제압되었다.

1118

subside
[səbsáid]

동 1가라앉다, 진정되다 2(땅·건물이) 내려앉다

The swelling will **subside** in a couple of hours.
붓기는 두 시간 정도 뒤에 가라앉을 것이다.

시험 빈출 혼동 단어

1119

incline
[inkláin]

동 1(마음이) ~쪽으로 기울다 2경사지다 명 경사, 기울기

They are **inclined** to experience high levels of stress. 모의
그들은 높은 수준의 스트레스를 경험하는 경향이 있다.

- **be inclined to** ~하는 경향이 있다

1120

decline
[dikláin]

명 감소, 축소 동 1감소하다 2거절하다

The fad for his character **declined** in the late 1990s. 모의
1990년대 후반에 그의 캐릭터에 대한 유행이 잦아들었다.

정답 438쪽

영어는 우리말로, 우리말은 영어로 쓰세요.

01 superstition
02 inspect
03 reveal
04 tranquility
05 register
06 circumstance
07 punctual
08 philosopher
09 subdue
10 utilize
11 vanish
12 squeeze
13 plead
14 competence
15 subside
16 whereas
17 insulate
18 analogy
19 vigorous
20 infect
21 사나운, 격렬한
22 보수적인
23 청소년기
24 왕의, 왕립의
25 상처 입기 쉬운
26 배신자, 반역자
27 보유, 유지
28 투덜거리다
29 멈추다; 멈춤
30 여명, 황혼
31 타당한, 합리적인
32 제정신이 아닌
33 남은 부분, 나머지
34 빙빙 돌다; 회전
35 본능
36 산산조각 내다
37 설립하다, 세우다
38 정당화하다
39 필수적인, 활기 있는
40 사상자, 피해자

괄호 안에서 알맞은 말을 고르세요.

41 The teacher (commanded / commended) Tom for the work that he had done.

42 Sadly, the music industry has been in (incline / decline) for years.

DAY 29

5회독 체크

1121

temporary
[témpərèri]

형 일시적인, 임시의

We have to find another solution because this is only **temporary**.
이것은 단지 일시적이기 때문에 우리는 다른 해결책을 찾아야 한다.

반 **permanent** 형 영구적인

1122

complex
[kəmpléks]

형 복잡한, 합성의 명 복합물, 복합 건물

In **complex** organizations the individual members are often not sure of their power to bring about change.
복잡한 조직에서는 흔히 개인 구성원이 그들의 힘이 변화를 가져올지 확신하지 못한다.

1123

complicated
[kɑ́mpləkéitid]

형 복잡한

The storyline of the musical is **complicated**. 수능
그 뮤지컬의 줄거리는 복잡하다.

1124

outrageous
[autréidʒəs]

형 난폭한, 부당한, 터무니없는

The more interesting or **outrageous** the show, the more people gathered.
그 쇼가 더 흥미롭거나 터무니없을수록 더 많은 사람들이 모였다.

1125

wagon
[wǽgən]

명 짐마차, 4륜마차

The **wagon** drawn by two horses crossed the bridge.
두 마리의 말이 끄는 짐마차가 다리를 건넜다.

1126

troop
[tru:p]

명 무리, 떼, 군대

More **troops** rushed to the field at the general's command.
장군의 명령에 따라 더 많은 군대가 전장으로 나갔다.

1127

retrieve
[ritríːv]

동 되찾다, 만회하다

Follow these steps to **retrieve** the deleted data from your computer.
컴퓨터에서 삭제된 데이터를 복구하려면 이 절차를 따르세요.

1128

chaos
[kéiɑ̀s]

명 혼돈, 혼란

The epidemic caused total **chaos** in the whole country.
그 전염병은 전국에 전면적인 혼란을 초래했다.

● **chaotic** 형 혼란 상태인

1129

sewage
[súːidʒ]

명 하수, 오물

Some of the remote houses are not connected to the municipal **sewage** system.
외딴집 중 몇몇은 시의 하수 처리 시설에 연결되어 있지 않다.

1130

mutual
[mjúːtʃuəl]

형 서로의, 상호간의, 공통의

You can't have a democracy if you can't talk with your neighbors about matters of **mutual** interest or concern. 모의
공통의 흥미나 걱정거리에 대해 이웃과 이야기할 수 없다면 여러분은 민주주의 체제를 가질 수 없다.

1131

reward

[riwɔ́ːrd]

명 **보상, 사례금**

The dog can understand its "good" behavior results in **rewards**. 모의

개는 자신의 '좋은' 행동이 보상으로 귀결된 것을 이해할 수 있다.

함께 외우는 유의어

compensation [kɑ̀mpənséiʃən] 명 보상금

premium [príːmiəm] 명 상, 보수, 상여금

1132

emission

[imíʃən]

명 **배출, 배출물, 배기가스**

Strictly controlled **emission** standards for such sources are needed to minimize this problem. 수능

이 문제를 최소화하기 위해서는 그러한 오염원에 엄격하게 통제된 배출 기준이 요구된다.

● **emit** 동 (빛·열·가스·소리 등을) 내다, 내뿜다

1133

yield

[jiːld]

동 **[1](결과 등을) 내다, 산출하다 [2]굴복하다, 양보하다**

명 **산출량, 이윤**

For better **yield** of mustard seeds, pollination is necessary. 모의

더 많은 겨자씨 수확을 위해서는 수분 작용이 필수적이다.

1134

symptom

[símptəm]

명 **증상, 징후, 조짐**

The most common **symptom** of the cold is a cough.

감기의 가장 흔한 증상은 기침이다.

1135

tact

[tækt]

명 **요령, 눈치, 재치**

He had the **tact** to persuade others.

그는 다른 사람들을 설득하는 요령이 있었다.

● **tactful** 형 재치 있는

1136

tactic
[tǽktik]

명 전략, 전술, 작전

No doubt, Louise's mother had learned this threatening **tactic** from her own mother. 모의

의심할 여지 없이 Louise의 어머니는 이런 협박 전략을 자신의 어머니로부터 배웠을 것이다.

1137

flip
[flip]

동 홱 뒤집다[뒤집히다], 휙 젖히다[젖혀지다]

I picked up one of those books and **flipped** the pages.

나는 그 책들 중 한 권을 집어서 책장을 휙휙 넘겨 보았다.

1138

wilderness
[wíldərnis]

명 황야, 황무지

The woman spent a year living a nomadic life in the **wilderness**.

그 여자는 황야에서 방랑 생활을 하며 1년을 보냈다.

1139

stroke
[strouk]

명 [1]타격, 치기 [2]뇌졸중 동 쓰다듬다

The **stroke** left his right side permanently damaged.

뇌졸중은 그의 몸의 오른쪽 부분을 영구적으로 손상시켰다.

strike 동 치다, 때리다

1140

ethnic
[éθnik]

형 민족의, 민족 전통의

Racial and **ethnic** relations in the United States are better today than in the past. 모의

오늘날 미국의 인종 및 민족 관계는 과거보다 낫다.

1141

rapidity
[rəpídəti]

명 [1]급속, 민첩 [2]속도

Then the great musicians got credit for their incredible **rapidity** of composition. 모의
그렇게 하여 위대한 음악가들은 놀라운 작곡 속도를 인정받게 되었다.

- **rapid** 형 급속한, 빠른

1142

adequate
[ǽdikwət]

형 충분한, 적절한

Consumers lack **adequate** information to make informed choices. 모의
소비자들은 정보에 근거한 선택을 하기 위한 적절한 정보가 부족하다.

- **adequacy** 명 적절함, 타당성
- **inadequate** 형 불충분한, 부적당한

1143

contempt
[kəntémpt]

명 경멸, 무시

The action to pursue the right way to live may provoke **contempt**.
올바른 삶의 방식을 추구하는 행동은 경멸을 유발할 수도 있다.

1144

legacy
[légəsi]

명 유산

Hangeul, the Korean alphabet, is one of the greatest **legacies** of King Sejong.
한글은 세종대왕의 가장 위대한 유산 중 하나이다.

1145

postpone
[poustpóun]

동 연기하다, 미루다

They **postponed** the unpleasant manual labor until it became absolutely necessary.
그들은 유쾌하지 않은 육체노동은 절대적으로 필요해질 때까지 미루었다.

함께 외우는 유의어

delay [diléi] 동 연기하다
suspend [səspénd] 동 보류하다, 미루다
put off 연기하다

1146

persist
[pərsíst]

동 고집하다, 지속하다

The extreme cold and heavy snowfall are expected to **persist** until Friday.
극심한 추위와 폭설은 금요일까지 계속될 것으로 예상된다.

- **persistent** 형 끈질긴, 집요한
- **persistently** 부 끈질기게, 집요하게

1147

rehearse
[rihə́ːrs]

동 리허설을 하다, 연습하다, 반복하다

To **rehearse** to the readers of reports the findings of previous work is simply to bore them with unnecessary reminders. 수능
보고서를 읽는 사람들에게 이전 작업의 연구 결과를 반복해서 말하는 것은 불필요하게 상기시키는 행위로 그들을 지루하게 할 따름이다.

- **rehearsal** 명 리허설, 예행연습

1148

pungent
[pʌ́ndʒənt]

형 (맛·냄새가) 톡 쏘는 듯한, 자극적인

The cheese has a **pungent** smell but it's delicious.
치즈는 톡 쏘는 냄새가 나지만 맛이 있다.

- **pungency** 명 얼얼함, 자극

1149

refund
[rifʌ́nd]

명 환불

Tickets you purchased for today's event will be fully **refunded**. 수능
오늘 행사를 위해 여러분이 구입한 표는 전액 환불될 것입니다.

- **refundable** 형 환불 가능한

1150

apprentice
[əpréntis]

명 수습생, 도제 동 ~을 수습생으로 보내다

He started his career as an **apprentice** potter at the age of 20.
그는 20살에 수습 도공으로 사회생활을 시작했다.

1151

accomplish

[əkɑ́mpliʃ]

동 완수하다, 성취하다

They simply decide on a change they want and do what is necessary to **accomplish** it. 수능

그들은 그저 자신이 원하는 변화를 결정하고 그것을 성취하는 데 필요한 일을 한다.

1152

confer

[kənfə́ːr]

동 [1]상의하다 [2]수여하다, 부여하다

She **conferred** with her agent a moment before the press interview.

그녀는 기자회견 전에 그녀의 에이전트와 잠시 상의했다.

◎ **conference** 명 회의

1153

phase

[feiz]

명 (변화·발달의) 단계 동 단계적으로 하다

IT engineers will begin to shift to the next **phase** in a grand plan to bring the Internet to everyone. 모의

정보 통신 기술 엔지니어들이 모든 사람에게 인터넷을 제공하기 위한 원대한 계획의 다음 단계로 이동하기 시작할 것이다.

1154

shrug

[ʃrʌg]

동 어깨를 으쓱하다

He just **shrugged** and said, "I studied mainly textbooks."

그는 그저 어깨를 으쓱하고 말했다. "저는 교과서 위주로 공부했어요."

1155

tread

[tred]

trod–trodden/trod

동 (발을) 디디다, 밟다 명 걸음걸이

Countless footsteps have **trodden** a path to the mountain.

수없이 많은 발자국들이 산으로 가는 길에 찍혀 있다.

◎ **treadmill** 명 트레드밀(걷거나 뛰도록 만든 운동 기구)

1156

bewitch

[biwítʃ]

동 매혹시키다, ~에게 마법을 걸다

People believed the girl had been **bewitched** by something because she behaved very strangely.

사람들은 소녀가 매우 이상하게 행동했기 때문에 무언가에 홀렸다고 믿었다.

◎ **bewitched** 형 마법에 걸린, 넋이 나간

1157

blush

[blʌʃ]

동 얼굴을 붉히다, ~에 부끄러워하다

His cheeks **blushed** at the compliment.

그는 칭찬에 볼을 붉혔다.

1158

perceive

[pərsíːv]

동 지각하다, 감지하다

Our eyes do not let us **perceive** with this kind of precision. 수능

눈은 우리가 이런 종류의 정확성을 가지고 지각하게 해 주지 않는다.

◎ **perception** 명 지각, 자각, 인식

시험 빈출 반의어

1159

vertical

[vɚ́ːrtikəl]

형 수직의, 세로의 명 수직

In **vertical** transfer, lower level knowledge is essential before one proceeds to a higher level. 모의

수직적 전이에서는 낮은 단계의 지식이 높은 단계로 나아가기 전에 필수적이다.

1160

horizontal

[hɔ̀ːrəzɑ́ntl]

형 수평의, 가로의 명 수평 위치

Keep the body **horizontal** with the feet slightly raised.

몸을 수평으로 하고 발을 살짝 들어 올려라.

◎ **horizon** 명 수평선, 지평선

DAY 30

5회독 체크

1161

statistic
[stətístik]

명 **통계 자료**

The **statistic** shows that nearly 40 percent of all the food produced globally is wasted.
그 통계는 전 세계적으로 생산되는 음식의 약 40%가 낭비되고 있다는 것을 보여준다.

statistics 명 1. (단수 취급) 통계학 2. (복수 취급) 통계

1162

status
[stéitəs]

명 **신분, 지위**

The female wearing the white dress is about to be married and change her **status** and role in society. 모의
흰색 드레스를 입은 여성은 곧 결혼할 것이고 사회에서 그녀의 지위와 역할을 변화시킬 것이다.

1163

withhold
[wiðhóuld]

동 **억누르다, 보류하다**

You may feel as though you're being cold or **withholding** something. 모의
여러분은 자신이 쌀쌀맞게 굴고 있거나 무언가를 억누르고 있는 것처럼 느낄 수 있다.

함께 외우는 유의어

refuse [rifjúːz] 동 거절하다, 거부하다
suppress [səprés] 동 억압하다
hold back ~을 저지하다

1164

withstand
[wiðstǽnd]

동 **견뎌내다, 버티다**

The structures were designed to **withstand** extreme natural disasters.
그 구조물들은 극심한 자연재해를 견디도록 설계되었다.

1165

withdraw
[wiðdrɔ́ː]

동 [1]물러나다, 철수하다 [2](계좌에서 돈을) 인출하다

The consumer had to **withdraw** from the deal after the slight change in the terms of agreement. 수능
그 고객은 계약 조건에 사소한 변화가 생긴 후에 거래를 철회해야 했다.

1166

mass
[mæs]

명 덩어리, 집단 형 대량의, 대중의

The individual's participation in **mass** behavior patterns is not a spontaneous reaction to random forces. 모의
대중의 행동 양식에 개인이 참여하는 것은 임의의 힘에 저절로 반응하는 것이 아니다.

1167

radioactive
[rèidiouǽktiv]

형 방사성의, 방사능의

Radioactive waste disposal has become one of the key environmental battlegrounds. 모의
방사능 폐기물 처리는 핵심적인 환경 문제의 논쟁거리 중 하나가 되었다.

1168

attorney
[ətə́ːrni]

명 변호사, 대리인

A defense **attorney** in the same trial constructs an argument to persuade the same judge or jury toward the opposite conclusion. 모의
동일한 재판의 피고 측 변호사는 동일한 판사나 배심원을 정반대의 결론으로 설득하기 위한 논거를 구성한다.

1169

innovation
[ìnəvéiʃən]

명 혁신, 쇄신

Without the influence of minorities, we would have no **innovation**, no social change. 수능
소수 집단의 영향 없이는 우리에게 어떤 혁신, 어떤 사회 변화도 없을 것이다.

1170

chore
[tʃɔːr]

명 지질구레한 일, 하기 싫은 일

One grandmother hires her grandchildren to help with gardening **chores**. 수능
한 할머니가 정원 일을 돕도록 그녀의 손주들을 고용한다.

1171

requisite
[rékwəzit]

형 **필요한** 명 **필수품, 필요조건**

These days social media marketing is **requisite** for every business.

요즘은 소셜 미디어 마케팅이 모든 사업 분야에서 필수적이다.

◎ **prerequisite** 명 전제 조건

1172

delicate
[délikət]

형 **연약한, 섬세한, 우아한**

An egg requires a more **delicate** touch than a rock. 모의

달걀은 바위보다 더 섬세한 접촉을 요구한다.

◎ **delicacy** 명 연약함, 섬세함

함께 외우는 유의어

fragile [frǽdʒəl] 형 연약한, 부서지기 쉬운

exquisite [ikskwízit] 형 정교한

1173

dynamic
[dainǽmik]

명 **힘, 동력, 역학(-s)** 형 **역동적인, 역학적인**

Dialogues in a novel usually reveal the **dynamics** between the characters.

소설 속 대화는 등장인물들 사이의 역학 관계를 드러낸다.

1174

liable
[láiəbl]

형 **법적 책임이 있는, ~하기 쉬운, ~할 것 같은**

If the license isn't renewed, you are **liable** to pay late licensing penalties.

면허를 갱신하지 않으면 당신은 면허 지연 벌금을 낼 책임이 있다.

◎ **liability** 명 법적 책임

◎ **be liable to** ~하기 쉽다

함께 외우는 유의어

responsible [rispάnsəbl] 형 책임이 있는, ~의 원인이 되는

accountable [əkáuntəbl] 형 책임이 있는

1175

annual
[ǽnjuəl]

형 매년의, 연간의

The most cost-effective policy reform would be the removal of **annual** subsidies from the recipients in the OECD. 수능
가장 비용 효율적인 정책 개혁은 OECD의 수혜자로부터 연간 보조금을 없애는 것이다.

◎ **annually** 부 매년, 1년에 한 번씩

1176

ruin
[rú:in]

동 망치다, 파산시키다 명 몰락, 파산

I could see all my hopes and plans I had with my dad being **ruined**.
나는 아버지와 세운 나의 모든 희망과 계획이 무너지는 것을 볼 수 있었다.

◎ **in ruins** 폐허가 된

1177

indifferent
[indífərənt]

형 [1]무관심한 [2]그저 그런

Higher-status individuals can be **indifferent** while lower-status persons are required to be attentive with their gaze. 수능
낮은 직급의 사람들은 그들의 시선에 신경을 쓰도록 요구받지만 높은 직급의 사람들은 무관심할 수 있다.

1178

furious
[fjúəriəs]

형 몹시 화가 난, 맹렬한

The workers were cutting down the reed beds at a **furious** rate.
일꾼들이 맹렬한 속도로 갈대밭을 베어 넘어뜨리고 있었다.

1179

extraordinary
[ikstrɔ́:rdənèri]

형 놀라운, 비범한, 기이한

They now recognized her **extraordinary** gift and passion as a bird-watcher. 모의
그들은 이제 조류 관찰자로서의 그녀의 비범한 재능과 열정을 인정했다.

1180

extravagance
[ikstrǽvəgəns]

명 낭비, 사치(품)

The actor is well known for his **extravagance**.
그 배우는 낭비벽으로 잘 알려져 있다.

1181

pessimism
[pésimìzm]

명 비관론, 비관주의

Her **pessimism** turned to optimism when he finished his powerful speech.
그녀의 비관주의는 그가 힘 있는 연설을 마쳤을 때 낙관주의로 바뀌었다.

◎ **pessimist** 명 비관론자

1182

pessimistic
[pèsəmístik]

형 비관적인

The article has a very **pessimistic** view about the future of our society.
그 기사는 우리 사회의 미래에 대해 매우 비관적인 관점을 가지고 있다.

1183

optimism
[ɑ́ptimìzm]

명 낙관론, 낙관주의

Your **optimism** will help you to keep your eyes alert to opportunities.
당신의 낙관주의는 당신의 눈이 경계를 늦추지 않고 기회를 알아보게 해 줄 것이다.

◎ **optimist** 명 낙관론자

1184

optimistic
[ɑ̀ptəmístik]

형 낙관적인

As the students' attitudes became more **optimistic**, their confidence with math grew too. 수능
학생들의 태도가 더 낙관적이게 되면서 수학에 대한 자신감도 늘었다.

1185

panel
[pǽnl]

명 1판, 금속판 2토론자단, 심사위원단

The energy output from solar **panels** is much less compared to fossil fuel.
화석연료와 비교하면 태양광 판에서 나오는 에너지의 생산량이 훨씬 적다.

1186

outstanding
[àutstǽndiŋ]

형 **뛰어난, 두드러진, 중요한**

Jim Nelson, a junior at Manti High School, was an **outstanding** athlete. 모의
Manti 고등학교 2학년생인 Jim Nelson은 뛰어난 운동선수였다.

- **outstand** 동 눈에 띄다

1187

novice
[návis]

명 **초보자**

They don't seem like **novices** at all on the stage.
그들은 무대 위에서 전혀 초보자 같아 보이지 않는다.

1188

intrigue
[intríːg]

동 **[1]호기심을 불러일으키다 [2]모의하다** 명 **음모**

Exactly how cicadas keep track of time has always **intrigued** researchers. 수능
정확히 어떻게 매미가 시간을 추적하는지는 항상 연구자들의 호기심을 불러일으켜 왔다.

- **intriguing** 형 아주 흥미로운

1189

negotiate
[nigóuʃièit]

동 **협상하다, 성사시키다**

Participants were asked to **negotiate** with a seller over the purchase price of a piece of art. 모의
참가자들은 그림 한 점의 판매가를 판매자와 협상하도록 요구받았다.

- **negotiation** 명 협상
- **negotiable** 형 협상의 여지가 있는

1190

demolish
[dimáliʃ]

동 **철거하다, 무너뜨리다**

The city council decided to **demolish** about 200 vacant houses this year.
시 의회는 올해 빈집 약 200채를 철거하기로 결정했다.

1191

annoy
[ənɔ́i]

동 **짜증나게 하다, 귀찮게 하다**

When a customer kept complaining about his french fries, the chef was **annoyed** and served very salty sliced potatoes. 모의

한 고객이 감자튀김에 대해 계속 불평을 했을 때, 요리사는 짜증이 나서 매우 짠 얇게 썬 감자를 내놓았다.

◎ **annoyed** 형 짜증이 난 **annoying** 형 짜증스러운

1192

proceed
[prəsíːd]

동 **진행하다, 계속해서 ~하다**

He **proceeded** to pick up the phone and engage in a fifteen-minute conversation while John waited. 모의

그는 계속해서 전화를 받아서 John이 기다리는 동안 15분간 통화했다.

◎ **process** 명 과정

1193

amplify
[ǽmpləfài]

동 **증폭시키다, 더욱 상세히 하다**

The unpleasantness of the memory fades and the good parts remain and may get **amplified** beyond reality. 모의

기억의 불쾌함은 희미해지고 좋은 부분이 남으며 실제보다 증폭될 수도 있다.

◎ **ample** 형 충분한 **amplification** 명 확대, 증폭

1194

lease
[liːs]

명 **임대차 계약** 동 **임대하다**

He has **leased** this red convertible for the last three years.

그는 지난 3년 동안 이 빨간 컨버터블 자동차를 임대해 왔다.

1195

ponder
[pándər]

동 **숙고하다, 곰곰이 생각하다**

We **pondered** about whether the idea was creative enough to win.

우리는 그 아이디어가 우승할 만큼 창의적인지 곰곰이 생각했다.

1196

harvest
[hɑ́ːrvist]

명 수확, 수확물 동 수확하다, 거둬들이다

Farmers at **harvest** time have selected superior plants to save for the next planting. 모의

수확기에 농부들은 다음 재배를 위해 보관할 우수한 식물을 선택해 왔다.

1197

modify
[mɑ́dəfài]

동 수정하다, 변경하다

A painter working with tempera could **modify** and rework the image. 모의

템페라화를 그리는 화가는 그림을 수정하고 다시 작업할 수 있었다.

◎ **modification** 명 수정, 변경

1198

shove
[ʃʌv]

동 1 밀치다 2 아무렇게나 놓다

They **shoved** the stuff into their bag and hurried off.

그들은 물건들을 가방에 아무렇게나 넣고 급하게 떠났다.

시험 빈출 혼동 단어

1199

adopt
[ədɑ́pt]

동 1 입양하다 2 채택하다

Commercial media ensures that consumers **adopt** values that match the general requirements of the economy. 모의

상업 매체는 반드시 소비자가 경제의 일반 요건에 부합하는 가치를 채택하게 한다.

1200

adapt
[ədǽpt]

동 1 조정하다, 적응하다 2 개조하다

The bodies of fish are structurally **adapted** for moving fast through the water.

물고기의 몸은 물속을 빠르게 움직이는 데 구조적으로 적응되어 있다.

◎ **adaptive** 형 적응할 수 있는

바로 테스트

정답 438쪽

영어는 우리말로, 우리말은 영어로 쓰세요.

01 innovation
02 perceive
03 liable
04 ponder
05 temporary
06 mutual
07 outrageous
08 withdraw
09 adequate
10 amplify
11 demolish
12 tactic
13 persist
14 outstanding
15 postpone
16 withstand
17 modify
18 yield
19 annual
20 attorney
21 협상하다
22 톡 쏘는 듯한
23 밀치다
24 낭비, 사치(품)
25 낙관적인
26 몹시 화가 난
27 통계 자료
28 비관주의
29 연약한, 섬세한
30 유산
31 민족의
32 어깨를 으쓱하다
33 경멸, 무시
34 필요한; 필수품
35 하수, 오물
36 되찾다, 만회하다
37 망치다; 몰락
38 배출, 배출물
39 급속, 속도
40 상의하다, 수여하다

괄호 안에서 알맞은 말을 고르세요.

41 You should place a magnetic compass on a (vertical / horizontal) surface.

42 Wild animals are (adopting / adapting) to rapid climate changes.

DAY 31

5회독 체크

1201

recurrent

[rikə́:rənt]

형 되풀이되는, 재발하는

Relaxation exercises can be very helpful with **recurrent** headaches.

긴장을 풀어주는 운동은 되풀이되는 두통에 매우 도움이 될 것이다.

1202

edible

[édəbl]

형 먹을 수 있는, 식용의

An Indian man has invented an **edible** spoon to reduce our dependence on plastic.

한 인도인이 우리의 플라스틱 의존도를 줄이기 위해 먹을 수 있는 숟가락을 발명했다.

1203

illusion

[ilú:ʒən]

명 환각, 착각, 환상

He realized that his success was clearly an **illusion**.

그는 그의 성공이 명백히 착각이라는 사실을 깨달았다.

1204

microscope

[máikrəskòup]

명 현미경

I examined the cells under the **microscope**.

나는 현미경으로 그 세포를 살펴보았다.

1205

consistent

[kənsístənt]

형 1 한결같은, 변함없는 2 (~와) 일치하는

You likely exhibited behaviors that are not **consistent** with how you usually act. 모의

당신은 아마 평소에 행동하는 방식과 일치하지 않는 행동을 보였을 것이다.

함께 외우는 유의어

steady [stédi] 형 꾸준한
constant [kánstənt] 형 변함없는
persistent [pərsístənt] 형 끈질긴

1206

migrant

[máigrənt]

명 이주자, 철새 형 이주하는

My ancestors came to this land as **migrant** farmers.

나의 조상들은 이주 농부로 이 땅에 왔다.

1207

refugee

[rèfjudʒíː]

명 난민, 망명자

Millions of people have fled their homeland and have lived in the **refugee** camps.

수백만 명의 사람들이 조국을 떠나 난민캠프에 살고 있다.

● **refuge** 명 피난처, 피신처

1208

civilize

[sívəlàiz]

동 개화하다, (사람을) 세련되게 하다

They believed it was necessary to **civilize** the native people.

그들은 원주민들을 개화하는 것이 필요하다고 믿었다.

1209

civilization

[sìvəlizéiʃən]

명 문명, 문명 사회

The Egyptian **civilization** was stable for many years because it was protected by deserts.

이집트 문명은 사막에 의해 보호받았기 때문에 오랜 시간 동안 안정적이었다.

1210

chemical

[kémikəl]

형 화학의, 화학적인

Since life began in the oceans, most life has a **chemical** composition more like the ocean than fresh water. 모의

생명체는 바다에서 시작되었기 때문에, 대부분의 생명체는 담수보다 바다와 더 흡사한 화학 성분을 지니고 있다.

1211

chemistry
[kémistri]

명 화학, 화학 반응

He had been putting off doing his **chemistry** report which was due on Monday. 수능
그는 월요일까지 제출 마감인 화학 보고서를 작성하는 것을 미루고 있었다.

1212

assist
[əsíst]

동 돕다, 도움이 되다 명 (운동) 어시스트

It is important to **assist** the child to hold on to the new story. 모의
아이가 그 새로운 이야기에 계속 집중할 수 있도록 도와주는 것이 중요하다.

◉ **assistant** 명 조수, 보조자

1213

embassy
[émbəsi]

명 대사관

The **embassy** was surrounded by crowds of people waiting to see the ambassador.
대사관은 대사를 보려고 기다리는 사람들로 둘러싸였다.

1214

wage
[weidʒ]

명 임금 동 (전쟁 등을) 수행하다

The **wage** gap in Britain was quite constant, compared to that in the U.S. 수능
영국의 임금 격차는 미국에 비해 꽤 일정했다.

1215

vow
[vau]

명 맹세, 서약 동 맹세하다, 서약하다

He **vowed** to himself never to be ruled by emotions.
그는 다시는 감정에 휘둘리지 않기로 스스로 맹세했다.

1216

sphere
[sfiər]

명 범위, 분야, 영역, 권

The members paid attention to the issues related to the **sphere** of education.

회원들은 교육의 영역과 관련된 쟁점에 주목했다.

◎ **hemisphere** 명 반구, 반구체

1217

tremble
[trémbl]

동 떨다, 떨리다 명 떨림, 전율

She **trembled** uncontrollably for fear of being caught. 모의

그녀는 붙잡힐까 두려워서 감당할 수 없이 떨었다.

1218

string
[striŋ]

명 끈, 줄 동 묶다, 꿰다

What kids do need is unconditional support, love with no **strings** attached. 모의

아이들이 정말로 필요로 하는 것은 무조건적인 지지, 즉, 아무런 조건이 없는 사랑이다.

◎ **with no strings attached** 아무런 조건 없이

1219

norm
[nɔːrm]

명 표준, 기준, 규범(-s)

The cultural **norms** in Korea have been heavily influenced by Confucianism.

한국의 문화 규범은 유교에 강한 영향을 받아 왔다.

1220

mold
[mould]

명 틀, 거푸집

If you wish to know what form the gelatin will have when it solidifies, study the shape of the **mold** that holds it. 모의

젤라틴이 굳어질 때 어떤 모양이 될 것인지 알고 싶다면, 그것을 담는 틀의 모양을 살펴보라.

1221

handle
[hǽndl]

동 다루다, 만지다, 처리하다 명 손잡이

One difference between winners and losers is how they **handle** losing.
승자와 패자 사이의 한 가지 차이는 그들이 패배를 어떻게 다루느냐이다.

1222

delight
[diláit]

명 기쁨 동 매우 기쁘게 하다

Sally was **delighted** by the books about birds and she joyfully looked at the beautiful pictures in them. 모의
Sally는 새에 관한 책들로 기뻤으며, 그 책에 있는 아름다운 사진들을 즐겁게 보았다.

1223

multiple
[mʌ́ltəpl]

형 다수의, 다양한, 복합적인

A student should experience a science concept **multiple** times to remember. 모의
한 학생이 과학 개념을 기억하려면 여러 번 경험해야 한다.

1224

assurance
[əʃúərəns]

명 확신, 보증, 보장

He left the room with **assurance** that the baby was asleep.
그는 아기가 잠들었다는 확신을 가지고 방을 떠났다.

1225

affiliate
[əfílièit]

동 ~을 합병하다, 제휴시키다 명 계열사, 지사

Many nonprofits are **affiliated** with voluntary organizations.
많은 비영리 단체들이 봉사 단체들과 제휴되어 있다.

◎ **affiliation** 명 합병, 제휴, 가입

1226

aspire

[əspáiər]

동 **열망하다, 염원하다**

She has **aspired** to be a travel journalist traveling around the world.

그녀는 전 세계를 누비는 여행 기자가 되기를 열망해 왔다.

1227

besiege

[bisíːdʒ]

동 **포위하다, 에워싸다**

Once the building is built, those in its shadow end up feeling more **besieged**.

그 건물이 지어지면, 건물의 그림자 안에 있는 사람들은 결국 더 포위당한 기분을 느낄 것이다.

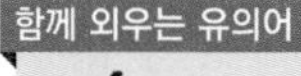

surround [səráund] 동 둘러싸다
enclose [inklóuz] 동 둘러싸다

1228

border

[bɔ́ːrdər]

명 **경계, 국경** 동 **인접하다**

When crossing the **border** back and forth between countries, we need to have a valid passport.

두 나라의 국경을 건너서 오가려면, 유효한 여권이 필요하다.

1229

connotation

[kɑ̀nətéiʃən]

명 **함축, 내포**

The word "interesting" could have negative **connotations** in spoken English.

영어로 말할 때 'interesting'이라는 단어는 부정적인 의미를 함축할 수 있다.

◎ **connote** 동 함축하다, 내포하다

1230

demonstrate

[démənstrèit]

동 [1]**입증하다, 보여주다** [2]**시위에 참여하다**

If students do a science project, it is a good idea for them to **demonstrate** why it makes an important contribution. 모의

만약 학생들이 과학 연구 과제를 한다면, 왜 그 연구가 중요한 기여를 하는지 입증하는 것이 좋은 생각이다.

1231

doom

[duːm]

명 죽음, 파멸 동 불행한 운명을 맞게 하다

If we don't protect our environment, we will **doom** future generations.

우리가 환경을 보호하지 않는다면, 미래 세대를 불행한 운명에 빠뜨릴 것이다.

1232

eliminate

[ilímənèit]

동 제거하다, 탈락시키다

When one species **eliminates** another by outcompeting it, it is called competitive exclusion. 모의

한 종이 다른 종을 경쟁에서 물리쳐 제거할 때, 이를 경쟁적 배제라고 부른다.

1233

endure

[indjúər]

동 견디다, 인내하다, 오래가다

This sincere interest in the product may enable the consumers to **endure** the increased cost. 수능

제품에 대한 이러한 진정한 관심이 소비자로 하여금 증가된 비용을 견디게 할 것이다.

1234

frustrate

[frʌ́streit]

동 좌절감을 주다, 불만스럽게 만들다

Changes that cannot solve the existing problems just **frustrate** the students.

실재하는 문제를 해결하지 못하는 변화는 학생들을 좌절시킬 뿐이다.

◎ **frustrated** 형 좌절감을 느끼는

1235

rally

[rǽli]

명 [1]집회, 대회 [2]회복 동 [1]결집하다 [2]회복되다

The police estimated a turnout of 200,000 people at the peak of the **rally**.

경찰은 집회가 한창일 때의 참가자를 20만 명으로 추산했다.

1236

settle
[sétl]

동 [1]해결하다, 결정하다 [2]정착하다

At length, they **settled** the deal, and he was delighted to purchase the carving at a reasonable price. 수능

마침내 그들은 거래를 성사시켰고, 그는 적절한 가격에 그 조각품을 사게 되어 기뻐했다.

1237

trespass
[tréspəs]

동 무단 침입하다

The police officers were going to arrest the man for **trespassing**.

경찰은 그 남자를 무단 침입으로 체포할 예정이었다.

1238

longitude
[lάndʒətjù:d]

명 경도

All locations on the same **longitude** fall in the same time zone.

같은 경도 위의 지역은 동일한 시간대에 해당한다.

◎ **latitude** 명 위도

시험 빈출 혼동 단어

1239

aptitude
[ǽptətjù:d]

명 소질, 적성

Mr. Swift discovered his daughter's natural **aptitude** for sports.

Swift 씨는 그의 딸이 운동에 선천적인 소질이 있다는 것을 발견했다.

1240

altitude
[ǽltətjù:d]

명 고도, 고지

Be prepared especially when you are hiking at high **altitudes**.

특히 고도가 높은 곳에서 도보 여행을 할 때에는 대비를 해라.

DAY 32

5회독 체크

1241

oblivious
[əblíviəs]

형 **의식하지 못하는**

With her eyes on her phone, she was totally **oblivious** to the danger.
그녀는 휴대 전화에 시선을 둔 채로 위험을 전혀 의식하지 못하고 있었다.

1242

colleague
[kɑ́liːg]

명 **동료**

If a **colleague** around you doesn't understand your idea, or its potential, your consumers may not either. 모의
만일 여러분 곁의 직장 동료가 여러분의 생각이나 그것의 가능성을 이해하지 못한다면, 여러분의 고객 역시 이해하지 못할 것이다.

1243

artery
[ɑ́ːrtəri]

명 **1동맥 2주요 도로[수로]**

Blocked **arteries** can cause high blood pressure and a heart attack.
막힌 동맥은 고혈압과 심장마비를 일으킬 수 있다.

◎ **vein** 명 정맥

1244

atmosphere
[ǽtməsfìər]

명 **대기, 공기, 분위기**

The meeting proceeded in a tense **atmosphere**.
회의는 긴장된 분위기에서 진행되었다.

1245

durable
[djúrəbl]

형 **내구성이 있는, 오래 가는**

This compact car is extremely **durable** and efficient.
이 소형 자동차는 매우 내구성이 있고 효율적이다.

1246

plea
[pliː]

명 탄원, 간청

Despite **pleas** from many people, the court did not overturn the decision.
많은 사람들의 탄원에도 불구하고, 법원은 판결을 뒤집지 않았다.

◎ **plead** 동 간청하다, 변호하다

1247

sincere
[sinsíər]

형 진실의, 진심의

I would appreciate your **sincere** consideration.
당신의 진심어린 고려에 감사를 표합니다.

◎ **sincerely** 부 진심으로

1248

skid
[skid]

명 미끄러짐 동 미끄러지다

The car **skidded** across the icy road before crashing into a brook.
그 차는 개울에 처박히기 전에 얼어붙은 도로를 가로질러 미끄러졌다.

◎ **skid mark** 타이어가 미끄러진 자국

1249

thrust
[θrʌst]
thrust–thrust

동 밀다, 찌르다 명 1밀침, 찌름 2요점

With a quick movement he **thrust** the door forward and went out.
빠른 움직임으로 그는 문을 앞으로 밀치고 밖으로 나갔다.

함께 외우는 유의어

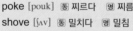

poke [pouk] 동 찌르다 명 찌름
shove [ʃʌv] 동 밀치다 명 밀침
core [kɔːr] 명 핵심

1250

tick
[tik]

동 1째깍거리다 2체크 표시를 하다
명 1째깍거리는 소리 2체크 표시

The room is so silent that I can hear the clock **ticking**.
방은 너무 조용해서 나는 시계가 째깍거리는 소리도 들을 수 있다.

1251

nonetheless
[nʌ̀nðəlés]

부 그럼에도 불구하고

I knew I was too late; **nonetheless**, I had to give you the answer.
나도 내가 너무 늦었다는 것을 알았지만, 그럼에도 불구하고 너에게 답을 해야 했다.

1252

phrase
[freiz]

명 구, 구절, 관용구

The wisdom in this **phrase** is that social play builds ties between people that are lasting and consequential. 모의
이 구절에 담긴 지혜는 사회적인 놀이는 사람들 사이에 지속적이고 중대한 유대를 형성한다는 것이다.

◎ **paraphrase** 동 바꾸어 말하다

1253

occupation
[ɑ̀kjupéiʃən]

명 ¹직업 ²점유, 점령

She mentions her main **occupation** as "environmental writer."
그녀는 자신의 주된 직업을 '환경 작가'로 언급한다.

1254

occupy
[ɑ́kjupài]

동 차지하다, 사용하다, 점령하다

In most cases, drivers have to pay for the time they **occupy** a parking spot.
대부분의 경우에 운전자들은 주차 공간을 사용하는 시간에 대해 돈을 내야 한다.

1255

preoccupy
[priɑ́kjupài]

동 ~을 먼저 점유하다, ~의 마음을 빼앗다

People try to escape an emotional experience by **preoccupying** themselves with eating. 모의
사람은 먹는 것에 몰두함으로써 감정적인 경험에서 벗어나려고 한다.

◎ **preoccupation** 명 (어떤 생각에) 사로잡힘, 집착, 심취

1256

bald
[bɔːld]

형 대머리의, 벗겨진

Mr. Snow shaved his head **bald** by himself.
Snow 씨는 직접 머리를 대머리로 밀었다.

1257

object
[ábdʒikt]

명 [1]물건 [2]대상 [3]목적, 목표 동 반대하다

Upcycling gives new life to old **objects**. 수능
업사이클링은 오래된 물건에 새로운 생명을 준다.

- **objective** 형 객관적인
- **objection** 명 반대, 이의

1258

monopoly
[mənάpəli]

명 독점, 독차지, 전유물

The company has a **monopoly** of the market and charges consumers higher prices.
그 회사는 시장을 독점하고 소비자에게 더 높은 가격을 부과한다.

1259

monologue
[mάnəlɔ̀ːg]

명 독백

The movie was famous for the main character's **monologue** about his inner conflict.
그 영화는 주인공의 내적 갈등에 관한 독백으로 유명했다.

1260

pest
[pest]

명 해충, 유해 동물

Some farmers adopt biocontrol in farming, which uses natural enemies to control **pests**.
어떤 농부들은 경작에 생물적 방제 방법을 채택하는데, 이것은 해충을 억제하기 위해 천적을 사용하는 것이다.

1261

stern
[stəːrn]

형 엄격한, 단호한, 심각한

The writer was **stern** and meticulous about spelling mistakes.
그 작가는 철자 오류에 관해서 엄격하고 꼼꼼했다.

strict [strikt] 형 (규칙 등이) 엄격한
rigid [rídʒid] 형 엄격한, 융통성이 없는
inflexible [infléksəbl] 형 융통성이 없는

1262

state
[steit]

동 말하다, 진술하다 명 [1]상태 [2]국가, 나라

One of the purposes of laughter is to communicate that one is in a playful **state**. 모의
웃음의 목적 중 하나는 어떤 사람이 명랑한 상태에 있다는 것을 전달하는 것이다.

1263

cynical
[sínikəl]

형 냉소적인, 부정적인

Pessimistic people tend to have a **cynical** attitude toward the world.
비관적인 사람들은 세상에 냉소적인 반응을 보이는 경향이 있다.

1264

spare
[spɛər]

형 남는, 여분의 동 (시간·돈 등을) 할애하다

I memorized English words using my **spare** time.
나는 여가 시간을 이용해 영어 단어를 외웠다.

1265

probability
[prɑ̀bəbíləti]

명 있을 법한 일, 개연성, 확률

Every earthquake actually increases the **probability** of more earthquakes.
모든 지진은 실제로 지진이 더 일어날 가능성을 높인다.

1266

vain
[vein]

형 [1]헛된, 소용없는 [2]자만심이 강한

I tried in **vain** to persuade him several times.
나는 그를 몇 번이나 설득하려고 노력했지만 소용없었다.

◎ **vainly** 부 헛되이 (= in vain)

함께 외우는 유의어

futile [fjú:tl] 형 헛된, 소용없는
conceited [kənsí:tid] 형 자만하는
arrogant [ǽrəgənt] 형 거만한

1267

accelerate
[æksélərèit]

동 가속화하다, 속도를 높이다

Human activities have been **accelerating** global warming and climate change.
인간의 활동은 지구 온난화와 기후 변화를 가속시켜 왔다.

1268

recess
[risés]

명 (의회·위원회 등의) 휴회 기간

They asked for a **recess** so they could get some air.
그들은 바람을 좀 쐴 수 있게 휴회를 요청했다.

1269

conclude
[kənklú:d]

동 끝내다, 결론을 내다

Whatever else one might **conclude** about self-government, it's at risk when citizens don't know what they're talking about. 모의
자치에 관해 다른 어떤 것으로 결론을 내리든, 시민들이 자신들이 말하고 있는 바를 모르는 경우는 위험하다.

◎ **conclusion** 명 결론

1270

dare
[dɛə*r*]

동 ~할 용기가 있다, 감히 ~하다

If you **dare** to take the initiative in self-revelation, the other person is much more likely to reveal secrets to you.
만약 당신이 용기를 내 먼저 자신을 드러내면 다른 사람은 당신에게 비밀을 드러낼 가능성이 훨씬 더 크다.

1271

deserve
[dizə́ːrv]

동 ~할 자격[가치]이 있다, 마땅히 ~할 만하다

I believe that this issue affects the safety of every driver or pedestrian who uses that intersection, so it **deserves** immediate attention. 모의

나는 이 문제가 그 교차로를 이용하는 모든 운전자 혹은 보행자의 안전에 영향을 주므로 즉각 주의를 기울여야 한다고 믿는다.

1272

embrace
[imbréis]

동 포옹하다, 받아들이다

This story might help you **embrace** any part of your identity that you struggle with.

이 이야기는 당신이 벗어나려 하는 당신 정체성의 어느 부분이라도 받아들이도록 도울 수 있을 것이다.

1273

flatter
[flǽtər]

동 아첨하다

We **flatter** ourselves by association with others' accomplishments. 모의

우리는 다른 사람들이 성취한 것과 관련지어서 자신을 치켜세운다.

- **flattery** 명 아첨

1274

fuse
[fjuːz]

명 퓨즈, 도화선 동 융합시키다

Joachim-Ernst Berendt points out that the ear is the only sense that **fuses** an ability to measure with an ability to judge. 수능

Joachim-Ernst Berendt는 귀가 측정 능력을 판단 능력과 결합하는 유일한 감각 기관이라고 지적한다.

- **fusion** 명 융합, 결합

1275

fume
[fjuːm]

동 씩씩대다, 연기를 내뿜다

She was **fuming** with frustration and anger.

그녀는 좌절감과 분노로 씩씩거렸다.

- **fumes** 명 유독 가스, 연기
- **be in a fume** 화가 나 있다

1276

career
[kəríər]

명 직업, 경력

You need to build new skills for the future **careers**.
여러분은 미래의 직업을 위해서 새로운 기술을 연마해야 한다.

1277

patent
[pǽtnt]

명 특허권 형 특허의

There are a number of conditions that must be satisfied in order to obtain a **patent**.
특허권을 얻기 위해 충족해야 할 조건이 매우 많다.

1278

marvel
[mɑ́ːrvəl]

명 경이, 놀라운 업적 동 경이로워 하다

When people in the future look back on 2020, what tool will they **marvel** that we functioned without?
미래의 사람들이 2020년을 되돌아볼 때, 그들은 우리가 어떤 도구 없이 생활했다는 사실에 경이로워할까?

시험 빈출 혼동 단어

1279

arise
[əráiz]
arose–arisen

동 일어나다, 발생하다, 생기다

A more extreme case **arises** when one person comprehends things in a peculiar and individual way. 모의
더 극단적인 사례가 발생하는 것은 사람이 특이하고 개성적인 방식으로 사물을 이해할 때이다.

1280

arouse
[əráuz]

동 [1](감정을) 자극하다 [2](잠에서) 깨우다

The dog is trained to become emotionally **aroused** by one smell versus another.
개는 다른 냄새와 대조하여 한 냄새에 감정적으로 자극을 받도록 훈련된다.

바로 테스트

정답 438쪽

영어는 우리말로, 우리말은 영어로 쓰세요.

01 edible
02 occupation
03 embrace
04 connotation
05 monologue
06 assurance
07 occupy
08 flatter
09 civilization
10 demonstrate
11 norm
12 plea
13 deserve
14 delight
15 endure
16 illusion
17 patent
18 longitude
19 accelerate
20 refugee

21 내구성이 있는
22 진실의, 진심의
23 좌절감을 주다
24 되풀이되는
25 헛된, 자만심이 강한
26 무단 침입하다
27 냉소적인
28 다루다; 손잡이
29 의식하지 못하는
30 포위하다
31 임금
32 화학의
33 떨다; 떨림
34 제거하다, 탈락시키다
35 말하다; 상태, 국가
36 있을 법한 일, 확률
37 대기, 분위기
38 한결같은, 변함없는
39 열망하다, 염원하다
40 경이, 놀라운 업적

괄호 안에서 알맞은 말을 고르세요.

41 All of us are born with various kinds of (aptitude / altitude).

42 The strange sound (arose / aroused) the curiosity of the neighbors.

DAY 33

5회독 체크

1281

expedition
[èkspədíʃən]

명 **탐험, 원정, 탐험대**

All of the eight **expeditions** to Everest attempted the mountain from the northern, Tibetan side. 수능

여덟 팀의 에베레스트 원정대는 모두 그 산의 북쪽, 즉 티베트 쪽으로부터 등반을 시도했다.

1282

faculty
[fǽkəlti]

명 **1 능력, 기능 2 학부, (학부의) 교수단**

The reason I want to enter that university is that they have an excellent **faculty**.

내가 그 대학에 들어가고 싶은 이유는 그 대학이 우수한 교수단을 가지고 있기 때문이다.

1283

origin
[ɔ́:rədʒin]

명 **기원, 출신**

A growing number of consumers want to know the **origin** of products that they are going to buy.

점점 더 많은 소비자들이 그들이 사려는 상품의 원산지를 알고 싶어 한다.

1284

authority
[əθɔ́:rəti]

명 **권위, 권한, 당국(-s)**

The pop up message says, "You don't have the authority to post a new message."

팝업 메시지에는 "당신은 새 글을 올릴 권한이 없습니다."라고 쓰여 있다.

◎ **authorize** 동 권한을 부여하다

1285

resilience
[rizíljəns]

명 **탄성, 회복력**

Resilience and strength are important qualities for an athlete.

탄력성과 힘은 운동선수에게 중요한 자질이다.

1286

sophisticated

[səfístəkèitid]

형 **세련된, 정교한**

Helping lower-ability students often pulls higher-ability students to a more **sophisticated** understanding of the material. 모의

수준이 낮은 학생들을 도와주는 것은 흔히 수준이 높은 학생들이 그 자료를 더 정교하게 이해하도록 이끈다.

함께 외우는 유의어

elaborate [ilǽbərət] 형 정교한
delicate [délikət] 형 섬세한, 세련된
refined [rifáind] 형 세련된, 정제된

1287

submerge

[səbmə́:rdʒ]

동 **잠수하다, 물속에 잠기다**

The treasure chest was **submerged** into the deep sea.

보물 상자는 깊은 바다에 잠겼다.

1288

subordinate

[səbɔ́:rdənət]

형 **종속된, 부수적인** 명 **부하, 하급자**

Subordinates are more restricted in where they can look and when. 수능

하급자들은 그들이 어디를 볼 수 있고 언제 볼 수 있는지에 있어 더 제한을 받는다.

◎ **subordinate to** ~에 속하는

1289

authentic

[ɔ:θéntik]

형 **진본인, 진품의, 진짜의**

It may look **authentic,** but if you look carefully, it's a fake.

이것이 진짜처럼 보일지도 모르지만, 자세히 살펴보면 가짜다.

◎ **authenticity** 명 확실성, 신뢰성

1290

slant
[slænt]

동 기울어지다, 비스듬해지다

The tower seems to **slant** a bit, but it's well-balanced.
그 탑은 비스듬해 보이지만 잘 균형이 잡혀 있다.

1291

aspect
[ǽspekt]

명 측면, 양상

To persuade other people of the value of their ideas is part of the practical **aspect** of creative thinking. 모의
자기 생각의 가치에 대해 다른 사람들을 설득하는 것은 창의적 사고의 실용적인 면의 일부이다.

1292

pastime
[pǽstàim]

명 취미, 기분전환

"Leisure" no longer meant participation in traditional sports and **pastimes**. 수능
'여가'는 더 이상 전통적인 스포츠와 취미 활동 참여를 의미하지 않았다.

1293

clue
[kluː]

명 단서, 실마리

Clues to past environmental change are well preserved in many different kinds of rocks. 모의
과거 환경 변화의 단서들은 다양한 종류의 암석에 잘 보존되어 있다.

1294

particular
[pərtíkjulər]

형 특정한, 특별한

The value of a **particular** food is based on its nutritional value.
특정 식품의 가치는 그것의 영양적 가치에 기반한다.

- **in particular** 특히

1295

petition
[pətíʃən]

명 진정(서), 탄원(서)

I signed my name on the **petition** against the policy.
나는 정책에 반대하는 탄원서에 서명했다.

1296

magnitude
[mǽgnətjùːd]

명 규모, (별의) 광도

Sometimes it takes several days to measure the **magnitude** of an earthquake.
때로 지진의 규모를 측정하는 데에 며칠이 걸리기도 한다.

1297

orbit
[ɔ́ːrbit]

명 궤도 동 궤도를 돌다

Now we are aiming to build our own space station to **orbit** the Earth.
이제 우리는 지구 궤도를 도는 우주 정거장을 건설하는 것을 목표로 한다.

1298

economic
[èkənɑ́mik]

형 경제의, 경제성이 있는

They want to slow technological advance by blocking **economic** growth. 수능
그들은 경제 성장을 저지하여 기술 진보를 늦추고 싶어 한다.

◎ **economics** 명 경제학 **economy** 명 경기, 경제, 절약

1299

textile
[tékstail]

명 직물, 옷감

Textiles and clothing have functions that go beyond just protecting the body. 모의
직물과 의복은 단지 몸을 보호하는 것 이상의 기능을 갖고 있다.

1300

texture
[tékstʃər]

명 감촉, 질감

Chop up the meat to make it have a smoother **texture** and fuller flavor.
고기를 잘게 다져서 더 부드러운 질감과 더 풍부한 맛을 갖게 해라.

1301

segmentation
[sègməntéiʃən]

명 분할, 분할된 부분

To increase the satisfaction of the customers, we must understand the **segmentation** of their data.
고객의 만족을 높이려면, 우리는 그들의 세분화된 정보를 이해해야 한다.

◎ **segment** 명 부분 동 분할하다

1302

worthwhile

[wə̀ːrθhwáil]

형 가치 있는, 훌륭한

It is **worthwhile** to read this book even though it is very thick.

이 책이 아주 두껍기는 하지만 읽을 만한 가치가 있다.

1303

liability

[làiəbíləti]

명 [1](법적) 책임, 부담, 채무(-s) [2](~한) 경향이 있음

They are not responsible for any financial **liabilities**.

그들은 어떠한 채무에도 책임이 없다.

1304

principal

[prínsəpəl]

형 주요한, 주된 명 학장

High school life soon proved as challenging as the **principal** had predicted. 수능

고등학교 생활은 교장 선생님이 예측했던 대로 도전적이라는 것이 곧 드러났다.

1305

essence

[ésns]

명 정수, 본질

A pet's continuing affection reassures them that their core **essence** has not been damaged. 수능

애완동물의 지속적인 애정은 그들의 핵심적인 본질이 손상되지 않았다고 안심시켜 준다.

◎ **essential** 형 필수적인

1306

segregation

[sègrigéiʃən]

명 (인종·종교·성별에 따른) 분리[차별] (정책)

Once racial and ethnic **segregation** is eliminated and people come together, they must learn to live with each other despite diverse cultural perspectives. 모의

인종적, 민족적 차별이 제거되고 사람들이 함께 하게 되면, 다양한 문화적 시각에도 불구하고 함께 사는 법을 배워야 한다.

◎ **segregate** 동 분리[차별]하다

1307

confess
[kənfés]

동 **자백하다, 고백하다, 인정하다**

He **confessed** that he was having trouble completing his tasks because of the volume of calls. 모의

그는 전화의 양 때문에 자신의 업무를 완수하는 데 어려움이 있다고 고백했다.

함께 외우는 유의어

admit [ədmít] 동 인정하다
disclose [disklóuz] 동 털어놓다, 밝히다
acknowledge [əknɑ́lidʒ] 동 인정하다, 시인하다

1308

prove
[pru:v]

동 **입증하다, 드러나다**

Reprocessing used nuclear fuel has **proved** expensive and can exacerbate the problem of disposal. 모의

사용한 핵 연료를 재처리하는 것은 비용이 많이 든다고 판명되었고 처리 문제를 악화시킬 수 있다.

1309

produce
[prədjú:s]

동 **생산하다, 만들어내다**

Activities drawn from false information **produce** failure. 모의

허위 정보에서 시작된 활동은 실패를 만들어낸다.

◎ **productive** 형 생산적인

1310

provoke
[prəvóuk]

동 **유발하다, 도발하다, 화나게 하다**

There are several ways to **provoke** reactions from your listener.

당신의 말을 듣는 사람에게서 반응을 끌어내는 여러 가지 방법이 있다.

◎ **provocation** 명 도발, 자극　**provocative** 형 도발[자극]적인

함께 외우는 유의어

irritate [írətèit] 동 짜증나게 하다
aggravate [ǽgrəvèit] 동 악화시키다, 화나게 하다

1311

breed

[briːd]

동 [1]새끼를 낳다, 번식시키다 [2]~을 야기하다

The salmon return to the river where they were born, and **breed**. 수능

연어는 그들이 태어났던 강으로 돌아가서 알을 낳는다.

◎ **breeding** 명 번식, 사육

1312

circulate

[sə́ːrkjulèit]

동 순환하다, 유포되다

The central bank decided to **circulate** the new and old coins together.

중앙은행은 새로운 동전과 오래된 동전을 함께 유통하기로 결정했다.

1313

deprive

[dipráiv]

동 빼앗다, 박탈하다

Because of his crime, he was eventually **deprived** of his citizenship.

그가 지은 범죄 때문에 그는 결국 시민권을 박탈당했다.

◎ **deprivation** 명 박탈, 부족　**deprived** 형 궁핍한, 불우한

◎ **deprive *A* of *B*** A에게서 B를 빼앗다

1314

enroll

[inróul]

동 등록하다, 입학시키다

We provide quality education to all students **enrolled** in our college.

우리는 우리 대학에 등록한 모든 학생에게 양질의 교육을 제공합니다.

함께 외우는 유의어

register [rédʒistər] 동 등록하다

apply [əplái] 동 지원하다, 신청하다

sign up (for) 신청하다, 가입하다

1315

recur

[rikə́ːr]

동 되풀이되다, 재발하다

She was determined to make her students understand that themes **recur** throughout a piece. 수능

그녀는 학생들에게 그 주제가 전 악보에 걸쳐 다시 나타나는 것을 이해시키려고 결심했다.

1316

obedient
[oubíːdiənt]

형 **순종적인, 복종하는**

In film, the laws of space and time, invariable and inescapable in actuality, become **obedient**. 수능

현실 상황에서는 변하지도 않고 벗어날 수도 없는 공간과 시간의 법칙들이 영화에서는 순종적이 된다.

◎ **disobedient** 형 반항하는

1317

obey
[oubéi]

동 **순종하다, 복종하다, (명령·법 등을) 따르다**

The drivers must **obey** the rules of the road.

운전자들은 도로 규칙을 반드시 따라야 한다.

1318

disobey
[dìsəbéi]

동 **불복종하다, 반항하다**

He often **disobeyed** his parents when he was younger.

그가 더 어렸을 때 부모님에게 종종 반항했다.

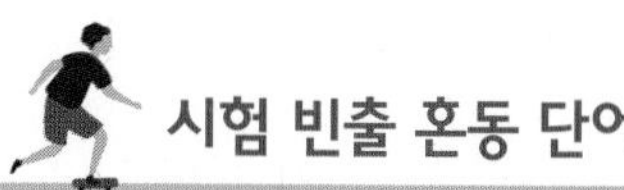

시험 빈출 혼동 단어

1319

evoke
[ivóuk]

동 **환기시키다, 일으키다**

Instead of evoking admiration of beauty, artists may **evoke** puzzlement, shock, and even disgust. 모의

아름다움에 대한 감탄을 불러일으키는 대신에, 예술가들은 어리둥절함, 충격, 심지어 혐오감을 불러일으킬 수도 있다.

◎ **evocation** 명 환기

1320

revoke
[rivóuk]

동 **폐지하다, 철회하다**

If you can't meet the required standards, your license will be **revoked**.

당신이 요구 기준을 충족하지 못하면 면허가 취소될 것이다.

DAY 34

5회독 체크

1321

fundamental
[fʌ̀ndəméntl]

형 근본적인, 핵심적인

They failed to understand the **fundamental** nature of causality. 수능
그들은 인과 관계의 근본적인 성질을 이해하지 못했다.

1322

empirical
[impírikəl]

형 경험에 의거한, 실증적인

The arguments for his theories are **empirical** rather than theoretical.
그의 이론에 대한 주장은 이론적이기보다는 실증적이다.

● **empirically** 부 경험적으로

1323

dual
[djú:əl]

형 둘의, 이중의

The government does not permit **dual** citizenship after the age of 21.
정부는 21살 이후에는 복수 시민권을 허가하지 않는다.

1324

individual
[ìndəvídʒuəl]

명 개인 형 개인의, 개별의

We respond strongly to aid a single **individual** in need.
우리는 어려움에 처한 한 개인을 돕기 위하여 강하게 반응한다.

1325

scoop
[sku:p]

명 [1]한 숟갈 [2](신문의) 특종

The reporter gained his reputation for celebrity **scoops**.
그 기자는 유명인들의 특종으로 명성을 얻었다.

1326

architecture
[ɑ́ːrkətèktʃər]

명 [1]건축(술), 건축학, 건축 양식 [2]구조

The functional **architecture** of the human brain results from a complex mixture of biological and cultural constraints. 수능

인간 두뇌의 기능적 구조는 생물학적, 문화적 제약의 복잡한 혼합물로부터 생겨났다.

1327

peculiar
[pikjúːljər]

형 이상한, 특유의

Living rock cactus is one of the most **peculiar** plants found in the desert. 모의

돌선인장은 사막에서 발견되는 가장 특이한 식물 중 하나이다.

○ **peculiarity** 명 특색, 특성 **peculiarly** 부 특히, 유별나게

1328

slumber
[slʌ́mbər]

명 잠, 수면 동 잠을 자다

The scientists hope that these volcanoes stay in a deep **slumber**, but they are aware that one just might rouse at any time.

과학자들은 이 화산들이 깊은 잠에 머물기를 희망하지만, 언제라도 깨어날 수 있다는 것을 알고 있다.

1329

snatch
[snætʃ]

동 잡아채다 명 잡아챔

My brother eagerly **snatched** the TV remote and changed the channel.

내 남동생은 열심히 TV 리모컨을 잡아채서 채널을 돌렸다.

1330

spouse
[spaus]

명 배우자

The employees and their **spouses** were invited to a party.

직원들과 그들의 배우자들은 파티에 초대되었다.

1331

pesticide
[péstisàid]

명 살충제

You can use ordinary vinegar in your garden as a natural **pesticide**.
정원에 천연 살충제로 일반적인 식초를 사용할 수 있다.

1332

priest
[priːst]

명 사제, 신부, 성직자

Among primitives, disease takes over the role played by policemen, judges, and **priests** in modern society. 수능
원시인들 사이에서 질병은 현대 사회의 경찰관, 재판관, 그리고 사제가 행하는 역할을 떠안는다.

1333

prominent
[prάminənt]

형 중요한, 눈에 잘 띄는, 유명한

Some **prominent** journalists say that archaeologists should work with treasure hunters. 수능
일부 저명한 언론인은 고고학자가 보물 사냥꾼과 협업해야 한다고 말한다.

함께 외우는 유의어

distinguished [distiŋgwiʃt] 형 두드러진, 뛰어난
eminent [émənənt] 형 저명한, 뛰어난
notable [nóutəbl] 형 주목할 만한, 유명한

1334

reflex
[ríːfleks]

명 반사 작용 형 반사적인

His quick **reflexes** saved a freshly baked pie from falling onto the floor.
그의 빠른 반사 신경이 갓 구운 파이를 바닥에 떨어지는 것으로부터 지켜냈다.

1335

jealous
[dʒéləs]

형 질투하는, 시샘하는

His friends and colleagues were **jealous** of his success.
그의 친구와 동료들은 그의 성공을 질투했다.

jealousy 명 질투, 시샘

1336

premier
[prímiər]

형 최고의, 제1의

This hotel chain is recognized for its **premier** facilities in the world.
이 호텔 체인은 세계에서 최고의 시설로 알려져 있다.

1337

testimony
[téstimòuni]

명 증거, 증언

Testimony from members of the Crow tribe about the destruction of their culture provides an extreme and tragic example of confirmation bias. 수능
Crow 부족 구성원들의 그들 문화의 파멸에 대한 증언은 확증 편향에 대한 극단적이고 비극적인 사례를 보여 준다.

- **testify** 동 증명하다, 증언하다

1338

investigate
[invéstəgèit]

동 수사하다, 조사하다

Some researchers **investigated** the effects of different media on children's ability to produce imaginative responses. 모의
어떤 연구원들은 서로 다른 미디어가 상상력이 풍부한 응답을 하는 어린이의 능력에 미치는 영향을 조사했다.

- **investigation** 명 수사, 조사
- **investigator** 명 수사관, 조사관

1339

warrant
[wɔ́:rənt]

명 (체포·수색 등을 허락하는) 영장

The judge issued arrest **warrants** for people at the crime scene.
판사는 범죄 현장에 있던 사람들에게 체포영장을 발부했다.

1340

warranty
[wɔ́ːrənti]

명 보증, 보증서

The product **warranty** says that they provide spare parts and materials for free, but charge for the engineer's labor.
제품 보증서에는 여분의 부품과 재료들은 무료로 제공하지만, 기사의 노동에 대해서는 비용을 부과한다고 되어 있다.

1341

custody
[kʌ́stədi]

명 [1]양육권, 보호권 [2]구류, 유치

The police said that the suspect of the case was under police **custody** for further investigation.

경찰은 그 사건의 용의자가 추가 조사를 위해 구류되어 있다고 말했다.

1342

residence
[rézidəns]

명 주택, 거주지, 거주

The herders will use part of the ranch as a contemporary **residence**.

양치기들은 목장의 일부를 일시적인 거주 공간으로 사용할 것이다.

- **reside** 동 살다
- **resident** 명 거주자

1343

liver
[lívər]

명 간

The **liver**, which converts the foods we eat into energy, is the largest solid organ in the human body.

간은 우리가 먹은 음식물을 에너지로 전환하는데, 그것은 인간의 몸에서 가장 큰 고형 장기다.

1344

reign
[rein]

명 (왕의) 통치 기간, 치세

France was in an extremely severe financial crisis during the **reign** of Louis XVI.

프랑스는 루이 16세의 통치 기간 동안 극도로 심각한 재정 위기 상태였다.

1345

scrub
[skrʌb]

동 문질러 씻다, 청소하다 명 [1]문질러 씻기 [2]덤불

I **scrubbed** the inside wall of the bathtub until it was clean.

나는 욕조 안쪽 벽이 깨끗해질 때까지 문질렀다.

1346

electronic
[ilektránik]

형 **전자의, 전자 공학의**

Electronic waste is becoming a serious issue around the world. 모의

전자 제품 폐기물이 전 세계적으로 심각한 문제가 되어 가고 있다.

◎ **electron** 명 전자

1347

aim
[eim]

동 **목표로 하다, 겨누다** 명 **목표, 겨냥**

The programming that children view alone tends to be specifically **aimed** at them. 모의

아이들만이 보는 시간대의 프로그램 편성은 그들을 특정해서 겨냥하는 경향이 있다.

◎ **aimless** 형 목적이 없는, 방향성을 잃은

1348

recognize
[rékəgnàiz]

동 **알아보다, 인식하다**

For this reason, **recognize** that our first impressions of others also may be perceptual errors. 모의

이런 이유로, 다른 사람들에 대한 우리의 첫인상도 인식상의 오류일 수 있음을 인정하라.

함께 외우는 유의어

identify [aidéntəfài] 동 확인하다
acknowledge [æknáːlidʒ] 동 인정하다
admit [ædmít] 동 인정하다

1349

consume
[kənsúːm]

동 **소모하다, 먹다[마시다]**

The salmon play a vital role in this area's ecosystem as a wide range of animals, as well as humans, **consume** them. 모의

인간 뿐만 아니라 매우 다양한 동물들이 연어를 먹기 때문에 연어는 이 지역의 생태계에서 매우 중요한 역할을 한다.

1350

retail
[ríːteil]

명 **소매** 동 **소매하다**

Prices in most **retail** outlets are set by the retailer. 모의

대부분의 소매점에서 가격은 소매상에 의해 결정된다.

1351

abound

[əbáund]

동 **많이 있다, 풍부하다**

This country **abounds** in beautiful forests and fields.
이 나라는 아름다운 숲과 들판이 가득하다.

◎ **abound in[with]** ~이 풍부하다, ~으로 가득하다

1352

conserve

[kənsə́ːrv]

동 **아끼다, 보호하다, 보존하다**

We must continue to **conserve** the environment for our future generations.
우리는 우리 미래 세대를 위해 계속해서 환경을 보존해야 한다.

1353

erupt

[irʌ́pt]

동 **분출하다**

The crowd **erupted** in "Ohhhhs!" 수능
사람들은 '오!'라는 소리를 터뜨렸다.

◎ **eruption** 명 폭발, 분출

1354

analyze

[ǽnəlàiz]

동 **분석하다, 검토하다**

It is not surprising that humans use all their five senses to **analyze** food quality. 수능
인간이 음식의 질을 분석하기 위해 오감을 모두 사용하는 것은 놀라운 일이 아니다.

1355

impel

[impél]

동 **(생각·감정 등이) 몰아대다, 강요하다**

She felt **impelled** to do something to release her stress.
그녀는 스트레스를 해소하기 위해 무언가를 해야 한다는 기분이 들었다.

1356

rage

[reidʒ]

명 **격노, 맹렬** 동 **몹시 화를 내다**

The public was overwhelmed with grief and **rage**.
대중은 깊은 슬픔과 격렬한 분노에 휩싸였다.

1357

encourage
[inkə́:ridʒ]

동 격려하다, 장려하다

Protecting the rights of authors will **encourage** the publication of new creative works.
작가의 권리를 보호하는 것은 새로운 창작물의 출판을 촉진할 것이다.

1358

ensure
[inʃúər]

동 안전하게 하다, 보장하다

Are you wondering how we **ensure** each fish has a safe journey? 수능
저희가 어떻게 각 물고기의 안전한 이동을 보장하는지 궁금하신가요?

함께 외우는 유의어

guarantee [gæ̀rəntí:] 동 보증하다
secure [sikjúər] 동 안전하게 하다, 보증하다
certify [sə́:rtəfài] 동 증명하다, 보증하다

1359

delegate
[déligèit]

명 대표, 대리인 동 위임하다, 파견하다

She attended the international symposium in London as a Korean **delegate**.
그녀는 런던에서 열린 국제 심포지엄에 한국 대표로 참석했다.

시험 빈출 다의어

1360

bid
[bid]
bid – bid

1 동 (경매에서) 값을 부르다

She **bid** 80 percent higher than the others for the painting.
그녀는 그 그림에 다른 사람들보다 80퍼센트 높은 값을 불렀다.

2 동 (인사를) 하다, 작별을 고하다

They **bid** farewell to each other at the end of the movie.
영화 마지막 부분에서 그들은 서로에게 작별을 고했다.

바로 테스트

정답 439쪽

영어는 우리말로, 우리말은 영어로 쓰세요.

01 segregation
02 peculiar
03 testimony
04 resilience
05 residence
06 recognize
07 segmentation
08 abound
09 prominent
10 investigate
11 custody
12 subordinate
13 authority
14 provoke
15 erupt
16 retail
17 conserve
18 expedition
19 warranty
20 worthwhile
21 질투하는
22 궤도; 궤도를 돌다
23 자백하다, 고백하다
24 측면, 양상
25 되풀이되다, 재발하다
26 경험에 의거한
27 잡아채다
28 진품의, 진짜의
29 개인; 개인의
30 단서, 실마리
31 세련된, 정교한
32 빼앗다, 박탈하다
33 목표로 하다; 겨냥
34 소모하다
35 순종적인, 복종하는
36 격려하다
37 (법적) 책임, 부담
38 기울어지다
39 정수, 본질
40 근본적인

괄호 안에서 알맞은 말을 고르세요.

41 His latest work (evoked / revoked) a very strong emotion in me.

42 **Bid** the highest price you would be willing to pay. (값을 부르다 / 인사를 하다)

DAY 35

5회독 체크

1361

sensation
[senséiʃən]

명 감각, 느낌, 센세이션

Many virtual reality games and rides now allow audiences and players to feel **sensations** of motion and touch. 모의
이제 많은 가상 현실 게임과 탈것들은 관객들과 이용자들에게 움직임과 촉감을 느끼게 해 준다.

◎ **sensational** 형 세상을 놀라게 하는, 선풍적인

1362

staple
[stéipl]

형 주된, 주요한 명 ㄷ자 모양의 철심

The result is that a **staple** crop, such as maize, is not being produced in a sufficient amount. 수능
결과적으로 옥수수와 같은 주요 작물은 충분한 양이 생산되지 못하고 있다.

1363

extent
[ikstént]

명 정도, 크기, 규모

It seems that most of us know how to fake our personalities to some **extent**. 수능
우리 대부분은 어느 정도까지는 성격을 속이는 방법을 알고 있는 것 같다.

1364

split
[split]

동 쪼개다, 나누다, 분열시키다

Groups with an even number of members may **split** into halves. 수능
구성원이 짝수인 집단은 반반으로 나뉠지도 모른다.

1365

subjective
[səbdʒéktiv]

형 주관적인, 개인적인

Your **subjective** judgment may put the patients at risk.
당신의 주관적인 판단이 환자들을 위험하게 할 수 있다.

◎ **objective** 형 객관적인

1366

timber
[tímbər]

명 **수목, 목재, 삼림**

Perceptions of forest use and the value of forests as standing **timber** vary considerably. 모의

서 있는 수목으로서의 숲의 사용과 숲의 가치에 대한 인식은 상당히 다양하다.

1367

tragic
[trǽdʒik]

형 **비극적인, 비극의**

This play is an enjoyable tale about a **tragic** life.

이 연극은 비극적인 삶에 관한 즐거운 이야기이다.

○ **tragedy** 명 비극

1368

combination
[kɑ̀mbənéiʃən]

명 **조합, 결합**

Most of the words we use and the meanings we think about are a **combination** of simpler ideas. 모의

대부분의 우리가 사용하는 단어들과 우리가 생각하는 의미들은 더 단순한 개념들의 조합이다.

1369

assistant
[əsístənt]

명 **조수, 보조**

The computers in the company crashed, and the research **assistant** called in sick with a severe case of the flu. 모의

회사의 컴퓨터들이 갑자기 고장이 났고, 연구 보조원은 심각한 독감 증세로 병가를 냈다.

1370

splash
[splæʃ]

동 **(물·흙탕물 등을) 끼얹다, (물·흙탕물 등이) 튀다**
명 **첨벙이는 소리, 얼룩, 방울**

I can play the film backward and see all the **splashes** of ice cream slurp themselves back into the dish. 모의

나는 그 필름을 거꾸로 틀어서 모든 아이스크림 방울들이 후루룩 소리를 내며 접시로 되돌아가는 것을 볼 수 있다.

1371

hostile

[hɑ́stil]

형 **적대적인, 강력히 반대하는**

He felt **hostile** to everyone around him when he first came here.

그는 처음에 여기에 왔을 때 주변의 모든 사람들에게 적대감을 느꼈다.

함께 외우는 유의어

unfriendly [ʌnfréndli] 형 불친절한
opposed [əpóuzd] 형 반대하는, 대립된
contrary [kɑ́ntreri] 형 ~와는 다른

1372

eminent

[émənənt]

형 **저명한, 탁월한**

What made him truly famous was his book *Lives of the Most **Eminent** Painters, Sculptors and Architects.* 수능

그를 진정으로 유명하게 만든 것은 〈가장 뛰어난 화가, 조각가, 건축가들의 생애〉라는 그의 책이었다.

1373

affair

[əfέər]

명 **일, 문제, 사건**

The family likes to watch current **affairs** TV shows on weekends.

그 가족은 주말에 TV 시사 프로그램을 즐겨 본다.

1374

inflation

[infléiʃən]

명 **인플레이션, 통화 팽창**

Inflation can be a major life concern for most people. 모의

인플레이션은 대부분의 사람들에게 삶의 주요한 걱정거리가 될 수 있다.

◎ **deflation** 명 디플레이션, 통화 수축

1375

hypothesis

[haipɑ́θisis]

명 **가설, 추측**

Scientific experiments should be designed to show that your **hypothesis** is wrong. 모의

과학 실험은 자신의 가설이 틀렸다는 것을 보여 주도록 설계되어야 한다.

1376

quest
[kwest]

명 탐구, 탐색 동 탐구하다, 탐색하다

There is nothing that can stop their **quest** to discover the truth.
아무것도 그들의 진실을 찾기 위한 탐색을 멈출 수 없다.

함께 외우는 유의어

pursuit [pərsúːt] 명 추구, 탐구
search [səːrtʃ] 명 수색 동 수색하다
chase [tʃeis] 동 추적하다, 추구하다

1377

aware
[əwɛ́ər]

형 알고 있는, ~한 의식이 있는

I become **aware** that I had no idea what I had just read. 모의
나는 방금 무엇을 읽었는지 전혀 기억나지 않는다는 것을 알아차렸다.

- **awareness** 명 인식, 자각
- **be aware of** ~을 알다 **be aware that** ~을 인지하다

1378

unaware
[ʌ̀nəwɛ́ər]

형 알지 못하는, 눈치 채지 못하는

Everyone was **unaware** of the change of her hairstyle.
모든 사람이 그녀의 헤어스타일 변화를 눈치 채지 못했다.

1379

prophetic
[prəfétik]

형 예언의, 예언적인

This book was one of the most famous **prophetic** books all over Europe.
이 책은 유럽 전역에서 가장 유명한 예언서 중 하나였다.

1380

prosecute
[prásikjùːt]

동 기소하다, 고발하다

The police think that they have enough evidence to **prosecute** him.
경찰은 그들이 그를 기소하기에 충분한 증거를 가지고 있다고 생각한다.

- **prosecutor** 명 검사, 검찰관

1381

intermediate
[ìntərmíːdiət]

형 **중간의, 중급의**

This class is appropriate for **intermediate** learners.
이 수업은 중급 학습자에게 알맞습니다.

1382

slight
[slait]

형 **약간의, 적은, 경미한**

The habitat of these trees is rocky areas where the precipitation is **slight**.
이 나무들의 서식지는 강수량이 적은 암석 지대이다.

- **slightly** 부 약간, 조금
- **make slight of** ~을 얕보다

1383

brutal
[brúːtl]

형 **잔인한, 악랄한, 혹독한**

He is still remembered as one of the most **brutal** leaders in history.
그는 여전히 역사상 가장 악랄한 지도자 중 하나로 기억되고 있다.

- **brutality** 명 잔인성, 야만성

1384

raw
[rɔː]

형 **익히지 않은, 날것의, 원자재의**

These roots of radishes are sweet enough to be eaten **raw**.
이 무의 뿌리는 생으로 먹을 만큼 충분히 달다.

1385

cheat
[tʃiːt]

동 **속이다, 부정한 짓을 하다**

Humans are so averse to feeling that they're being **cheated**. 모의
인간은 속고 있다고 느끼는 것을 매우 싫어한다.

1386

summon

[sʌ́mən]

동 **소환하다, 부르다, 요청하다**

He was **summoned** to court on the suspicion of art forgery.

그는 예술품 위조 혐의로 법원에 소환되었다.

◎ **summons** 명 소환(장), 호출

1387

scream

[skriːm]

동 **소리치다, 비명을 지르다** 명 **비명, 절규**

She let out a **scream** of pain and fear as she fell into the water. 모의

그녀는 물속으로 떨어지면서 고통과 두려움에 찬 비명을 질렀다.

1388

claim

[kleim]

동 **주장하다, 요구하다**

It has been **claimed** that no specific knowledge, or experience is required to attain insight in problematic situations. 모의

문제 상황에서 통찰력을 얻는 데에는 어떤 특정한 지식이나 경험도 요구되지 않는다고 주장되어 왔다.

1389

exclaim

[ikskléim]

동 **소리치다, 외치다**

"What a wonderful adventure!" I **exclaimed**. 수능

"얼마나 멋진 모험이야!"라고 나는 외쳤다.

◎ **exclamation** 명 1. 외침 2. 감탄사

1390

proclaim

[proukléim]

동 **선언하다, 분명히 나타내다**

President Lincoln **proclaimed** all slaves to be free in 1863.

링컨 대통령은 1863년 모든 노예를 해방한다고 선언했다.

◎ **proclamation** 명 선언서, 선포

1391

patrol
[pətróul]

동 **순찰을 돌다**

The community volunteers **patrol** the streets every night.
지역 자원봉사자들이 매일 밤 거리를 순찰한다.

1392

accommodate
[əkámədèit]

동 **수용하다, 공간을 제공하다**

Once construction is complete, there will be enough parking spaces to **accommodate** 100 cars. 수능
공사가 끝나면 100대의 차를 수용할 충분한 주차 공간이 마련될 것이다.

1393

persuade
[pərswéid]

동 **설득하다, 설득하여 ~하게 하다**

Thus, students need to learn how to **persuade** other people of the value of their ideas. 모의
그래서 학생들은 자기 생각의 가치에 대해 다른 사람들을 설득하는 법을 배울 필요가 있다.

함께 외우는 유의어

convince [kənvíns] 동 납득시키다, 설득하다
induce [indjúːs] 동 권유하다, 설득하다

1394

preach
[priːtʃ]

동 **설교하다, 전파하다**

The word "hypocrite" refers to someone who doesn't practice what they **preach**.
'위선자'라는 단어는 자신이 설교한 것을 실행하지 않는 사람을 의미한다.

preacher 명 전도사, 목사, 설교자

1395

scan
[skæn]

동 **살피다, 훑어보다** 명 **정밀 검사**

Scans showed that the more challenging prose and poetry set off far more electrical activity in the brain. 모의
정밀 검사는 더 어려운 산문과 시가 뇌 속에서 훨씬 더 많은 전기적 활동을 유발한다는 것을 보여주었다.

1396

falter
[fɔ́:ltər]

동 **흔들리다, 불안정해지다**

His optimistic attitude began to **falter** as he faced constant struggles.
계속되는 분투를 겪으며 그의 낙관적인 태도는 흔들리기 시작했다.

1397

consult
[kənsʌ́lt]

동 **상담하다, 상의하다**

Scientists and professionals emerge as the appropriate experts to be **consulted** in policy making. 수능
과학자와 종사자들이 정책 결정 과정에서 상담을 해 줄 적절한 전문가로 등장한다.

◎ **consultant** 명 상담가, 자문 위원

1398

devote
[divóut]

동 **바치다, 쏟다**

A good 25 percent of his athletic time was **devoted** to externals other than working out. 모의
그의 운동 시간 중 족히 25%는 운동이 아닌 외적인 것에 바쳐졌다.

◎ **devotion** 명 헌신

시험 빈출 혼동 단어

1399

uninterested
[ʌnintəréstid]

형 **흥미 없는, 무관심한**

Some people might seem **uninterested** in complicated problems.
어떤 사람들은 복잡한 문제에 관심이 없는 것처럼 보인다.

1400

disinterested
[disíntərèstid]

형 **객관적인, 사심이 없는**

You need to be **disinterested** to judge this situation fairly.
네가 이 상황을 공정하게 판단하게 위해서는 객관적이어야 한다.

DAY 36

5회독 체크

1401

meadow
[médou]

명 목초지, 초원

They hiked through a sprawling **meadow** that spanned both sides of the river.
그들은 강 양쪽으로 뻗어 나가는 초원을 통과하여 걸었다.

1402

overflow
[oúvərflou]

동 넘치다, 넘쳐 흐르다

This is now causing its own problems as storage ponds designed to store a few years' waste become filled or **overflowing**. 모의
몇 년 간의 폐기물을 저장하기 위해 만들어진 저장조가 가득 차거나 넘쳐나면서 이것이 이제 그 자체의 문제를 일으키고 있다.

1403

predator
[prédətər]

명 포식 동물, 약탈자

An animal in a group has a smaller chance of being the unlucky individual picked out by a **predator**. 모의
무리에 있는 동물은 포식자에게 선택되는 불운한 개체가 될 가능성이 더 적다.

1404

peer
[piər]

명 또래 동 눈여겨보다

It is important to draw a meaningful result from the experiment on **peer** group activities. 모의
또래 집단 활동에 관한 실험에서 의미 있는 결과를 도출하는 것이 중요하다.

1405

occasion
[əkéiʒən]

명 때, 기회, (특별한) 행사

One must select a particular strategy appropriate to the **occasion** and follow the chosen course of action. 모의
그 경우에 맞는 특별한 전략을 선정하고 선택된 행동 방침을 따라야 한다.

◎ **occasional** 형 가끔의

1406

erosion

[iróuʒən]

명 **침식, 부식, 풍화**

We need to determine whether topsoil **erosion** from agriculture is too great. 모의

농업으로 인한 표토(表土)의 침식이 너무 심한지를 밝혀야 한다.

1407

inference

[ínfərəns]

명 **추론**

I think he drew a quite reasonable **inference** based on what he discovered.

나는 그가 자신이 발견한 것에 근거하여 상당히 논리적인 추론을 했다고 생각해.

1408

contention

[kənténʃən]

명 **논쟁, 주장, 견해**

The land has been a bone of **contention** between the two cities for over a hundred years.

그 땅은 100년 넘게 두 도시 사이에서 논란거리이다.

함께 외우는 유의어

dispute [dispjúːt] 명 논란, 분쟁

argument [aːrgjúmənt] 명 논쟁, 주장

1409

literate

[lítərət]

형 **글을 읽고 쓸 줄 아는, 교육을 받은**

I was surprised that they were fully **literate** in Korean.

나는 그들이 한국어를 완벽히 읽고 쓴다는 것에 놀랐다.

1410

illiterate

[ilítərət]

형 **글을 모르는, 문맹의**

Symbols and pictures are displayed next to the letters to aid the **illiterate** citizens.

기호와 그림이 글을 모르는 시민들을 돕기 위해 글자 옆에 보여진다.

◎ **illiteracy** 명 문맹

1411

friction
[fríkʃən]

명 마찰, (의견) 충돌

They figured out a way to reduce the **friction** between surfaces to make movement easier.
그들은 움직임을 더 쉽게 하기 위해 표면 사이의 마찰을 줄이는 방법을 생각해 냈다.

1412

faithful
[féiθfəl]

형 충실한, 충직한

Dogs are deeply **faithful** to their owner.
개는 그들의 주인에게 매우 충실하다.

● **faith** 명 믿음, 신뢰

1413

parasitic
[pæ̀rəsítik]

형 기생충에 의한

This disease is caused by a **parasitic** infection.
이 질병은 기생충에 의한 감염으로 발생한다.

● **parasite** 명 기생충

1414

opportunity
[ɑ̀pərtjúːnəti]

명 기회

She then has the **opportunity** to offer some amount of money to her partner. 모의
그러고 나서 그녀는 자기 짝에게 그 돈의 일부를 주는 기회를 가진다.

1415

frontier
[frʌntíər]

명 국경, 변경, 한계

Warming may ease extreme environmental conditions, expanding the production **frontier**. 수능
온난화는 극한의 환경 조건을 완화시켜 생산 한계 지역을 넓혀줄지도 모른다.

1416

apply
[əplái]

동 ¹지원하다, 신청하다 ²적용하다

I'm not qualified to **apply** for the position. 수능

나는 그 자리에 지원할 자격이 되지 않는다.

함께 외우는 유의어

use [ju:z] 동 사용하다
employ [implɔ́i] 동 쓰다, 이용하다
implement [ímpləmənt] 동 시행하다

1417

applicant
[ǽplikənt]

명 지원자

All **applicants** for this scholarship need to provide two letters of recommendation instead of one. 모의

이 장학금의 모든 지원자는 한 부가 아닌, 두 부의 추천서를 내야 합니다.

1418

application
[æ̀pləkéiʃən]

명 ¹지원(서), 신청(서) ²적용, 응용 ³응용 프로그램, 애플리케이션

Fill out and submit the online **application** by tomorrow.

내일까지 온라인 신청서를 작성하고 제출하시오.

1419

cohesion
[kouhí:ʒən]

명 결합력, 응집력, 결속

The voters were trying to build social **cohesion**. 수능

투표자들은 사회적 결속을 형성하려고 애쓰고 있었다.

◎ **cohesive** 형 접착력 있는, 결합력 있는

1420

strip
[strip]

동 (껍질 따위를) 벗기다
명 길고 가느다란 조각, (상점 등이 양쪽에 늘어선) 거리

Each year more farmland was devoured to build **strip** malls and neighborhoods with larger homes. 수능

매년 더 많은 농경지가 쇼핑센터와 더 커진 집들이 들어선 주택 지구를 건설하느라 소실됐다.

◎ **comic strip** 만화

1421

trivial
[tríviəl]

형 사소한, 하찮은

Something that appears **trivial** is not always less powerful.
사소해 보이는 것이 항상 덜 강력하지는 않다.

1422

turnover
[tə́ːrnòuvər]

명 [1]매출액 [2]이직률 [3]회전율

The annual **turnover** of the firm has increased over the past decade.
그 회사의 연간 매출액은 지난 십 년 동안 증가했다.

1423

ultimate
[ʌ́ltəmət]

형 궁극적인, 최후의 명 궁극의 것, 최후의 수단

Our ultimate goal is to win the World Cup.
우리의 궁극적인 목표는 월드컵 우승이다.

1424

evolution
[èvəlúːʃən]

명 진화

Evolution works to maximize the number of descendants that an animal leaves behind. 수능
진화는 동물이 남기는 후손들의 수를 최대화하기 위해 작용한다.

1425

evidence
[évədəns]

명 증거

Scientists have good **evidence** that this apparent difference is real. 수능
과학자들은 이 겉으로 보이는 차이가 진짜라는 좋은 증거를 갖고 있다.

◎ **evident** 형 분명한

1426

prosperity
[prɑːspérəti]

명 번영, 번성, 번창

Those foundations supported various programs designed to increase economic **prosperity** in the region.
그 재단들은 지역 내에서 경제적 번영을 증진하기 위해 고안된 다양한 프로그램을 지원했다.

1427

encompass
[inkʌ́mpəs]

동 포함하다, 아우르다, 둘러싸다

This category is too limited to **encompass** all the different cultural products. 모의

이 범주는 모든 다양한 문화적 산물을 아우르기에는 너무 제한적이다.

함께 외우는 유의어

cover [kʌ́vər] 동 포함하다, 다루다
enclose [inklóuz] 동 둘러싸다
surround [səráund] 동 둘러싸다

1428

enchant
[intʃǽnt]

동 황홀하게 만들다, 마법을 걸다

The audience was completely **enchanted** by their performance.

관객들은 그들의 공연에 완전히 매혹되었다.

1429

promote
[prəmóut]

동 [1]촉진하다 [2]홍보하다 [3]승진시키다

This tour program aims to **promote** students' interest in history.[1]

이 여행 프로그램은 학생들의 역사에 대한 관심을 증진시키는 것을 목표로 한다.

She will soon be **promoted** to assistant manager.[3]

그녀는 곧 부팀장으로 승진될 것이다.

1430

arrange
[əréindʒ]

동 정돈하다, 배치하다, (미리) 정하다

We will match you with a perfect tutor and contact you to **arrange** your schedule. 수능

우리는 여러분을 완벽한 교습자와 연결시키고, 일정을 정하도록 여러분에게 연락을 드릴 것입니다.

◎ **arrangement** 명 정돈, 준비, 조정

1431

fold
[fould]

동 접다

Some butterflies **fold** their wings to look like the dead leaves they rest on. 수능

어떤 나비들은 자신들이 앉아 있는 죽은 나뭇잎처럼 보이도록 자신들의 날개를 접는다.

1432

retire
[ritáiər]

동 은퇴하다, 퇴직하다, 경기를 그만두다

There are millions of workers who **retired** with pensions during the 1960s and 1970s. 모의

1960년대와 1970년대에 연금을 받고 퇴직한 수백만 명의 근로자들이 있다.

1433

proficiency
[prəfíʃənsi]

명 숙달, 능숙

The experts think it takes four to five years to reach a base level of **proficiency**.

전문가들은 기본적으로 능숙한 수준에 도달하려면 4년에서 5년이 걸린다고 생각한다.

1434

pretend
[priténd]

동 ~인 척하다, 가식적으로 행동하다

I'll sit in the chair beside the table and **pretend** nothing's there. 수능

나는 탁자 옆 의자에 앉아서 거기에 아무것도 없는 척 할게요.

- **pretense** 명 겉치레, 가식, 핑계
- **pretension** 명 허세, 가식

1435

comfort
[kʌ́mfərt]

명 위로, 위안, 안락 동 위로하다, 위안하다

As the opposite of local networks, cosmopolitan networks have little capacity to **comfort** and sustain members. 모의

지역 네트워크의 반대 개념으로서의 범세계적인 네트워크는 구성원들을 위로하고 지탱할 능력이 거의 없다.

1436

intrude
[intrúːd]

동 침범하다, 방해하다

Sudden, loud noises of something falling **intruded** into their quiet conversation.
무언가 떨어지는 갑작스러운 큰 소리는 그들의 조용한 대화를 방해했다.

1437

incorporate
[inkɔ́ːrpərèit]

동 [1]통합시키다 [2]설립하다

There is strong research evidence that children perform better in mathematics if music is **incorporated** into it. 모의
음악이 수학에 통합되면 어린이들이 수학을 더 잘한다는 강력한 연구 증거가 있다.

1438

speculate
[spékjulèit]

동 [1]추측하다 [2]투기하다

Many food historians **speculate** that bouillabaisse originates in ancient Greece.
많은 음식 역사가들은 부야베스가 고대 그리스에서 기원한다고 추측한다.

시험 빈출 혼동 단어

1439

domestic
[dəméstik]

형 국내의, 가정의

More than half of the **domestic** flights were cancelled due to the storm.
절반이 넘는 국내 항공편이 폭풍우로 인해 결항되었다.

1440

dominant
[dɑ́mənənt]

형 우세한, 지배적인, 우성의

Science confirms that those who are **dominant** have more freedom in using eye-gaze behavior. 수능
과학은 권력이 있는 사람들이 눈으로 응시하는 행위를 할 때 더 많은 자유를 갖는다는 것을 입증한다.

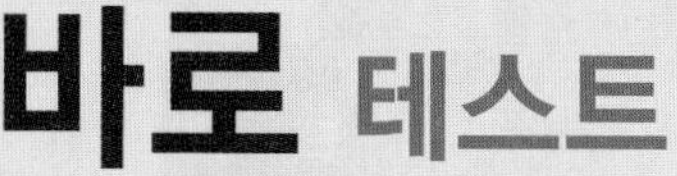

바로 테스트

정답 439쪽

영어는 우리말로, 우리말은 영어로 쓰세요.

01 hostile
02 inference
03 speculate
04 evolution
05 encompass
06 brutal
07 proclaim
08 summon
09 eminent
10 exclaim
11 cohesion
12 trivial
13 occasion
14 proficiency
15 contention
16 falter
17 ultimate
18 sensation
19 faithful
20 prosecute
21 탐구; 탐색하다
22 중간의, 중급의
23 번영, 번성
24 글을 모르는, 문맹의
25 바치다, 쏟다
26 수용하다
27 주관적인
28 기회
29 침식, 부식
30 설득하다
31 알고 있는
32 정도, 규모
33 가설, 추측
34 예언의
35 매출액, 이직률
36 조합, 결합
37 포식 동물, 약탈자
38 침범하다, 방해하다
39 지원자
40 황홀하게 만들다

괄호 안에서 알맞은 말을 고르세요.

41 Referees should be (uninterested / disinterested) during the match.

42 Our new technology achieved a (domestic / dominant) position in the world.

DAY 37

5회독 체크

1441

ban
[bæn]

동 **금지하다** 명 **금지**

Recently in the United States, 50 psychologists signed a petition calling for a **ban** on the advertising of children's goods. 모의

최근 미국에서는 50명의 심리학자가 아동 상품 광고 금지를 요구하는 청원서에 서명했다.

1442

noble
[nóubl]

형 **고결한, 귀족의**

He thinks that their attitude about goals and ambitions is **noble**.

그는 그들의 목표와 포부에 대한 태도가 고결하다고 생각한다.

1443

sophomore
[sɑ́fəmɔ̀ːr]

명 **(고교·대학교) 2학년생** 형 **2학년생의**

It is the last exam of my **sophomore** year.

그것은 나의 2학년 마지막 시험이다.

1444

spear
[spiər]

명 **창** 동 **찌르다, 찍다**

Hunting these fast animals with **spear** or bow and arrow is an uncertain task. 수능

이런 빠른 동물을 창이나 활과 화살로 사냥하는 것은 불확실한 일이다.

1445

penalty
[pénəlti]

명 **처벌, 위약금**

The death **penalty** is a very controversial issue.

사형은 매우 논란이 되는 문제이다.

- **penalize** 동 처벌하다, 벌칙을 부과하다
- **pay the penalty** 대가를 치르다

1446

abstract
[ǽbstrækt]

형 **추상적인, 관념적인** 명 **추상화**

The photograph was one cause of painting's moving away from direct representation to **abstract** painting. 수능
사진은 회화가 직접적 묘사에서 추상화로 옮겨 가게 한 하나의 원인이었다.

◎ **abstraction** 명 추상적 개념, 관념

1447

machinery
[məʃíːnəri]

명 **기계류, 장치**

Managers of each department must make sure that all equipment and **machinery** are safely stored. 모의
각 부서의 관리자들은 모든 장비와 기계류가 안전하게 보관되어 있는지 확실히 해야 한다.

1448

longevity
[lɑndʒévəti]

명 **장수**

The turtle is a symbol of **longevity** and good fortune in some cultures.
어떤 문화에서는 거북이 장수와 행운의 상징이다.

1449

support
[səpɔ́ːrt]

동 **지지하다, 후원하다** 명 **지지, 지원**

Your donations will help **support** children in our community who may not be able to afford books. 모의
귀하의 기부는 책을 살 여유가 없을지도 모르는 우리 지역 사회의 어린이를 지원하는 데 도움이 될 것입니다.

함께 외우는 유의어

assist [əsíst] 동 돕다
maintain [meintéin] 동 부양하다, 유지하다
sustain [səstéin] 동 떠받치다, 부양하다

1450

swift
[swift]

형 **신속한, 빠른**

The family wanted to praise the **swift** actions of the doctors and nurses at the hospital.
그 가족들은 병원의 의사와 간호사들의 신속한 행동을 칭찬하고 싶어 했다.

1451

tempt
[tempt]

동 유혹하다, 부추기다

Temporocentrism and ethnocentrism **tempt** moderns into unjustified criticisms of the peoples of the past. 수능
자기시대중심주의와 자기민족중심주의는 현대인들이 과거의 민족들에 대한 정당하지 않은 비판에 빠지도록 부추긴다.

1452

malfunction
[mælfʌ́ŋkʃən]

명 고장 동 제대로 작동하지 않다

The newly-installed app might cause the **malfunction**.
새로 설치된 프로그램이 고장을 일으켰을지도 모른다.

◎ **function** 명 기능 동 기능하다

1453

prolific
[prəlífik]

형 [1]다산의, 비옥한 [2]다작의

Van Gogh is one of the most **prolific** painters of all time.
반 고흐는 역대 가장 많은 작품을 남긴 화가 중 한 명이다.

함께 외우는 유의어

fertile [fə́:rtl] 형 비옥한
fruitful [frú:tfəl] 형 비옥한, 다산의
abundant [əbʌ́ndənt] 형 풍부한

1454

purifier
[pjúrifaiər]

명 정화 장치

The portable water **purifier** was invented for countries with a water shortage.
휴대용 정수기는 물 부족 국가를 위해서 발명되었다.

◎ **purify** 동 정화하다, 정제하다

1455

province
[prάvins]

명 [1]주, 지방 [2]분야

The **province** is heavily forested and difficult to access.
그 지방은 숲이 매우 울창하고 접근하기 어렵다.

◎ **provincial** 형 지방의

1456

perception
[pərsépʃən]

명 지각, 인식

Most people's **perception** in these matters is not very sharp. 모의
이러한 문제에 대한 대부분의 사람들의 인식은 그다지 날카롭지 않다.

◎ **perceive** 동 지각하다, 이해하다

1457

humiliation
[hjuːmìliéiʃən]

명 굴욕, 창피

That scene might remind you of the experience of **humiliation** in the eighth grade.
그 장면은 당신에게 8학년 때의 굴욕적인 경험을 상기시킬지도 모른다.

1458

utmost
[ʌ́tmoust]

형 최고의, 극도의

The engineer said artificial intelligence is of the **utmost** importance in future technology.
엔지니어는 인공지능이 미래 기술에서 가장 중요하다고 말했다.

함께 외우는 유의어

maximum [mǽksəməm] 형 최대의
supreme [suprí:m] 형 최고의
extreme [ikstrí:m] 형 극도의

1459

conscious
[kánʃəs]

형 의식하는, 자각하는

The man fainted for a few seconds and became **conscious**.
그 남자는 몇 초 동안 기절했다가 의식을 찾았다.

1460

unconscious
[ʌnkánʃəs]

형 의식을 잃은, 무의식적인 명 무의식

He is reacting to inner processes whose origin may be buried deep in his **unconscious**. 수능
그는 그 기원이 자신의 무의식 안에 깊이 묻혀 있을지도 모르는 내면의 과정에 반응하고 있다.

1461

seal
[siːl]

동 봉하다 명 [1]직인, 봉랍 [2]바다표범

People used the melted wax to **seal** an envelope more securely.
사람들은 봉투를 더 안전하게 봉하기 위해서 녹인 밀랍을 사용했다.

1462

forefather
[fɔ́ːrfɑ̀ːðər]

명 조상, 선조

We pay tribute to our **forefathers** who formed the foundation for everything.
우리는 모든 것의 기반을 만든 우리 선조들에게 경의를 표한다.

1463

offspring
[ɔ́ːfsprìŋ]

명 자식, 자손, (동물의) 새끼

In the twelfth to thirteenth centuries there appeared the first manuals teaching "table manners" to the **offspring** of aristocrats. 모의
12세기에서 13세기에 귀족의 자녀들에게 '식탁 예절'을 가르치는 최초의 안내서가 등장했다.

1464

logic
[lάdʒik]

명 논리, 논리학

Don't apply the same **logic** to others that you do to yourself.
다른 사람에게 스스로에게 할 때와 같은 논리를 적용하지 마라.

◎ **logical** 형 논리적인, 타당한

1465

volunteer
[vɑ̀ləntíər]

명 자원 봉사자 동 자진하여 하다

The students signed up to **volunteer** at the film festival.
학생들은 영화제에서 자원 봉사를 하려고 신청했다.

1466

interact

[íntərǽkt]

동 상호 작용을 하다, 교류하다

When people **interact** with someone whom they do not foresee meeting again, they have little reason to search for positive qualities. 모의

사람들은 다시 만날 것이 예견되지 않는 이와 교류할 때, 긍정적인 자질을 찾을 이유가 거의 없다.

1467

embody

[imbɑ́di]

동 [1]구현하다 [2]포함하다

The fantastical animals such as the unicorn and dragon all **embodied** lessons about humanity.

유니콘이나 용 같은 환상의 동물들은 모두 인류에 관한 교훈을 구현했다.

함께 외우는 유의어

symbolize [símbəlàiz] 동 상징하다
represent [rèprizént] 동 나타내다
stand for ~을 상징하다

1468

delete

[dilíːt]

동 삭제하다

Those websites **deleted** some of the photos quickly for privacy issues.

그 웹사이트들은 사생활 보호 문제로 일부 사진들을 빠르게 삭제했다.

1469

populate

[pɑ́pjulèit]

동 살다, 이주시키다

The city is **populated** by approximately 720,000 residents.

그 도시에는 대략 72만 명의 주민이 살고 있다.

● **population** 명 인구, 주민

1470

reside

[rizáid]

동 살다, 거주하다

He does not live in his home but has **resided** abroad for many years.

그는 고향에 살지 않고 외국에서 여러 해 거주하고 있다.

1471

avenge
[əvéndʒ]

동 **복수하다**

The brothers have waited long to **avenge** their family.
그 형제들은 가족의 복수를 하기 위해 오랫동안 기다려왔다.

1472

flourish
[flə́:riʃ]

동 **번창하다, 잘 자라다**

They believed that the business would **flourish** if they signed the contract.
그들은 그 계약을 하면 사업이 번창할 것이라고 믿었다.

1473

prosper
[práspər]

동 **번영하다, 번성하다**

After World War I, the world economy seemed to **prosper**.
제 1차 세계대전 후, 세계 경제는 번영하는 것처럼 보였다.

함께 외우는 유의어

thrive [θraiv] 동 번영하다
progress [prágres] 동 전진하다

1474

detest
[ditést]

동 **혐오하다, 미워하다**

Racism, which is still happening in many places, is something people all **detest**.
인종차별은 여전히 여러 장소에서 벌어지고 있으나 모든 사람들이 혐오하는 것이다.

detestation 명 혐오, 증오   **detestable** 형 혐오스러운

1475

ransom
[rǽnsəm]

명 **몸값** 동 **몸값을 지불하다**

The kidnapper is demanding a large **ransom**.
그 납치범은 많은 몸값을 요구하고 있다.

1476

auction
[ɔ́:kʃən]

명 경매 동 경매로 팔다

The antique violin was sold at a charity **auction** for a high price.
그 골동품 바이올린은 자선 경매에서 높은 가격에 팔렸다.

1477

pitch
[pitʃ]

명 [1]경기장 [2]정점 동 내던지다

Imagine that two baseballs are **pitched** to two different batters.
두 개의 야구공이 두 명의 서로 다른 타자에게 던져진다고 상상해 보라.

1478

engross
[ingróus]

동 집중시키다, 몰두하게 만들다

They were more and more **engrossed** in the movie.
그들은 점점 더 영화에 몰두했다.

시험 빈출 혼동 단어

1479

eradicate
[irǽdəkèit]

동 근절하다, 뿌리뽑다

The international organization has been attempting to **eradicate** global poverty.
그 국제기구는 전 세계의 빈곤을 근절하려고 시도해 오고 있다.

○ **eradication** 명 근절, 퇴치

1480

predicate
[prédəkèit]

동 [1]단정하다 [2]근거를 두다

The development project was **predicated** on the growth of a large population.
그 개발 프로젝트는 많은 인구의 성장에 근거를 두고 있었다.

○ **predication** 명 단정, 단언

DAY 38

5회독 체크

1481

variable
[vɛ́riəbl]

형 변하기 쉬운, 가변성의 명 변수

When you plan a hiking trip, consider **variable** weather conditions.
도보 여행을 계획할 때에는 변하기 쉬운 기상 조건을 고려해라.

invariable 형 변함없는, 변하지 않는

1482

various
[vɛ́riəs]

형 여러 가지의, 다양한

Mathematics is related to music in **various** ways.
수학은 여러 가지 면에서 음악과 관련이 있다.

variety 명 여러 가지, 다양성

1483

spontaneous
[spɑntéiniəs]

형 자발적인, 즉흥적인

Emily made a **spontaneous** decision to travel to Paris tomorrow.
Emily는 내일 파리로 여행을 떠나는 즉흥적인 결정을 했다.

1484

stout
[staut]

형 [1]통통한, 튼튼한 [2]용감한

The two men opened the **stout** wooden door.
두 남자는 튼튼한 나무문을 열었다.

1485

procedure
[prəsíːdʒər]

명 [1]절차, 진행 [2]수술

A learner acquires new knowledge or skills by building on more basic information and **procedures**. 모의
학습자는 더 기본적인 정보와 절차를 기반으로 하여 새로운 지식이나 기술을 습득한다.

1486

combatant
[kəmbǽtənt]

명 **전투원, 전투 부대**

Hundreds of **combatants** and civilians were killed in the battle.
수백 명의 전투원과 민간인이 그 전투에서 사망했다.

● **combat** 명 전투 동 싸우다, 투쟁하다

1487

architect
[ɑ́ːrkətèkt]

명 **설계자, 건축가**

Architects might study the domes and internal structures of seashells to design the curves.
건축가는 곡선을 설계하려고 조개껍질의 돔과 내부 구조를 연구할지도 모른다.

● **architecture** 명 건축학, 건축 양식

1488

option
[ɑ́pʃən]

명 **선택, 선택권**

The exercises are devised to eliminate different **options** and to focus on predetermined results. 수능
훈련은 다양한 선택지를 없애고 미리 정해진 결과에 집중하도록 고안된다.

● **optional** 형 선택적인

함께 외우는 유의어

preference [préfərəns] 명 선호, 선택
alternative [ɔːltə́ːrnətiv] 명 대안

1489

harassment
[hərǽsmənt]

명 **괴롭힘**

Bullying, stalking, and other forms of **harassment** are serious problems in our society.
약자를 괴롭히는 것, 남을 따라다니며 괴롭히는 것, 그리고 그 외의 다른 종류의 괴롭힘이 우리 사회의 심각한 문제이다.

● **harass** 동 괴롭히다

1490

exhausted
[igzɔ́ːstid]

형 **지친**

Daniel is often late for classes and seems **exhausted**. 모의
Daniel은 수업에 자주 지각하고 지쳐 보인다.

1491

elastic
[ilǽstik]

형 탄력 있는, 융통성이 있는 명 고무 밴드

They mainly used **elastic** weapons such as bows and catapults.
그들은 활과 투석기와 같은 탄력 있는 무기를 주로 사용했다.

● **elasticity** 명 탄성, 탄력

1492

decrease
[dikríːs]

동 줄다, 줄이다 명 감소, 축소

Many animals **decrease** their activity in the heat and increase it in the cold. 모의
많은 동물이 더울 때에는 활동을 줄이고 추울 때에는 활동을 늘린다.

함께 외우는 유의어

dwindle [dwíndl] 동 줄어들다
shrink [ʃriŋk] 동 줄어들다
reduce [ridjúːs] 동 줄이다

1493

mechanic
[məkǽnik]

명 [1]정비사, 수리공 [2]역학, 기계학(-s)

To be a **mechanic**, you should have a strong knowledge of automotive parts.
정비사가 되기 위해서는 자동차 부품에 관한 탄탄한 지식이 있어야 한다.

● **mechanical** 형 기계 장치의, 기계로 작동되는

1494

drowsy
[dráuzi]

형 졸리는, 나른하게 만드는

The relaxing lullaby made the baby **drowsy**.
나른한 자장가는 아기를 졸리게 만들었다.

1495

asset
[ǽset]

명 자산, 재산

Remember, your family is your greatest **asset**.
가족이 여러분의 가장 큰 자산이라는 것을 기억하세요.

1496

consensus

[kənsénsəs]

명 **의견 일치, 합의**

The assumption behind those theories is that disagreement is not right and **consensus** is the desirable state of things. 모의

그런 이론들의 배경에 있는 전제는 의견 차이는 잘못된 것이고 의견 일치가 바람직한 상황이라는 것이다.

1497

swap

[swap]

동 **바꾸다, 교환하다**

For better health, you might **swap** honey for sugar when drinking coffee.

당신은 건강을 위해서 커피를 마실 때 설탕 대신 꿀을 넣을지도 모른다.

1498

interval

[íntərvəl]

명 **간격, 휴지기, 중간 휴식 시간**

They were shown six-letter sequences, with letters being presented visually at **intervals** of three-fourths of a second. 수능

그들에게 여섯 개의 글자를 연속으로 보여 줬는데, 글자들은 3/4초 간격으로 눈에 보이게 제시되었다.

1499

strength

[streŋkθ]

명 **힘, 강도, 장점**

Free time without feelings of guilt will give you the **strength** to do high-quality work in the remaining time. 수능

죄책감을 느끼지 않는 자유로운 시간은 여러분에게 남아 있는 시간에 우수한 작업을 해내는 힘을 줄 것이다.

1500

strengthen

[stréŋkθən]

동 **강화하다, 튼튼하게 하다**

Getting enough sleep helps **strengthen** your memory. 모의

충분한 수면을 취하는 것은 기억력을 강화하는 데 도움이 된다.

1501

suburban
[səbə́:rbən]

형 [1]교외의 [2]평범한, 따분한

My grandparents moved to a **suburban** neighborhood last year.
나의 조부모님은 작년에 교외 지역으로 이사하셨다.

◎ **suburb** 명 교외, 근교

1502

tenant
[ténənt]

명 세입자, 소작인 동 세 들어 살다, 소작하다

The **tenants** were having difficulties with the stairs.
그 세입자들은 계단을 이용하는 데 곤란을 겪고 있었다.

1503

revolve
[rivɑ́lv]

동 회전하다, 공전하다

The reason why the planets **revolve** around the Sun is gravity.
행성들이 태양 주위를 공전하는 이유는 중력 때문이다.

1504

increase
[inkríːs]

동 증가하다 명 증가

Sugary foods can keep you awake because they **increase** your blood sugar. 모의
설탕이 든 음식은 혈당을 증가시키기 때문에 당신을 깨어있게 할 수 있다.

함께 외우는 유의어

raise [reiz] 동 올리다, 높이다
expand [ikspǽnd] 동 확대하다
escalate [éskəlèit] 동 단계적으로 상승하다
multiply [mʌ́ltəplài] 동 증가하다, 증식하다

1505

improvise
[ímprəvàiz]

동 즉석에서 하다

He had persuaded the Opera House to host a late-night concert of **improvised** jazz. 수능
그가 오페라 하우스를 설득해 즉흥 재즈 연주의 심야 콘서트를 주최했다.

1506

define
[difáin]

동 정의하다, 규정하다

Whitman **defined** poetic fame in relation to the crowd. 모의
Whitman은 군중과 관련하여 시적 명성을 정의했다.

◎ **definition** 명 정의

1507

conquer
[káŋkər]

동 정복하다, 극복하다

It is said that poverty and hunger have never been **conquered** in the region.
빈곤과 기아는 그 지역에서 정복된 적이 없다고 한다.

◎ **conquest** 명 정복

1508

acknowledge
[əknálidʒ]

동 인정하다, 승인하다

Wood is a material that is widely **acknowledged** to be environmentally friendly. 모의
목재는 환경친화적이라고 널리 인정받고 있는 자재이다.

1509

cite
[sait]

동 [1]인용하다, 언급하다 [2]소환하다

If you **cite** too much from books in your essay, the professor may fail you.
만약 당신이 과제물에 책을 너무 많이 인용한다면, 교수가 당신을 낙제시킬 지도 모른다.

1510

associate
[əsóuʃièit]

동 연상하다, 결합시키다

The progress of technology has always been closely **associated** with everyday life.
기술의 발전은 언제나 일상생활에 밀접하게 연관되어 왔다.

◎ **association** 명 협회, 제휴

1511

acquire

[əkwáiər]

동 습득하다, 획득하다

To **acquire** all this knowledge and information, organizations must rely on the data that they store. 모의

이 모든 지식과 정보를 얻기 위해 조직은 그들이 저장하는 데이터에 의존해야 한다.

◎ **acquisition** 명 습득

1512

revere

[rivíər]

동 숭배하다, 경외하다

The athlete is **revered** and even worshiped as a national hero.

그 운동선수는 국가적 영웅으로 존경받고 심지어 숭배된다.

◎ **reverence** 명 숭배, 존경

1513

glare

[glɛər]

동 [1]노려보다 [2]눈부시게 빛나다

He could barely keep his eyes open because the snow **glared** in the sunlight.

그는 눈이 햇살에 눈부시게 빛나서 눈을 거의 뜨지 못했다.

1514

chant

[tʃænt]

명 노래, 구호 동 부르다, 일제히 외치다

As people **chanted** my name, I was carried off the field on the shoulders of my teammates. 모의

사람들이 내 이름을 일제히 외칠 때 나는 팀 동료들의 어깨 위에 실려 경기장 밖으로 옮겨졌다.

1515

reinforce

[rì:infɔ́:rs]

동 강화하다, 증강하다

High-ability students can **reinforce** their own knowledge by teaching those with lower ability. 모의

상위 수준 학생들은 보다 낮은 수준 학생들을 가르치면서 자신의 지식을 강화할 수 있다.

1516

compel

[kəmpél]

동 강요하다

Fear often turns you away from truth and **compels** you to lie to others.

공포는 종종 당신이 진실로부터 등돌리게 하고 다른 사람들에게 거짓말을 하도록 강요한다.

● **be compelled to** ~하도록 강요받다

1517

manifest

[mǽnəfèst]

동 나타내다, 분명해지다

Emotional eaters **manifest** their problems in lots of different ways. 수능

감정적으로 먹는 사람들은 여러 다양한 방법으로 그들의 문제를 나타낸다.

● **manifesto** 명 선언문, 성명서

1518

refer

[rifə́ːr]

동 1참조하다, 조회하다 2언급하다

Today the term artist is used to **refer** to a broad range of creative individuals across the globe. 모의

오늘날 예술가라는 단어는 전 세계에 걸쳐 넓은 범위의 창의적인 개인을 지칭하는 데에 사용된다.

시험 빈출 혼동 단어

1519

successful

[səksésfəl]

형 성공한, 성공적인

Before they get to work, they look at last year's program, which was very **successful**. 수능

일에 착수하기 전에 그들은 작년 프로그램을 살펴보는데, 그것은 매우 성공적이었다.

1520

successive

[səksésiv]

형 연속적인, 잇따른

She was so exhausted because she took classes seven **successive** days.

그녀는 7일 연속으로 수업을 들어서 매우 지쳤다.

바로 테스트

DAY 37-38

정답 439쪽

영어는 우리말로, 우리말은 영어로 쓰세요.

01 exhausted
02 procedure
03 reinforce
04 harassment
05 acknowledge
06 conquer
07 embody
08 compel
09 perception
10 noble
11 asset
12 variable
13 various
14 seal
15 abstract
16 define
17 manifest
18 malfunction
19 flourish
20 interact
21 다산의, 다작의
22 노려보다
23 의식하는
24 자발적인, 즉흥적인
25 연상하다, 결합시키다
26 굴욕, 창피
27 졸리는, 나른하게 만드는
28 살다, 거주하다
29 금지하다; 금지
30 간격, 중간 휴식 시간
31 회전하다, 공전하다
32 조상, 선조
33 집중시키다
34 참조하다, 언급하다
35 논리, 논리학
36 교외의, 평범한
37 의견 일치, 합의
38 유혹하다
39 신속한, 빠른
40 혐오하다

괄호 안에서 알맞은 말을 고르세요.

41 Vaccination (eradicated / predicated) measles from many countries.

42 Passwords cannot contain three or more (successful / successive) characters.

DAY 39

5회독 체크

1521

merit
[mérit]

명 장점, 가치

This enormous painting is a work of great artistic **merit**.
이 거대한 그림은 대단히 예술적인 가치를 지닌 작품이다.

1522

ultraviolet
[ʌ̀ltrəváiəlit]

형 자외선의 명 자외선

Exposure to **ultraviolet** radiation is a major risk factor for most skin cancers.
자외선 노출은 대부분의 피부암의 주요 위험 요인이다.

1523

slam
[slæm]

동 쾅 닫다, 세게 내려놓다 명 쾅 (하는 소리)

A burst of wind **slammed** the door right back, and it hit him hard. 모의
갑작스러운 바람에 문이 바로 쾅 하고 닫혀서 그에게 세게 부딪혔다.

1524

static
[stǽtik]

형 고정된, 정지된 명 정전기, 잡음

It must be emphasized that tradition was not **static**, but constantly subject to minute variations. 모의
전통은 고정된 것이 아니라 아주 작은 변화를 끊임없이 겪었다는 것이 강조되어야 한다.

1525

subtract
[səbtrǽkt]

동 빼다, 공제하다

Subtract 2 from 6, then divide by 2. What will you get?
6에서 2를 뺀 다음, 2로 나누어라. 얼마인가?

◎ **subtraction** 명 빼기, 공제

1526

survey

명 [sə́ːrvei]
동 [sərvéi]

명 조사, 개관 동 조사하다, 살피다

I'll share my **survey** results on people's opinions about eating insects. 수능

나는 곤충을 먹는 것에 대해 사람들의 의견을 조사한 결과를 공유할 것이다.

1527

transform

[trænsfɔ́ːrm]

동 변형시키다, 바꾸다, 변하다

This captured information is **transformed** into knowledge that is eventually used to trigger actions or decisions. 모의

이 수집된 정보는 결국 행동이나 결정을 촉발하는 데 사용되는 지식으로 변형된다.

함께 외우는 유의어

change [tʃeindʒ] 동 변하다, 변화시키다
alter [ɔ́ːltər] 동 개조하다, 달라지다
convert [kənvə́ːrt] 동 전환하다

1528

translate

[trænsléit]

동 번역[통역]하다, 해석[설명]하다

Victor **translated** his storybook into English for his young American nephews.

Victor는 어린 미국인 조카들을 위해 자신의 이야기책을 영어로 번역했다.

1529

component

[kəmpóunənt]

명 구성 요소, 성분

This program lasts for six weeks and consists of three different **components**. 모의

이 프로그램은 6주 동안 지속되고, 세 개의 상이한 요소로 구성된다.

1530

abrupt

[əbrʌ́pt]

형 ¹갑작스러운, 돌연한 ²퉁명스러운

Sometimes the variation is as subtle as a pause, but other times it is obvious and **abrupt**. 모의

때때로 그 변화는 잠깐 멈추는 것처럼 미묘하지만 어떤 때에는 분명하고 갑작스럽다.

◎ **abruption** 명 (갑작스러운) 분리, 중단

1531

mandatory
[mǽndətɔ̀:ri]

형 의무적인, 법에 정해진

We are familiar with the **mandatory** nutritional information placed on food products. 모의

우리는 식료품에 표기된 의무적인 영양 정보에 익숙하다.

함께 외우는 유의어

obligatory [əblígətɔ̀:ri] 형 의무적인
compulsory [kəmpʌ́lsəri] 형 강제의, 필수의
required [rikwáiərd] 형 필수의

1532

drift
[drift]

명 이동, 표류　동 떠가다, 표류하다

It is too easy to **drift** through school and college going with the crowd. 모의

사람들에 휩쓸려 학창시절을 목적 없이 표류하며 보내기는 너무나 쉽다.

1533

capable
[kéipəbl]

형 유능한, ~을 할 수 있는

You know you are quite **capable** of expressing your thoughts and ideas in front of others.

너는 네가 다른 사람들 앞에서 네 생각과 아이디어를 표현할 충분한 능력이 있다는 것을 알고 있다.

◎ **incapable** 형 ~을 할 수 없는

1534

organism
[ɔ́:rgənìzm]

명 유기체, 생물

Food intake is essential for the survival of every living **organism**.

음식물 섭취는 모든 생물의 생존에 필수적이다.

1535

dismal
[dízməl]

형 음울한, 침침한

The prospects of economic growth for the coming year remain **dismal**.

다가오는 해의 경제 성장의 전망은 여전히 우울하다.

1536

latitude
[lǽtətjùːd]

명 위도

It was assumed that Virginia would have the same climate as the Mediterranean region of Europe, since it lay at similar **latitudes**. 모의

버지니아는 유럽의 지중해 지역과 비슷한 위도에 놓여 있었기 때문에 그 지역과 똑같은 기후를 가질 것이라고 추정되었다.

◎ **longitude** 명 경도

1537

eternal
[itə́ːrnəl]

형 영원한, 끝없는

The first emperor of the Qin dynasty wanted to find the secret to **eternal** life.

진 왕조의 첫 황제는 영원한 삶의 비밀을 찾기를 원했다.

◎ **eternity** 명 영원, 불멸

1538

vicious
[víʃəs]

형 잔인한, 포악한

The island was protected from the destruction of humankind by **vicious** ocean currents. 모의

그 섬은 사나운 해류에 의해 인간의 파괴로부터 보호를 받았다.

1539

awkward
[ɔ́ːkwərd]

형 어색한, 불편한

When every now and then his kicking became **awkward** and noisy, Margo ordered him to stop. 수능

가끔 그의 발차기가 어색하거나 요란해질 때 Margo는 그에게 그만하라고 지시했다.

1540

notify
[nóutəfài]

동 알리다, 통지하다

A battery indicator **notifies** users when the machine will soon need to be charged.

배터리 표시 장치는 기계가 곧 충전이 필요할 때 사용자에게 알린다.

◎ **notification** 명 알림, 통지

1541

estate
[istéit]

명 토지, 사유지, 재산

Her family has owned a large **estate** in New Jersey.
그녀의 가족은 뉴저지에 넓은 토지를 소유해 왔다.

◎ **real estate** 부동산

1542

section
[sékʃən]

명 부문, 구획

Everything in our bedroom **section** is on sale now. 모의
침실 부문에 있는 모든 것이 현재 할인 판매 중입니다.

1543

intricate
[íntrikət]

형 복잡한, 난해한

Mastering an **intricate** musical passage could be a best moment for a violinist. 수능
바이올린 연주자에게는 복잡한 악절을 완벽하게 숙달하는 것이 최고의 순간일 수 있다.

◎ **intricacy** 명 복잡함

1544

territory
[térətɔ̀ːri]

명 영토, 지역, 영역

You have to venture beyond the boundaries of your current experience and explore new **territory**. 수능
여러분은 현재 경험의 한계 너머로 나아가서 새로운 영역을 탐사해야 한다.

1545

availability
[əvèiləbíləti]

명 유효성, 가능성, 이용할 수 있는 것[사람]

The desert locust lives differently depending on the **availability** of food sources. 모의
사막 메뚜기는 식량원의 유효성에 따라 다르게 산다.

◎ **available** 형 이용할 수 있는, (시간이 있어) 만날 수 있는

1546

ally

동 [əlái]
명 [ǽlai]

동 동맹을 맺게 하다 명 동맹국, 협력자

They were unable to block unfavorable policies for lack of ties to possible **allies** in the city.

그들은 도시 안의 잠재적인 협력자들과의 결속이 부족해서 불리한 정책을 저지할 수 없었다.

◎ **alliance** 명 동맹, 연합

1547

replicate

[répləkèit]

동 모사하다, 복제하다

Over the past 60 years, mechanical processes have **replicated** behaviors and talents we thought were unique to humans. 수능

지난 60년 동안, 기계식 공정이 인간에게만 있다고 우리가 생각한 행동과 재능을 복제해 왔다.

◎ **replica** 명 복제품

1548

encounter

[inkáuntər]

동 우연히 만나다, 부딪히다 명 마주침

Listeners or readers bring their own perspectives to the language they **encounter**.

청자나 독자는 그들이 맞닥뜨리는 언어에 자신들만의 관점을 부여한다.

1549

confront

[kənfrʌ́nt]

동 맞서다, 직면하다

One of the mistakes we often make when **confronting** a risk situation is our tendency to focus on the end result. 수능

우리가 위험 상황에 직면할 때 자주 저지르는 실수 중의 하나는 우리가 마지막 결과에 초점을 맞추는 경향이 있다는 것이다.

1550

prevent

[privént]

동 막다, 예방하다

Pride **prevents** individuals from experiencing their true value or the true value of others.

자만심은 개인이 자신의 진정한 가치나 다른 사람들의 진정한 가치를 경험하지 못하게 한다.

1551

limp
[limp]

동 다리를 절다

The player is **limping** off with an ankle injury.
그 선수는 발목 부상으로 다리를 절뚝거리고 있다.

1552

contain
[kəntéin]

동 [1]포함하다 [2](감정을) 억누르다

Lemonade is the perfect refreshment on a sunny day, and it also **contains** a lot of vitamin C. 모의
레모네이드는 화창한 날에 완벽한 음료이며, 또한 비타민C를 다량 함유하고 있다.

1553

constitute
[kánstitjùːt]

동 구성하다, ~이 되다

Our total set of values and their relative importance to us **constitute** our value system. 모의
우리가 가진 가치 전부와 우리에게 있어 그것들의 상대적 중요성이 우리의 가치 체계를 구성한다.

함께 외우는 유의어

compose [kəmpóuz] 동 구성하다 comprise [kəmpráiz] 동 구성하다
make up ~을 이루다 consist of ~으로 이루어지다

1554

remain
[riméin]

동 남다, 여전히 ~이다

She wished all the memories would **remain** in her mind forever. 수능
그녀는 모든 추억이 자신의 마음속에 영원히 남기를 바랐다.

1555

appear
[əpíər]

동 나타나다, ~인 것처럼 보이다

Surprises can fall from the sky like volcanic ash and **appear** to change everything. 수능
놀라운 일이 화산재처럼 하늘에서 떨어질 수도 있고, 모든 것을 변화시키는 것처럼 보일 수도 있다.

◎ **appearance** 명 겉모습, 외모
◎ **disappear** 동 사라지다

1556

exaggerate
[igzǽdʒərèit]

동 과장하다

The importance of the leisure activities can hardly be **exaggerated**. 수능

여가 활동의 중요성은 아무리 강조해도 지나치지 않다.

1557

distress
[distrés]

명 고통, 고민 동 괴롭히다

When we are unable to set healthy limits, it causes **distress** in our relationships. 수능

건전한 한계를 설정할 수 없을 때, 그것은 우리의 관계에 고통을 야기한다.

1558

conceal
[kənsíːl]

동 감추다, 숨기다

The novel, Georg Lukács argues, "seeks, by giving form, to uncover and construct the **concealed** totality of life" in the interiorized life story of its heroes. 모의

소설은 주인공들의 내면화된 삶의 이야기에서 '삶의 숨겨진 전체를 형식을 제공함으로써 드러내고 구성하고자 한다'고 Georg Lukács는 주장한다.

시험 빈출 혼동 단어

1559

wonder
[wʌ́ndər]

동 궁금해하다 명 경탄, 경이

I **wonder** if he has any experience in speech contests. 모의

나는 그가 웅변대회 경험이 있는지 궁금하다.

1560

wander
[wɑ́ndər]

동 돌아다니다, 헤매다

As a matter of fact, one should break away from experience and let the mind **wander** freely. 모의

사실은, 경험에서 벗어나 마음이 자유롭게 돌아다니도록 해야 한다.

DAY 40

5회독 체크

1561

charity
[tʃǽrəti]

명 자선 단체, 자선

All exhibits are for sale, and all money raised will be donated to **charity**. 수능

모든 전시품은 판매되며, 마련된 기금은 모두 자선단체에 기부될 것입니다.

◎ **charitable** 형 자선의, 너그러운

1562

stumble
[stʌ́mbl]

동 발이 걸리다, 비틀거리다

The horse **stumbled** for a moment and then went back into a run.

그 말은 잠시 비틀거리다가 다시 달리기 시작했다.

1563

summit
[sʌ́mit]

명 (산의) 정상, 정점

Many climbers were keen to reach the **summit** of Mount Everest.

많은 등산가들이 에베레스트산 정상에 도달하기를 간절히 바랐다.

1564

thrift
[θrift]

명 절약, 검약

Financial prosperity comes with their **thrift** and hard work.

경제적 번영은 그들의 절약과 근면함으로 이루어진다.

1565

upright
[ʌ́pràit]

형 똑바로 선, 꼿꼿한

Standing **upright**, he battled the wave all the way back to the shore. 수능

그는 해안으로 되돌아오는 내내 똑바로 선 채로 파도와 싸웠다.

1566

vocation
[voukéiʃən]

명 **천직, 소명 의식**

Choosing a **vocation** suitable for me is difficult.
나에게 딱 맞는 천직을 고르는 것은 어렵다.

1567

wrinkle
[ríŋkl]

명 **주름** 동 **주름이 지다, 주름을 잡다**

The **wrinkles** of the topography are alternatively lit and shaded. 수능
그 지형의 주름에 번갈아 빛이 비치고 그늘이 진다.

1568

yearn
[jəːrn]

동 **동경하다, 갈망하다**

I deeply **yearned** to find a new path as I grew older.
나는 나이가 들면서 새로운 길을 찾기를 깊이 갈망했다.

◎ **yearning** 명 동경, 갈망

함께 외우는 유의어

ache [eik] 동 열망하다
desire [dizáiər] 동 몹시 바라다
long [lɔːŋ] 동 간절히 바라다

1569

nomad
[nóumæd]

명 **유목민**

The **nomad** had a brief pause at an oasis for water.
유목민은 물을 마시기 위해 오아시스에 잠시 멈췄다.

◎ **nomadic** 형 유목의, 방랑의

1570

canal
[kənǽl]

명 **1운하, 수로 2(체내의) 관**

The **canal** is now used for tourists and families who want to go boating.
그 운하는 이제 뱃놀이를 하고 싶어 하는 관광객과 가족들을 위해 사용된다.

1571

racist
[réisist]

명 인종 차별주의자 형 인종 차별의

Being a counselor does not mean that you should simply be silent when someone tells a **racist** joke. 수능

상담사가 된다는 것이 누군가가 인종 차별주의적인 농담을 할 때 그저 침묵해야 한다는 것을 의미하지는 않는다.

◎ **racial** 형 인종의, 인종 간의

1572

cognition
[kagníʃən]

명 인식, 인지

We can argue that tool-making, one of the fundamental distinguishing features of primate **cognition**, depends on this ability to manipulate and transform. 모의

우리는 영장류의 인지력에서 본질적인 우수한 특성 중 하나인 도구 제작이 조작하고 변형하는 이러한 능력에 달려 있다고 주장할 수 있다.

◎ **cognitive** 형 인식의, 인지의

1573

ideology
[àidiálədʒi]

명 이념, 관념

The very trust that this apparent objectivity inspires is what makes maps such powerful carriers of **ideology**. 수능

이러한 외견상의 객관성이 불러일으키는 바로 그 신뢰성이 지도를 매우 강력한 이념 전달의 도구로 만드는 것이다.

1574

profile
[próufail]

명 1 옆모습, 윤곽 2 개요 동 인물을 소개하다

The users can edit their **profile** before they upload it.

사용자들은 그들의 프로필을 올리기 전에 편집할 수 있다.

1575

clumsy
[klʌ́mzi]

형 어설픈, 서투른

In the realm of psychological experience, quantifying units of time is a considerably **clumsier** operation. 수능

심리적 경험의 영역에서는 시간의 단위를 수량화하는 것이 상당히 어설픈 작업이다.

1576

demonstration
[dèmənstréiʃən]

명 [1]시위 [2]입증, 설명

One of the instructors gave a **demonstration** of how to use fitness equipment.
강사 중 한 명은 어떻게 운동기구를 사용해야 하는지 시연했다.

함께 외우는 유의어

march [mɑːrtʃ] 명 가두 시위
protest [próutest] 명 항의, 시위
performance [pərfɔ́ːrməns] 명 수행
explanation [èksplənéiʃən] 명 설명, 해명

1577

molecule
[máləkjùːl]

명 분자

Vaccines typically contain a disabled microbial invader or shards of its **molecules**.
전형적으로 백신은 무능력해진 미생물 침입자나 그 분자 조각을 포함한다.

1578

complementary
[kɑ̀mpləméntəri]

형 상호 보완적인

The two machines should not be viewed as substitutes for one another, but as **complementary**.
두 기계는 서로 대체하는 것이 아닌, 상호 보완적인 것으로 보아야 한다.

1579

feminine
[fémənin]

형 여성의, 여성스러운

Critiques of mass culture seem to bring to mind a disrespectful image of the **feminine** to represent the depths of the corruption of the people. 모의
대중문화의 비평들은 사람들의 타락의 심연을 나타내기 위해 여성성의 경멸적 이미지를 상기시키는 것 같다.

1580

surgeon
[sə́ːrdʒən]

명 외과의사

The **surgeon** performed a procedure to close the wound.
외과의사는 상처를 닫기 위해 수술을 했다.

- **surgery** 명 수술
- **physician** 명 내과의사

1581

laboratory

[lǽbrətɔ̀:ri]

명 **실험실**

What happens in somebody's **laboratory** is only one stage in construction of a scientific truth. 모의

어떤 사람의 실험실에서 일어나는 일은 과학적 진실을 구성하는 하나의 단계일 뿐이다.

1582

experiment

[ikspérəmənt]

명 **실험**

In science, one **experiment** is logically followed by another in a theoretically infinite progression. 모의

과학에서는 논리적으로 하나의 실험에 또 다른 실험이 이론적으로 무한히 진행되어 뒤따른다.

1583

advance

[ədvǽns]

동 **전진하다, 진보하다** 명 **전진, 진보**

Technological **advances** have led to a dramatic reduction in the cost of processing and transmitting information. 모의

기술적인 발전은 정보 처리와 전달 비용의 극적인 감소를 가져왔다.

1584

discard

[diskɑ́:rd]

동 **버리다, 폐기하다** 명 **버린 것**

He saw a **discarded** book lying on the seat next to him. 모의

그는 버려진 책 한 권이 자기 옆자리에 놓여 있는 것을 보았다.

함께 외우는 유의어

abandon [əbǽndən] 동 버리다, 버리고 떠나다
dump [dʌmp] 동 내버리다
drop [drɑp] 동 떨어뜨리다

1585

fate

[feit]

명 **운명**

The insects have developed various ways of defending themselves to avoid this **fate**. 수능

곤충들은 이런 운명을 피하고자 자신을 방어하는 다양한 방법을 발전시켰다.

fatal 형 치명적인

1586

lodge
[lɑdʒ]

명 오두막, 수위실 동 숙박하다, 머무르다

They bought the old **lodge** near the lake, and they worked hard to make it habitable.

그들은 호수 근처의 낡은 오두막을 사서 살 만한 곳으로 만들기 위해 열심히 일했다.

- **lodging** 명 하숙, 임시 숙소

1587

regulate
[régjulèit]

동 규제하다, 조절하다

Dairy products help the body make a hormone that helps **regulate** sleep. 모의

유제품은 몸이 수면을 조절하는 것을 돕는 호르몬을 만들도록 돕는다.

- **regulation** 명 규정, 규제
- **deregulate** 동 규제를 철폐하다

1588

confine
[kənfáin]

동 한정하다, 가두다

He contracted a strange illness that **confined** him to well-heated rooms for the rest of his life. 수능

그는 그의 여생 동안 난방이 잘 된 방에 그를 가둔 이상한 질병에 걸렸다.

1589

overlap
[òuvəlǽp]

동 겹치다, 포개다

The living rock cactus has triangular tubercles that **overlap** in a star-shaped pattern. 모의

돌선인장은 별 모양의 패턴으로 겹치는 삼각형의 작은 돌기를 가지고 있다.

1590

overwhelm
[òuvərhwélm]

동 압도하다, 제압하다

These locusts gather in vast groups, feed together, and **overwhelm** their predators simply through numbers. 모의

이 메뚜기들은 거대한 무리를 이루고, 함께 먹고, 순전히 개체수로 포식자들을 압도한다.

1591

establish
[istǽbliʃ]

동 **설립하다, 수립하다**

The two countries **established** a mutual trade agreement.
양국은 상호 무역 협정을 수립했다.

◎ **establishment** 명 기관, 시설 **established** 형 인정받는

1592

resign
[rizáin]

동 **사임하다, 물러나다**

As the company's financial problems worsened, several managers **resigned**.
회사의 재정 문제가 악화되자 몇몇 관리자들이 사임했다.

1593

obsess
[əbsés]

동 **사로잡다, 강박감을 갖다**

Scientists, especially young ones, can get too **obsessed** with results. 수능
과학자들, 특히 젊은 과학자들은 결과에 지나치게 집착할 수 있다.

1594

cooperate
[kouάpərèit]

동 **협력하다, 협조하다**

Archaeologists are not asked to **cooperate** with tomb robbers, who also have valuable historical artifacts. 수능
고고학자는 도굴꾼과 협력하도록 요구받지 않지만, 도굴꾼들도 가치 있는 역사적 유물을 가지고 있다.

1595

enable
[inéibl]

동 **~을 할 수 있게 하다**

The small bodies of some ants **enable** them to quickly disappear by running into even the smallest holes. 수능
어떤 개미의 작은 몸은 그들로 하여금 아주 작은 구멍에라도 재빨리 기어들어가 신속하게 사라지는 것을 가능하게 해 준다.

함께 외우는 유의어

allow [əláu] 동 허락하다
permit [pərmít] 동 허락하다
qualify [kwάləfài] 동 자격을 주다
authorize [ɔ́:θəràiz] 동 권한을 부여하다

1596

conduct

[kəndʌ́kt]

동 [1]수행하다 [2]지휘하다

The above graph shows the results of a survey **conducted** in 2012. 수능

위의 도표는 2012년에 시행된 한 조사의 결과를 보여 준다.

1597

inspire

[inspáiər]

동 고무하다, 영감을 주다

Moreover, the desire to make money can challenge and **inspire** us. 수능

더욱이, 돈을 벌고자 하는 욕구는 우리를 도전하게 하고 영감을 줄 수 있다.

1598

conspire

[kənspáiər]

동 음모를 꾸미다, 공모하다

They **conspired** to steal the secret recipe to sell to other restaurants.

그들은 다른 식당에 팔기 위해 요리 비법을 훔치려고 음모를 꾸몄다.

◎ **conspiracy** 명 음모

시험 빈출 반의어

1599

overstate

[òuvərstéit]

동 과장하다, 과장하여 말하다

The company had cooked its books to **overstate** its profitability in its mandated reports. 모의

그 회사는 법에 규정된 보고서에서 자신들의 수익성을 과장하기 위해 장부를 조작했다.

1600

understate

[ʌ̀ndərstéit]

동 축소해서 말하다, 줄잡아 말하다

They **understated** the potential risks of the event.

그들은 사건의 잠재적인 위험성을 축소해서 말했다.

정답 440쪽

영어는 우리말로, 우리말은 영어로 쓰세요.

01 component
02 yearn
03 fate
04 intricate
05 clumsy
06 obsess
07 distress
08 regulate
09 abrupt
10 conspire
11 inspire
12 dismal
13 thrift
14 drift
15 conduct
16 eternal
17 confront
18 constitute
19 prevent
20 discard
21 인식, 인지
22 상호 보완적인
23 설립하다
24 장점, 가치
25 우연히 만나다
26 변형시키다
27 의무적인, 법에 정해진
28 모사하다, 복제하다
29 협력하다, 협조하다
30 고정된, 정지된
31 과장하다
32 전진하다; 전진
33 동맹을 맺게 하다
34 압도하다
35 여성의
36 알리다, 통지하다
37 자선 단체
38 감추다, 숨기다
39 한정하다
40 천직, 소명 의식

괄호 안에서 알맞은 말을 고르세요.

41 The child (wandered / wondered) in the woods while everyone was looking for him.

42 Sometimes people (overstate / understate) their ability not to do the work.

DAY 41

5회독 체크

1601

trail

[treil]

명 ¹자국, 흔적 ²산길, 오솔길 동 끌다, 추적하다

We offer a **trail** tour every Saturday from June to September. 모의

우리는 6월부터 9월까지 매주 토요일마다 산길 여행을 제공한다.

1602

treatment

[trí:tmənt]

명 ¹취급, 대우 ²치료, 처치

Pets are important in the **treatment** of depressed or chronically ill patients. 수능

애완동물은 우울증을 앓거나 만성 질환이 있는 환자들의 치료에 중요하다.

1603

prevalent

[prévələnt]

형 일반적인, 유행하는, 널리 퍼진

The research found that depressive symptoms were particularly **prevalent** among the young.

이 연구는 우울 증상이 특히 젊은이들 사이에 널리 퍼져있음을 발견했다.

함께 외우는 유의어

common [kámən] 형 일반적인

widespread [wáidspréd] 형 널리 퍼져 있는

current [kə́:rənt] 형 현재의, 현재 유행하는

1604

subscribe

[səbskráib]

동 구독하다, 가입하다

All those insert cards with subscription offers are included in magazines to encourage you to **subscribe**. 수능

구독 제안과 함께 끼워진 모든 카드는 여러분의 구독을 권장하기 위해 잡지에 포함된다.

◎ **subscription** 명 구독료, 구독

1605

strive
[straiv]

동 분투하다, 노력하다, 힘쓰다

All men are deserving of liberty and the equal chance to **strive** for success.
모든 사람은 자유를 누리고 성공을 위해 노력할 동등한 기회를 가질 자격이 있다.

◎ **strife** 명 갈등, 다툼

1606

nutrition
[nju:tríʃən]

명 영양

A balanced **nutrition** strengthens our body's immune system.
균형 잡힌 영양은 우리 몸의 면역 체계를 강하게 한다.

◎ **nutritionist** 명 영양사

1607

malnutrition
[mæ̀lnju:tríʃən]

명 영양실조

Many people in the world are dying due to **malnutrition** and illness.
세계의 많은 사람들이 영양실조와 질병으로 죽어가고 있다.

1608

eloquent
[éləkwənt]

형 유창한, 웅변을 잘하는

He is the most **eloquent** and stylish debater on the stage.
그는 무대에서 가장 유창하고 세련된 토론자이다.

1609

salient
[séiliənt]

형 현저한, 두드러진

Although most people have numerous identities, few of these are politically **salient** at any moment. 모의
대부분의 사람이 다수의 정체성을 갖고는 있지만, 이들 중 어느 때에나 정치적으로 두드러지는 정체성은 거의 없다.

◎ **salience** 명 돌출, 특징

1610

mental
[méntl]

형 **정신의, 마음의**

The center for teens uses cooking and yoga lessons to help treat **mental** illness and addiction.
그 청소년 센터는 정신질환과 중독 치료를 돕기 위해 요리와 요가 수업을 이용한다.

1611

memorial
[məmɔ́:riəl]

명 **기념비** 형 **기념하기 위한**

This sculpture no bigger than a person's hand is more monumental than that gigantic war **memorial**.
겨우 사람 손 크기만한 이 조각이 저 거대한 전쟁 기념비보다 더 기념비적이다.

1612

monument
[mɑ́njumənt]

명 **기념물, 기념비, 불후의 업적**

The Taj Mahal is one of the greatest **monuments** to love ever built.
Taj Mahal은 지금까지 사랑을 위해 지어진 가장 큰 기념물 중 하나이다.

◎ **monumental** 형 기념비적인

1613

earnest
[ɔ́:rnist]

형 **성실한, 진심 어린**

Despite his **earnest** effort to reconcile the two, he failed.
두 사람을 화해시키려는 그의 진심 어린 노력에도 불구하고 그는 실패했다.

1614

bankrupt
[bǽŋkrʌpt]

형 **파산한, (정신적으로) 파탄한** 명 **파산자**

The environmental resource accounts will probably go **bankrupt** far into the future.
환경 자원의 계좌는 먼 미래에 파산하게 될지도 모른다.

◎ **bankruptcy** 명 파산, 파탄

1615

paste
[peist]

명 반죽, 으깬 것

Add tomato **paste** to the sauce to make it thicker.
토마토 으깬 것을 넣어서 소스를 더 진하게 만드세요.

1616

pasture
[pǽstʃər]

명 초원, 목초지

The shepherd drove the sheep to the **pasture** for grazing.
양치기는 풀을 먹이려고 양들을 목초지로 몰고 갔다.

1617

signify
[sígnifài]

동 1 의미하다, 나타내다 2 중요하다

The moon **signifies** life, loneliness, and memories in Korean literature.
한국 문학에서 달은 삶, 외로움, 기억 등을 의미한다.

함께 외우는 유의어

indicate [índikèit] 동 가리키다
suggest [səgdʒést] 동 암시하다
imply [implái] 동 함축하다

1618

significant
[signífikənt]

형 1 중요한, 의미 있는 2 상당한

But when rare periods of **significant** rain produce major vegetation growth, everything changes. 모의
그러나 드물긴 하지만 상당량의 비가 내리는 기간이 와서 초목이 크게 성장하면, 모든 것이 변한다.

1619

verbal
[və́ːrbl]

형 언어의, 구두의

Between the **verbal** message and the nonverbal message, the latter typically weighs more in forming a judgment. 모의
언어적인 메시지와 비언어적인 메시지 중 판단을 형성하는 데 있어 후자가 대개 더 큰 비중을 차지한다.

◎ **nonverbal** 형 말로 할 수 없는, 말을 쓰지 않는

1620

preview

[príːvjùː]

명 시사회, 사전 검토 동 간단히 소개하다

You will each move to one of the four lecture rooms to **preview** the major that interests you. 모의

여러분은 여러분의 관심을 끄는 전공을 간단히 소개하는 네 개의 강의실 중 하나로 각자 이동할 것입니다.

1621

pledge

[pledʒ]

명 약속, 맹세, 서약 동 맹세하다, 서약하다

Several prominent historians **pledged** support to the restoration of the cathedral's fire damage.

여러 저명한 역사학자들이 성당의 화재 피해 복구를 돕겠다고 약속했다.

1622

array

[əréi]

동 정렬시키다, 배치하다 명 정렬

There was an amazing **array** of sweets on the table.

탁자 위에는 간식이 멋지게 배열되어 있었다.

함께 외우는 유의어

arrange [əréindʒ] 동 정리하다, 배열하다
align [əláin] 동 나란히 하다
display [displéi] 동 전시하다, 진열하다

1623

dictator

[díkteitər]

명 독재자

The freedom of the press was oppressed by a **dictator**.

언론의 자유는 한 독재자에 의해 억압되었다.

1624

lump

[lʌmp]

명 덩어리, 응어리, 혹

The kid got a **lump** on his head after bumping into the wall.

그 아이는 벽에 부딪힌 후에 머리에 혹이 생겼다.

1625

banish

[bǽniʃ]

동 추방하다, 내쫓다

The king **banished** the traitors and their family to a remote island.

그 왕은 반역자들과 그의 가족들을 외딴 섬으로 추방했다.

1626

tedious
[tíːdiəs]

형 **지루한, 싫증나는**

She found the subject of her thesis **tedious**.
그녀는 그녀 논문의 주제가 지루하다는 것을 알았다.

1627

commemorate
[kəmémərèit]

동 **기념하다**

The opera house was built to **commemorate** the 100th anniversary of the composer's birth.
그 오페라 극장은 그 작곡가의 탄생 100주년을 기념하기 위해 지어졌다.

함께 외우는 유의어

celebrate [séləbrèit] 동 기념하다, 축하하다
remember [rimémbər] 동 기억하다
honor [ánər] 동 존경하다, 예우하다

1628

compensate
[kámpənsèit]

동 [1]**보상하다, 배상하다** [2]**보완하다**

Salespeople have a genius for doing what's **compensated** for rather than what's effective. 모의
판매원들은 효과적인 일보다는 보상받는 일을 하는 데 비범한 재능이 있다.

◎ **compensation** 명 보상, 배상, 보충

1629

delay
[diléi]

명 **지연, 지체** 동 **미루다, 연기하다**

One reason many people keep **delaying** things they should do is that they fear they will do them wrong or poorly. 모의
많은 사람이 자신이 해야 할 일을 계속 미루는 한 가지 이유는 그 일들을 잘 못하거나 제대로 하지 못할 것이라고 두려워해서이다.

1630

duplicate
[djúːplikət]

동 **복사하다, 사본을 만들다**

The painting was **duplicated**, and the original has been kept safely.
그 그림은 복제되었고 원본은 안전하게 보관되고 있다.

1631

applaud
[əplɔ́:d]

동 **박수를 치다, 갈채를 보내다**

She **applauded** his passionate performance and clapped for a long time. 수능

그녀는 그의 열정적인 공연에 갈채를 보냈고 오랫동안 박수를 쳤다.

applause 박수(갈채)

1632

impoverish
[impávəriʃ]

동 **빈곤하게 하다, 저하시키다**

They defended the Copyright Term Extension Act with tales of starving writers and their **impoverished** descendants.

그들은 굶주리는 작가와 그들의 빈곤한 후손의 이야기를 가지고 저작권 기간 연장 법안을 옹호했다.

1633

liberate
[líbərèit]

동 **해방시키다, 자유롭게 해 주다**

Financial security can **liberate** us from work we do not find meaningful. 수능

재정적 안정은 우리가 의미있다고 생각하지 않는 일로부터 우리를 해방시켜 줄 수 있다.

1634

melt
[melt]

동 **녹다, 누그러뜨리다**

Kate felt that all her concerns had **melted** away. 모의

Kate는 자신의 모든 걱정이 다 녹아 없어진 것을 느꼈다.

melt away 차츰 사라지다

1635

tolerant
[tálərənt]

형 **관대한, 잘 견디는**

The Greeks believed that studying music would produce better, more **tolerant** human beings.

그리스 사람들은 음악을 배우는 것이 더 나은, 더 관대한 사람을 만든다고 믿었다.

tolerate 동 참다, 견디다 **tolerance** 명 용인, 관용

1636

gross

[grous]

형 [1]총 …, 전체의 [2]중대한 [3]역겨운, 무례한

My friend was disappointed that **gross** human inequality is still widespread; that happiness is not universal. 수능

나의 친구는 역겨운 인간 불평등이 아직도 널리 퍼져 있으며, 행복이 보편적이지 않다는 것에 실망했다.

1637

overlook

[òuvərlúk]

동 못 보고 넘어가다, 눈감아주다

No matter how appealing the taste, an unattractive appearance is hard to **overlook**. 모의

아무리 혹하는 맛일지라도, 아름답지 못한 겉모습은 눈감아주기 어렵다.

1638

oversee

[òuvərsíː]

동 감독하다, 지켜보다

Project managers **oversee** many functional areas, each with its own specialists. 모의

프로젝트 책임사들은 각각 그 영역의 전문가들을 보유한 여러 기능 영역을 감독한다.

시험 빈출 혼동 단어

1639

empathize

[émpəθàiz]

동 공감하다, 감정 이입하다

At that moment, I **empathized** with her and understood her pain.

그 순간 나는 그녀와 공감하고 그녀의 고통을 이해했다.

1640

emphasize

[émfəsàiz]

동 강조하다, 두드러지게 하다

The audience often take in the **emphasized** expression of film actors more easily than any that is too naturalistic. 모의

관객은 종종 너무 자연스러운 그 어떤 것보다 영화배우들의 강조된 표현을 더 쉽게 받아들인다.

○ **emphasis** 명 강조

DAY 42

5회독 체크

1641

commission
[kəmíʃən]

명 ¹위임, 위원회 ²수수료 ³의뢰

The Securities and Exchange **Commission**, which monitors American stock markets, forces firms to meet certain reporting requirements.

미국 주식 시장을 감시하는 증권 거래 위원회는 회사들이 특정한 보고 요건을 충족하도록 한다.

1642

committee
[kəmíti]

명 위원회

The **committee** is considering whether a solution on that issue might be proposed soon.

위원회는 그 문제에 대한 해결책이 곧 제시될 수 있는지를 고려하고 있다.

1643

transportation
[trænspərtéiʃən]

명 수송, 운송

The availability of **transportation** infrastructure has been considered a fundamental precondition for tourism.

교통 기반 시설의 이용 가능성이 관광 산업의 기본적인 전제 조건으로 간주되어 왔다.

1644

urban
[ə́:rbən]

형 도시의, 도시에 사는

Tammy and her family moved from the woodlands of New York State to an **urban** city outside of Los Angeles, California. 모의

Tammy와 그녀의 가족은 뉴욕 주의 삼림지대에서 캘리포니아의 로스앤젤레스 외곽에 있는 도시로 이사했다.

◎ **rural** 형 시골의, 지방의

1645

violate
[váiəlèit]

동 위반하다, 방해하다

The person will tend to feel guilty when his or her own conduct **violates** that principle. 수능

그 사람은 자기 자신의 행동이 그 원칙에 위배되면 죄책감을 느끼는 경향이 있을 것이다.

◎ **violation** 명 위반, 위배

함께 외우는 유의어

infringe [infríndʒ] 동 위반하다

defy [difái] 동 (권위·법률 등에) 반항하다

1646

violent
[váiələnt]

형 폭력적인, 난폭한

Playing with toy guns can lead to **violent** behavior. 수능

장난감 총을 가지고 노는 것은 폭력적인 행동으로 이어질 수 있다.

1647

wound
[wuːnd]

명 상처, 부상 동 상처[부상]를 입히다

He could not move freely until the **wound** was completely healed.

그는 상처가 완전히 아물 때까지 자유롭게 움직이지 못했다.

1648

operation
[àpəréiʃən]

명 1작동, 활동 2수술

Control over direct discharge of mercury from industrial **operations** is clearly needed for prevention. 수능

산업 활동으로부터 나오는 수은을 직접적으로 방출하는 것에 대한 통제가 예방을 위해서 명백히 필요하다.

1649

surgery
[sə́ːrdʒəri]

명 (외과) 수술

He has dental **surgery** scheduled in the morning.

그는 오전에 치과 수술이 예정되어 있다.

1650

output
[áutpùt]

명 생산, 산출량, 출력

Sometimes we need to focus on our inner self rather than our **output**.

때때로 우리는 생산량보다는 내적 자아에 집중할 필요가 있다.

◎ **input** 명 투입, 입력

1651

subconscious
[sʌ̀bkάnʃəs]

형 잠재의식적인 명 잠재의식

Hypnotists help access past memories from the **subconscious** mind.

최면술사는 잠재의식에서 과거의 기억에 접근하도록 돕는다.

1652

indignant
[indígnənt]

형 분개한, 화가 난

The old lady was very **indignant** at the way the server treated her.

노부인은 식당 종업원이 그녀를 대하는 방식에 매우 분개했다.

1653

abnormal
[æbnɔ́ːrməl]

형 비정상적인, 예외적인

These rains are absolutely **abnormal** for this time of year.

이맘때에 오는 비는 절대적으로 예외적이다.

1654

irrational
[iræ̃ʃənəl]

형 비이성적인, 비논리적인

Many of the seemingly **irrational** choices that people make do not seem so foolish after all. 모의

사람들이 하는 비이성적으로 보이는 선택들 중 많은 것이 결국에는 그다지 어리석어 보이지 않는다.

1655

excursion
[ikskə́ːrʒən]

명 [1]소풍, 짧은 여행 [2](이야기 등의) 옆길로 벗어남

My family went on an **excursion** to get some fresh air.

우리 가족은 신선한 공기를 쐬기 위해서 소풍을 갔다.

1656

principle
[prínsəpl]

명 **원칙, 원리, 신조**

They think about what **principles** people should have or which moral standards can be best justified. 수능
그들은 사람들이 무슨 원칙을 가져야 하는지 또는 어떤 도덕적인 기준이 가장 잘 정당화될 수 있는지에 대해 생각한다.

1657

insomnia
[insάmniə]

명 **불면증**

A cup of hot tea helps me with anxiety and **insomnia**.
한 잔의 따뜻한 차가 나의 불안과 불면증에 도움이 된다.

◎ **insomniac** 명 불면증 환자

1658

plain
[plein]

형 **분명한, 솔직한, 평범한**

The **plain** old telephone was interactive, but not integrated as it only transmitted speech and sounds. 수능
평범한 구식 전화는 상호적이었지만, 오로지 말과 소리만 전송했기 때문에 통합적이지는 않았다.

1659

suit
[su:t]

명 **1 정장 2 소송(= lawsuit)** 동 **어울리게 하다, 잘 맞다**

Our misinformation owes partly to psychological factors, including our tendency to see the world in ways that **suit** our desires. 모의
우리가 잘못 아는 것은 부분적으로는 심리적 요인 때문이며, 그 요인에는 우리의 갈망에 맞는 방식으로 세상을 바라보는 우리의 성향이 포함된다.

1660

suitable
[sú:təbl]

형 **적합한, 알맞은**

I will provide you with **suitable** clothes for tomorrow's interview.
나는 너에게 내일의 인터뷰에 적합한 의상을 제공할 것이다.

1661

receptive
[riséptiv]

형 **수용하는, 잘 받아들이는**

They would likely devote less time, and be less **receptive** to new ways of looking at the world. 수능

그들은 세상을 보는 새로운 방식에 더 적은 시간을 쏟고 그것을 덜 받아들이려고 할 가능성이 있다.

1662

gloomy
[glúːmi]

형 **음울한, 침울한**

Andrew arrived at the nursing home in a **gloomy** mood, but he was blessed with good news. 모의

Andrew는 침울한 기분으로 요양원에 도착했지만, 좋은 소식을 받고 기뻤다.

함께 외우는 유의어

dismal [dízməl] 형 음침한, 우울한
melancholy [mélənkɑ̀li] 형 구슬픈, 우울한
dreary [dríəri] 형 음울한, 따분한

1663

frown
[fraun]

동 **얼굴을 찌푸리다** 명 **찡그림, 찌푸림**

The clerk **frowned**, "What do you want?" 수능

그 점원은 얼굴을 찌푸렸다. "무엇을 원하세요?"

1664

magnet
[mǽgnit]

명 **[1]자석 [2]마음을 끄는 사람[물건]**

I like to collect flag **magnets** from every country I visit.

나는 내가 가는 모든 나라의 국기 자석 모으는 것을 좋아한다.

● **magnetic** 형 자성의, 자기의

1665

furnish
[fə́ːrniʃ]

동 **[1](가구를) 비치하다 [2]제공하다, 설치하다**

While awaiting the birth of a new baby, North American parents **furnish** a room as the infant's sleeping quarters. 수능

새로운 아기의 탄생을 기다리며 북미 부모는 아기의 잠자리로 방에 가구를 비치한다.

● **furnish *A* with *B*** A에게 B를 제공하다

1666

attach

[ətǽtʃ]

동 [1]붙이다, 첨부하다 [2](중요성·의미 등을) 부여하다

I **attached** my name card on the envelope.[1]
나는 봉투에 내 명함을 붙였다.

Mass media control what issues the public **attach** importance to.[2]
매스 미디어는 대중이 어떤 사안에 중요성을 두는지 통제한다.

1667

evade

[ivéid]

동 피하다, 모면하다

Farmers **evade** responsibility for storing seeds away from moisture and predators. 수능
농부들은 습기와 포식자들을 피해 씨앗을 저장해야 하는 책임을 면한다.

◉ **evasion** 명 회피, 모면

함께 외우는 유의어

avoid [əvɔ́id] 동 피하다, 막다
escape [iskéip] 동 달아나다, 벗어나다

1668

exceed

[iksíːd]

동 넘다, 초과하다, 초월하다

Many modern structures **exceed** those of Egypt in terms of purely physical size. 수능
현대의 많은 구조물이 순수히 물리적인 크기 면에서 이집트의 구조물을 뛰어넘는다.

1669

linger

[líŋgər]

동 남다, 오래 머물다

The sun **lingered** longer than I expected.
해는 내 예상보다 더 오래 떠 있었다.

1670

recall

[rikɔ́ːl]

동 기억해 내다, 상기하다

He **recalled** his strong conviction during the interview. 모의
그는 면접 보던 때의 자신의 강한 신념을 떠올렸다.

1671

fade
[feid]

동 바래다, 희미해지다

After I washed this T-shirt just once, the green stripes on it **faded** to yellowish green.
내가 이 티셔츠를 딱 한 번 세탁한 뒤, 티셔츠의 녹색 줄무늬가 황녹색으로 바래졌다.

1672

purchase
[pə́ːrtʃəs]

명 구입, 매매 동 구매하다

Admission tickets cannot be **purchased** in advance, and they are only available on site. 모의
입장권은 미리 구입하실 수 없으며 현장에서만 구하실 수 있습니다.

1673

exemplify
[igzémpləfài]

동 전형적인 예가 되다, 예를 들다

This drama perfectly **exemplifies** the diversity of America.
이 드라마는 미국의 다양성을 완벽하게 보여주는 전형적인 예이다.

1674

relate
[riléit]

동 1관련시키다 2이야기하다, 설명하다

He doesn't have much experience **related** to the job position.
그는 그 업무와 관련된 경험이 많지 않다.

1675

roam
[roum]

동 배회하다, 돌아다니다

Be careful, a stranger is **roaming** around the neighborhood.
수상한 사람이 동네를 배회한다고 하니 조심해.

● **roaming** 명 (통신) 로밍

함께 외우는 유의어

drift [drift] 동 표류하다, 떠돌다
range [réindʒ] 동 배회하다, 돌아다니다
wander [wándər] 동 헤매다, 돌아다니다

1676

dispose
[dispóuz]

동 [1]배치하다 [2]처리하다 [3]~할 마음이 내키게 하다

We should **dispose** of waste properly to minimize environmental impact.
우리는 환경에 미치는 영향을 최소화하기 위해 쓰레기를 제대로 처리해야 한다.

- **disposal** 명 처리, 처분
- **dispose of** ~을 없애다[처리하다]

1677

induce
[indjúːs]

동 설득하다, 유도하다

Another purpose of laughter is to actually **induce** this same state in others as well. 모의
또 다른 웃음의 목적은 실제로 이런 같은 상태를 다른 사람들에게서도 유도하려는 것이다.

1678

detract
[ditrǽkt]

동 (가치·명예가) 떨어지다, 헐뜯다

They seemed to be minor problems, but they might **detract** from the book.
그것들은 사소한 문제처럼 보였지만 책의 가치를 손상시킬 수도 있었다.

시험 빈출 혼동 단어

1679

welfare
[wélfὲər]

명 복지, 행복, 안녕

It is only when a political issue affects the **welfare** of those in a particular group that identity assumes importance. 모의
정체성이 중요성을 띠는 것은 바로 어떤 정치적 문제가 특정 집단 사람들의 안녕에 영향을 줄 때뿐이다.

1680

warfare
[wɔ́ːrfὲər]

명 전투, 전쟁, 싸움

The whole world is now on the verge of all-out economic **warfare**.
전 세계는 이제 경제적 전면전을 벌이기 직전에 있다.

바로 테스트

DAY 41-42

정답 440쪽

영어는 우리말로, 우리말은 영어로 쓰세요.

01 eloquent
02 tedious
03 induce
04 violate
05 salient
06 tolerant
07 plain
08 principle
09 furnish
10 indignant
11 treatment
12 banish
13 liberate
14 impoverish
15 evade
16 exceed
17 bankrupt
18 detract
19 signify
20 recall
21 영양
22 잠재의식적인
23 정신의, 마음의
24 비정상적인
25 전형적인 예가 되다
26 못 보고 넘어가다
27 감독하다, 지켜보다
28 기념하다
29 적합한, 알맞은
30 약속; 맹세하다
31 분투하다, 노력하다
32 바래다, 희미해지다
33 위원회, 수수료
34 총 …, 중대한, 역겨운
35 수용하는, 잘 받아들이는
36 성실한, 진심 어린
37 배회하다
38 구독하다
39 복사하다
40 보상하다, 보완하다

괄호 안에서 알맞은 말을 고르세요.

41 Usually, we (empathize / emphasize) with the characters while reading books.

42 More and more people are concerned about animal (welfare / warfare).

DAY 43

5회독 체크

1681

clarification

[klæ̀rəfikéiʃən]

명 ¹정화 ²해명

We are seeking **clarification** on this issue from the government.

우리는 정부로부터 이 문제에 대한 해명을 요구하고 있다.

1682

accordingly

[əkɔ́:rdiŋli]

부 그런 이유로, 그에 맞춰

They prioritized their tasks and dealt with them **accordingly**.

그들은 업무의 우선순위를 정하고 그에 맞춰 일을 처리했다.

1683

essential

[isénʃəl]

형 본질적인, 필수적인, 극히 중요한

Most researchers disagree as to whether nonverbal cues are **essential** to the perception of sarcasm. 모의

대부분의 연구자들은 비언어적 신호가 빈정거림을 인지하는 데 필수적인 것인지에 대해 의견이 다르다.

함께 외우는 유의어

vital [váitl] 형 (생명 유지에) 필수적인
critical [krítikəl] 형 결정적인, 중대한
crucial [krú:ʃəl] 형 중대한

1684

physicist

[fízisist]

명 물리학자

The highly respected **physicist** Enrico Fermi told his students that an experiment that successfully proves a hypothesis is a measurement. 수능

대단히 존경받는 물리학자 Enrico Fermi는 그의 학생들에게 가설을 성공적으로 입증하는 실험은 측정이라고 말했다.

◎ **physics** 명 물리학

1685

slope
[sloup]

명 경사지, 비탈, 기울기 동 경사지다

They determined that the **slope** was too steep for them to try. 수능

그들은 그 경사가 그들이 시도하기에 너무 가파르다고 결론을 내렸다.

1686

sneak
[sni:k]

동 살금살금 가다

These thieving bees **sneak** into the nest of an unsuspecting "normal" bee. 모의

이런 도둑질하는 벌은 이상한 낌새를 못 챈 '보통' 벌의 집으로 슬며시 들어간다.

1687

rod
[rɑd]

명 막대, 지팡이, 회초리

We sat quietly on the boat with our fishing **rod**.

우리는 낚싯대를 가지고 배 위에 조용히 앉아 있었다.

1688

reverse
[rivə́:rs]

동 뒤바꾸다, 뒤집다 명 반대, 역

Whether in a game, or on a battlefield, that sudden voicing of belief **reverses** the tide. 수능

경기에서든 전쟁터에서든 갑작스러운 믿음의 소리는 상황을 역전시킨다.

◎ **reversal** 명 반전, 역전

1689

concrete
[kɑ̀nkríːt]

형 [1]구체적인, 실체가 있는 [2]콘크리트로 만든

They suggested a **concrete** plan to deal with the flood.

그들은 홍수에 대처할 구체적인 계획을 제안했다.

1690

ventilation
[vèntəléiʃən]

명 통풍, 환기, 환기 장치

Make sure that the basement has a good **ventilation** system.

지하에 환기 장치가 잘 갖추어졌는지 확인하세요.

1691

probe
[proub]

동 캐묻다, 살피다 명 조사, 탐사

If the asker isn't familiar with the topic, he or she is likely to move on rather than ask a follow-up question or **probe** for related ideas. 모의

질문자가 그 주제에 익숙하지 않다면, 그 사람은 추가적인 질문을 하거나 관련 아이디어들에 대해 캐묻는 대신 넘어갈 가능성이 있다.

1692

stagnate
[stǽgneit]

동 침체되다, 부진해지다

Sales of sugary foods are **stagnating** as consumers become more health-conscious.

소비자들이 건강을 중요시하게 되면서 설탕이 들어간 식품의 판매가 부진해지고 있다.

stagnant 형 고여 있는, 침체된 **stagnation** 명 침체, 불경기

1693

sufficient
[səfíʃənt]

형 충분한

Small changes in the sensory properties of foods are **sufficient** to increase food intake. 수능

음식이 가진 감각적 특성의 작은 변화도 음식 섭취를 늘리기에는 충분하다.

insufficient 형 불충분한

1694

suite
[swiːt]

명 [1]스위트룸 [2]세트 [3]모음곡

They're relaxing in the **suite**, watching movies on television.

그들은 텔레비전에서 영화를 보면서 스위트룸에서 편하게 쉬고 있다.

1695

inherent
[inhíərənt]

형 내재하는

There is nothing **inherent** in knowledge that dictates any specific social or moral application. 수능

지식에는 구체적인 사회적 또는 도덕적 적용을 지시하는 것이 내재되어 있지 않다.

함께 외우는 유의어

innate [inéit] 형 타고난, 선천적인
instinctive [instíŋktiv] 형 본능적인
fundamental [fʌ̀ndəméntl] 형 근본적인, 본질적인

1696

efficient
[ifíʃənt]

형 능률적인, 효율적인, 유능한

The industrialization led to more **efficient** transportation of factory products to consumers than ever before. 모의
산업화는 어느 때보다도 공장 제품이 소비자에게 효율적으로 운송되게 했다.

1697

sweep
[swiːp]

동 쓸다, 휩쓸어 가다

Cars can be easily **swept** away in just two feet of water.
차들은 고작 2피트의 물에도 쉽게 휩쓸려 갈 수 있다.

sweeping 형 휩쓸어 가는, 전면적인

1698

term
[təːrm]

명 1용어, 말 2(일정한) 기간, 학기

The **term** "personal computer" first came into use in the early 1960s.
'개인 컴퓨터'라는 용어는 1960년대 초반에 처음 사용되었다.

in terms of ~ 면에서, ~에 관해서

1699

terminal
[tə́ːrmənl]

명 터미널 형 말기의, 불치의

A new **terminal** building will be completed shortly.
새 터미널 건물이 곧 완공될 것이다.

1700

diversity
[divə́ːrsəti]

명 다양성

Thus starvation is a disvalue that can help make possible the good of greater **diversity**. 모의
따라서 기아는 더 큰 다양성이 주는 이익을 가능하게 하는 데 도움이 될 수 있는 부정적 가치이다.

diverse 형 다양한

1701

intimate
[intəmət]

형 친밀한, 사적인

She got out her concerns to a few **intimate** friends.
그녀는 몇몇 가까운 친구에게 고민을 털어놓았다.

intimacy 명 친밀함

1702

immediate

[imíːdiət]

형 **즉각적인, 당면한**

Experiments show that rats display an **immediate** liking for salt the first time they experience a salt deficiency. 수능

실험에서는 쥐가 소금 결핍을 처음 경험할 때 소금에 대한 즉각적인 선호를 보이는 것으로 나타난다.

◎ **immediately** 부 즉시

1703

asthma

[ǽzmə]

명 **천식**

A lot of triggers can cause an **asthma** attack.

여러 가지 자극이 천식 발작을 일으킬 수 있다.

1704

consent

[kənsént]

명 **동의, 합의, 인가** 동 **동의하다, 허락하다**

He was reluctant to give his **consent** to release the pictures.

그는 그 사진들을 공개하는 것에 동의하기를 망설였다.

함께 외우는 유의어

assent [əsént] 명 동의, 찬성
approval [əprúːvəl] 명 승인, 찬성
permission [pərmíʃən] 명 승인, 허가

1705

imprint

[ímprint]

동 **각인시키다, 찍다, 인쇄하다**

They are wearing a T-shirt **imprinted** with their faces.

그들은 자신들의 얼굴이 인쇄된 티셔츠를 입고 있다.

1706

concern

[kənsə́ːrn]

동 **관계가 있다, 걱정시키다** 명 **관계, 관심, 걱정**

People are much more **concerned** about catching the ball than throwing it.

사람들은 공을 던지는 것보다 잡은 것에 대해 훨씬 더 우려한다.

◎ **concerning** 전 ~에 관한

1707

fetch
[fetʃ]

동 가지고 오다

He was ordered to **fetch** a paper towel and clean it up.
그는 종이 타월을 가지고 와서 그것을 닦으라는 지시를 받았다.

1708

attribute
[ətríbjùːt]

동 ~의 덕분으로 보다, ~의 탓으로 하다 명 자질, 속성

When he contracts a disease, he never **attributes** this event to his wrong behavior. 수능
병에 걸릴 때, 그는 이 사건을 자신의 잘못된 행동 탓으로 절대 보지 않는다.

attribution 명 속성, 귀속

1709

contribute
[kəntríbjuːt]

동 공헌하다

She plans on finding volunteer work to **contribute** to the community. 수능
그녀는 지역 사회에 공헌하기 위해 자원 봉사 일을 찾을 계획이다.

1710

bury
[béri]

동 묻다, 매장하다

The document was **buried** under a heap of papers on his desk.
그 서류는 그의 책상 위 종이 더미 아래에 묻혀 있었다.

burial 명 매장

1711

extinct
[ikstíŋkt]

형 멸종된, 사라진

The majority of native bird species in Guam became **extinct** because of this infamous snake. 모의
괌의 토종 새 대부분은 이 악명 높은 뱀 때문에 멸종되었다.

extinction 명 멸종

1712

align

[əláin]

동 나란히 하다, (~에 맞춰) 조정하다

If you can **align** your expectations with reality a little more, you will be better off in the end.

기대를 현실에 맞게 조금 더 조정할 수 있다면 결국에는 더 좋아질 것이다.

1713

lengthen

[léŋkθən]

동 길어지다, 늘어나다, 연장하다

You should get your vehicle checked regularly to **lengthen** its life.

차량의 수명을 연장하기 위해서는 정기적으로 검사를 받아야 한다.

1714

remind

[rimáind]

동 상기시키다, 일깨우다

Many African-Americans are **reminded** of their kinship with the continent in which their ancestors originated centuries earlier, and they lobby their leaders to provide humanitarian relief. 모의

많은 아프리카계 미국인들은 수 세기 이전에 자기 조상들이 기원했던 대륙과의 혈족 관계가 생각나서 지도자들에게 인도주의적 구호를 제공하라는 압력을 가한다.

remind *A* of *B* A에게 B를 상기시키다

1715

anticipate

[æntísəpèit]

동 예상하다, 예측하다, 고대하다

We can **anticipate** that personal growth and performance will progress faster in young, developing athletes. 모의

우리는 개인의 성장과 경기력이 어리고 성장 중인 선수에게서 더 빠르게 진척될 것이라고 예상할 수 있다.

함께 외우는 유의어

expect [ikspékt] 동 예상하다, 기대하다
predict [pridíkt] 동 예측하다, 예보하다
foresee [fɔːrsíː] 동 예견하다

1716

affect
[əfékt]

동 영향을 미치다, (병이) ~을 침범하다

As you know, sleep is **affected** by many factors. 모의
알다시피 잠은 많은 요인에 의해 영향을 받는다.

1717

valueless
[vǽlju:lis]

형 가치가 없는, 하찮은

He always breaks his promises; his words are **valueless**.
그는 항상 약속을 어긴다. 그의 말은 가치가 없다.

1718

loyal
[lɔ́iəl]

형 충실한, 충성스러운

A **loyal** friend is someone who is there for you when you are in need.
충실한 친구는 당신이 어려울 때 당신을 위해 그곳에 있는 사람이다.

- **loyalty** 명 충실함, 충성심

시험 빈출 반의어

1719

precise
[prisáis]

형 정확한, 정밀한

He tried to be as **precise** as he could.
그는 최대한 정확하게 하려고 노력했다.

- **precision** 명 정확, 정밀
- **to be precise** 엄밀히 말하면

1720

vague
[veig]

형 희미한, 막연한, 애매한

The statement was so **vague** that people hardly understood the context.
그 진술은 너무 모호해서 사람들은 맥락을 거의 이해할 수 없었다.

DAY 44

5회독 체크

1721

outlook

[áutlùk]

명 [1]관점 [2](앞날에 대한) 전망 [3]경치, 전망

Despite the disappointment, many economists anticipate a positive **outlook**.

실망에도 불구하고 많은 경제학자들은 긍정적인 전망을 예상한다.

1722

formula

[fɔ́ːrmjulə]

명 공식, 화학식

We found that effective time management is the winning **formula** for success.

우리는 효율적인 시간 관리가 성공을 위한 승리의 공식임을 발견했다.

1723

formulate

[fɔ́ːrmjulèit]

동 명확하게[조직적으로] 나타내다, 공식화하다

The advertising campaign will be **formulated** and launched shortly.

곧 광고 활동이 조직적으로 구성되어 시작될 것이다.

1724

outdated

[àutdéitid]

형 구식인, 진부한

The librarian said that the disposal of **outdated** works could enhance the library's reputation as a source of current information.

그 사서는 시대에 뒤진 작품을 처분하는 것이 최신 정보의 원천으로서 도서관의 명성을 높일 수 있다고 말했다.

1725

supply

[səplái]

동 공급하다, 보충하다 명 공급, 보급품, 비축량

A single mammoth could feed, clothe, and **supply** a band for a long time. 모의

매머드 한 마리만으로도 오랫동안 한 무리를 먹이고, 입히고, 지탱할 수 있었다.

1726

suppose

[səpóuz]

동 생각하다, 추측하다, 가정하다

Suppose there are two different tennis pros giving you tennis lessons. 모의

서로 다른 두 명의 테니스 선수가 당신에게 테니스 교습을 한다고 가정해라.

1727

vibrate

[váibreit]

동 진동하다, 진동시키다

The bell towers of the village **vibrate** as the bells are rung.

그 마을의 종탑은 종소리가 울리면서 진동한다.

◎ **vibration** 명 진동 **vibrant** 형 활기찬, 진동하는

함께 외우는 유의어

shiver [ʃívər] 동 떨다

tremble [trémbl] 동 떨다, 흔들리다

1728

wreck

[rek]

명 난파선, 잔해, 파괴 동 난파하다, 파괴하다

The diver verified that the anchor was firmly on the **wreck**.

잠수부가 닻이 난파선에 견고하게 달려 있다고 확인했다.

1729

empathy

[émpəθi]

명 감정 이입, 공감

I felt **empathy** for her, so I wanted to comfort her.

나는 그녀에게 공감했고, 그래서 그녀를 위로하고 싶었다.

1730

revenue

[révənjùː]

명 세입, 수익

Single-copy sales are important because they bring in more **revenue** per magazine than subscriptions. 수능

낱권 판매가 중요한데, 낱권 판매가 정기구독보다 잡지 한 권당 더 많은 수익을 가져오기 때문이다.

1731

indeed
[indíːd]

부 정말, 확실히, 사실

Trees do **indeed** have a few small roots which penetrate to great depth. 모의

나무는 상당한 깊이까지 침투하는 약간의 작은 뿌리들을 정말 가지고 있다.

1732

expert
[ékspəːrt]

명 전문가

A wine that cost ten times more than another was ranked by **experts** only seven points higher on a scale of one to one hundred. 모의

다른 와인보다 10배 넘게 비싼 와인이 1점에서 100점까지 있는 척도에서 전문가들에 의해 단지 7점 더 높게 평가되었다.

1733

expertise
[èkspərtíːz]

명 전문 지식, 기술

Similarly, a medical student must have **expertise** in human anatomy before studying surgical techniques. 모의

마찬가지로, 의대생은 수술 기법을 공부하기 전에 인체 해부학에 대한 전문 지식을 갖고 있어야만 한다.

1734

peruse
[pərúːz]

동 정독하다

Some students **perused** books under the tree.

몇몇 학생들은 나무 아래에서 책을 정독했다.

- **perusal** 명 정독

1735

priority
[praiɔ́rəti]

명 우선 사항, 우선권

If your boat catches fire, putting the fire out is your first **priority** because abandoning the boat puts you in great danger. 수능

배에 불이 붙으면, 배를 버리는 것은 여러분을 큰 위험에 처하게 하므로 불을 끄는 것이 최우선 사항입니다.

1736

fortress

[fɔ́ːrtris]

명 요새

The **fortress** was built on the rocky slopes of a small hill.

그 요새는 작은 언덕의 돌투성이 경사면에 지어졌다.

1737

obstacle

[ɑ́bstəkl]

명 장애, 장애물

On the path to excellence, some **obstacles** may initially seem overwhelming. 모의

탁월한 경지로 나아가는 길에서 일부 장애물이 처음에는 압도적으로 보일지도 모른다.

함께 외우는 유의어

barrier [bǽriər] 명 장애물, 장벽
restriction [ristríkʃən] 명 제한, 규제
obstruction [əbstrʌ́kʃən] 명 방해, 장애물

1738

draft

[dræft]

명 원고, 초안

She showed the first **draft** to her history professor just before. 모의

그녀는 조금 전에 자신의 역사 교수님께 초고를 보여드렸다.

1739

eventual

[ivéntʃuəl]

형 궁극적인, 최종적인

He did not give any indication of his **eventual** destination.

그는 자신의 최종 목적지를 전혀 밝히지 않았다.

◎ **eventually** 부 결국

1740

monarchy

[mɑ́nərki]

명 군주제, 군주국

The country is one of the few absolute **monarchies** left in the world.

그 나라는 전 세계에 몇 남지 않은 전제 군주국이다.

◎ **monarch** 명 군주

1741

stock
[stɑk]

명 [1]재고, 비축물, 저장품 [2]주식 [3]가축

When people started to plant stored seed **stock** deliberately, they also began protecting their plants. 수능

사람들이 의도적으로 저장했던 종자를 심기 시작했을 때 그들은 또한 자신들의 식물을 보호하기 시작했다.

- **stockpile** 명 비축량

1742

creek
[kriːk]

명 작은 만, 시내

Leaves are floating on the **creek** like tiny boats.

나뭇잎들이 작은 배처럼 시냇물에 떠 있다.

1743

evident
[évədənt]

형 분명한, 눈에 띄는

The impact of tourism on the environment is **evident** to scientists. 수능

관광 산업이 환경에 미치는 영향은 과학자들에게는 명확하다.

1744

apparent
[əpǽrənt]

형 분명한, 외관상의

The **apparent** complexity of a man's behavior over time is largely a reflection of the complexity of the environment in which he finds himself. 모의

세월 속에서 외관상 복잡해 보이는 인간의 행위는 대개 그가 처한 환경의 복잡성을 반영하는 것이다.

1745

compose
[kəmpóuz]

동 [1]구성하다 [2]작곡하다, (글을) 짓다

Plants are bathed in an atmosphere **composed** of roughly three-quarters nitrogen. 모의

식물은 대략 3/4에 이르는 질소로 구성된 대기에 둘러싸여 있다.

- **composition** 명 구성, 구성 요소들, 작품
- **be composed of** ~으로 구성되다

1746

congregate
[kɑ́ŋgrigèit]

동 **모이다, 집합하다**

They need some hidden and private place to **congregate**.
그들은 모이기 위해서 숨겨져 있는 은밀한 장소를 필요로 한다.

1747

debate
[dibéit]

명 **토론, 논쟁** 동 **토론하다**

After the endless **debate**, they finally reached a conclusion.
끝없는 토론 후에 그들은 마침내 결론을 내렸다.

1748

declare
[dikléər]

동 **선언하다**

He had to **declare** bankruptcy because of mounting medical bills.
그는 쌓여가는 의료비 청구로 인해 파산을 선언해야만 했다.

- **declaration** 명 선언문, 공표

1749

dispel
[dispél]

동 **(근심 등을) 떨쳐 버리다, 없애다**

I tried to **dispel** the idea that made me feel awful.
나는 끔찍한 기분이 들게 하는 그 생각을 떨쳐내려고 노력했다.

함께 외우는 유의어

dismiss [dismís] 동 떨쳐 버리다
eliminate [ilímənèit] 동 제거하다
drive away ~을 내쫓다

1750

dwell
[dwel]

동 **살다, 거주하다**

Mr. Bailey has **dwelled** in this town for a long time.
Bailey씨는 이 마을에서 오랫동안 거주해 왔다.

- **dwelling** 명 거주지, 주택
- **dwell on** ~을 곱씹다

1751

esteem
[istíːm]

명 존경 동 존경하다

Hold yourself in high **esteem** and keep a positive outlook on your future.
스스로를 아주 존경하고 자신의 미래에 대해 긍정적인 전망을 가져라.

- **self-esteem** 명 자부심
- **hold ~ in esteem** ~을 존경하다

1752

falsify
[fɔ́ːlsəfài]

동 (서류 등을) 위조하다, 조작하다

The man was charged with **falsifying** the results of some surveys.
그 남자는 몇몇 조사의 결과를 조작한 혐의로 고소당했다.

1753

offend
[əfénd]

동 기분 상하게 하다

The counselor would find a better way to explain how his joke **offended** the hearer.
그 상담사는 그의 농담이 얼마나 듣는 사람의 기분을 상하게 했는지 설명할 더 나은 방법을 찾을 것이다.

1754

originate
[ərídʒənèit]

동 [1]비롯되다, 유래하다 [2]발명하다

Inventions, ideas, and discoveries have been credited to the persons who **originated** them. 모의
발명품, 아이디어, 발견은 그것을 처음 만들어 낸 사람의 공으로 여겨져 왔다.

- **originate from** ~에서 비롯되다

1755

sterile
[stéril]

형 [1]불임의, 불모의 [2]살균한, 소독한

Keeping operating rooms clean and **sterile** is a vital process.
수술실을 깨끗하고 살균된 상태로 유지하는 것은 필수적인 과정이다.

- **sterilize** 동 살균하다, 소독하다

1756

pollute
[pəlúːt]

동 **오염시키다**

The technology produced automobiles that **pollute** the air. 수능
기술은 공기를 오염시키는 자동차를 생산했다.

◎ **pollution** 명 오염, 공해 **pollutant** 명 오염 물질

1757

import
[impɔ́ːrt]

동 **수입하다** 명 **수입, 수입품**

Some people are concerned with the **import** or export of goods or services between one country and another. 수능
어떤 사람들은 한 나라와 다른 나라 사이의 상품 또는 서비스의 수입이나 수출에 관여하고 있다.

1758

export
[ikspɔ́ːrt]

동 **수출하다, 내보내다** 명 **수출, 수출품**

In Kenya, farmers are actively encouraged to grow **export** crops such as tea and coffee. 수능
케냐에서 농부들은 차와 커피와 같은 수출 작물을 재배하도록 적극적으로 독려된다.

시험 빈출 혼동 단어

1759

confident
[kɑ́nfidənt]

형 **자신감 있는, 확신하는**

Tolstoy is **confident** that the artist who sincerely expresses feelings of pride will pass those feelings on to us. 수능
톨스토이는 진정으로 자부심을 표현하는 예술가가 우리에게 그 감정들을 전달할 것이라고 확신한다.

◎ **confidence** 명 신뢰, 자신

1760

confidential
[kɑ̀nfədénʃəl]

형 **비밀[기밀]의, 은밀한**

The counseling records between the counselor and the client are strictly **confidential**.
상담사와 의뢰인 간의 상담 기록은 엄격히 기밀이다.

바로 테스트

영어는 우리말로, 우리말은 영어로 쓰세요.

01 reverse
02 expertise
03 originate
04 inherent
05 remind
06 esteem
07 efficient
08 outdated
09 stagnate
10 intimate
11 outlook
12 apparent
13 compose
14 falsify
15 sufficient
16 sneak
17 imprint
18 debate
19 suppose
20 evident
21 감정 이입, 공감
22 선언하다
23 궁극적인
24 기분 상하게 하다
25 쓸다, 휩쓸어 가다
26 공헌하다
27 우선 사항, 우선권
28 정화, 해명
29 다양성
30 즉각적인
31 살다, 거주하다
32 수출하다
33 수입하다
34 예상하다, 예측하다
35 동의; 허락하다
36 멸종된, 사라진
37 그런 이유로
38 충실한
39 나란히 하다
40 장애, 장애물

괄호 안에서 알맞은 말을 고르세요.

41 The details are very (precise / vague), so we need more information.

42 He remains (confident / confidential) in his plan and ability to successfully perform it.

DAY 45

5회독 체크

1761

fragile

[frǽdʒəl]

형 **부서지기 쉬운, 취약한**

With your donation, we can preserve **fragile** coral reefs around the world. 모의

귀하의 기부로 우리는 전 세계의 손상되기 쉬운 산호초를 보호할 수 있습니다.

1762

patch

[pætʃ]

명 **부분, 조각, 작은 땅**

The cabbage **patch** looked like a battlefield. 수능

양배추밭은 마치 전쟁터처럼 보였다.

1763

transact

[trænsǽkt]

동 **거래하다**

Our company **transacts** business through the trading agency.

우리 회사는 무역 중개 회사를 통해 거래한다.

◎ **transaction** 명 거래, (업무) 처리

1764

transmit

[trænsmít]

동 **1 보내다, 전달하다 2 전염시키다**

The myth is **transmitted** in a much more powerful way than by television, movies, or books. 모의

신화는 텔레비전, 영화, 또는 책에 의한 것보다 훨씬 더 강력한 방식으로 전달된다.

함께 외우는 유의어

carry [kǽri] 동 나르다
convey [kənvéi] 동 나르다
spread [spred] 동 퍼뜨리다

1765

verse
[vəːrs]

명 **운문, (시의) 연, (노래의) 절**

The poet speaks in unadorned and calm **verses**.
그 시인은 꾸밈없고 차분한 운문으로 말한다.

1766

via
[váiə]

전 **~을 경유하여, ~을 통하여**

One group listened to the story **via** radio, while the other group watched the story on television. 모의
한 그룹은 라디오로 이야기를 들었지만, 다른 그룹은 텔레비전으로 그 이야기를 시청했다.

1767

condense
[kəndéns]

동 **응결하다, 압축하다**

The document is a lightly edited and **condensed** transcript of the conversation.
그 문서는 대화의 내용을 약간 편집하고 압축하여 글로 옮긴 것이다.

1768

metaphor
[métəfɔ̀ːr]

명 **은유, 비유**

A common **metaphor** in early theories of attention is the concept of a bottleneck. 모의
주의력에 관한 초기 이론에서 흔한 하나의 은유는 병목 현상의 개념이다.

1769

prestige
[prestíːʒ]

명 **위신, 명망**

Once it is ruined, **prestige** is hard to recover.
명성은 한번 망가지면 회복하기 어렵다.

1770

property
[prápərti]

명 **재산, 소유물, 부동산**

However, **property** owners cannot reduce the amount of space available for rent in their buildings. 모의
하지만 부동산 소유자는 자기 건물에서 임대 가능한 공간의 양을 줄일 수 없다.

1771

meaningful
[míːniŋfəl]

형 의미 있는, 중요한

We thought hearing how you came up with your story would be **meaningful** to our readers. 모의

저희는 당신이 어떻게 이야기를 구상하게 되었는지 듣는 것이 저희 독자들에게 의미가 있을 것이라고 생각했습니다.

1772

keen
[kiːn]

형 [1]열망하는, 열정적인 [2]날카로운, 예민한

Our love for fatherland is largely a matter of recollection of the **keen** sensual pleasure of our childhood. 모의

조국에 대한 우리의 사랑은 대개 유년기의 강렬한 감각적 기쁨을 기억해 내는 문제입니다.

1773

decade
[dékeid]

명 10년

Through recent **decades** academic archaeologists have been urged to conduct their research and excavations according to hypothesis-testing procedures. 모의

최근 몇십 년 동안 학계의 고고학자들은 가설 검증 절차에 따라 연구와 발굴을 수행할 것을 촉구받아 왔다.

1774

autonomy
[ɔːtánəmi]

명 자치권, 자치 단체

We have to allow them the **autonomy** for their freedom.

우리는 그들의 자유를 위해 자치권을 허용해야 한다.

◎ **autonomous** 형 자주적인, 자치의

1775

breakthrough
[bréikθrùː]

명 돌파구, 타개책, 약진

The ongoing negotiations have failed to led to a **breakthrough** between the two countries.

계속되는 협상에서도 양국 사이의 돌파구를 찾는 것은 실패였다.

1776

impulse
[ímpʌls]

명 충동, 충격, 자극

Sometimes I have an **impulse** to buy something expensive.
때때로 나는 뭔가 비싼 것을 사고 싶다는 충동이 든다.

함께 외우는 유의어

urge [əːrdʒ] 명 충동, 욕구
yearning [jə́ːrniŋ] 명 갈망, 동경
longing [lɔ́ːŋiŋ] 명 갈망, 열망

1777

supernatural
[sùːpərnǽtʃərəl]

형 초자연적인 명 초자연적인 현상

Since his sister's mysterious disappearance, he's been searching for evidence of **supernatural** phenomena.
여동생의 기이한 실종 이후로 그는 초자연적인 현상의 증거를 찾아 다니고 있다.

1778

reptile
[réptil]

명 파충류

The **reptile** fossils from millions of years ago were found on the beach.
해안가에서 수백만 년 전의 파충류 화석이 발견되었다.

1779

candidate
[kǽndidèit]

명 후보자, 지원자

Which **candidate** should I vote for?
내가 어떤 후보에게 투표해야 할까?

1780

chamber
[tʃéimbər]

명 회의실, 방 형 실내 음악의

The ensemble specializes in **chamber** music of the Baroque era.
그 합주단은 바로크 시대의 실내악을 전문으로 한다.

1781

wrench
[rentʃ]

동 확 비틀다, 삐다 명 [1]렌치[스패너] [2]비틀기, 접질림

The cat managed to **wrench** itself free.

고양이는 용케 몸을 확 비틀어서 빠져나갔다.

1782

irony
[áiərəni]

명 아이러니, 반어법, 역설적인 점

In the grandest **irony** of all, the greatest benefit of an everyday, utilitarian AI is that it will help define humanity. 수능

가장 역설적이게도, 일상적이고 실용적인 AI의 가장 큰 이점은 그것이 인간성을 정의하는 데 도움이 되리라는 것이다.

1783

martial
[mɑ́:rʃəl]

형 싸움의, 전쟁의

He has been training in **martial** arts since he watched the movie.

그는 영화를 보고 난 후부터 무술을 수련하고 있다.

1784

fulfill
[fulfíl]

동 [1](의무를) 이행하다 [2](소망을) 달성하다, (필요를) 만족시키다

She was one step closer to **fulfilling** her lifelong dream of becoming a ballerina. 모의

그녀는 발레리나가 되는 평생의 꿈을 이루는 것에 한 발 더 가까이 있었다.

● **fulfillment** 명 이행, 수행

1785

pervade
[pə:rvéid]

동 만연하다, 넘쳐나다

The festival atmosphere **pervaded** the whole country.

축제의 분위기가 전국에 넘쳐났다.

● **pervasive** 형 만연하는

1786

immigrate
[íməgrèit]

동 이주해 오다

The Irish continued to **immigrate** into America in the 1800s.
1800년대에 아일랜드 사람들은 계속해서 미국으로 이주했다.

1787

institute
[ínstətjùːt]

명 기관, 협회 동 설립하다, 제정하다, 시행하다

Eventually, she moved to Santa Fe, New Mexico, and studied at the **Institute** of American Indian Arts. 모의
결국, 그녀는 뉴멕시코주의 산타페로 이사했으며, 아메리칸인디언 예술학교에서 공부했다.

◎ **institution** 명 기관, 제도, 시행

1788

isolate
[áisəlèit]

동 격리하다, 고립시키다

Despite its **isolated** location, the village people say life there is never lonely.
고립된 위치임에도 불구하고 마을 사람들은 그곳에서의 생활이 외롭지 않다고 말한다.

1789

overcome
[òuvərkʌ́m]
overcame – overcome

동 극복하다

Most seemingly impossible obstacles can be **overcome** by seeing possibilities. 모의
가장 불가능해 보이는 장애물은 가능성을 봄으로써 극복될 수 있다.

함께 외우는 유의어

defeat [difíːt] 동 패배시키다, 물리치다
master [mǽstər] 동 지배하다, 정복하다
overwhelm [òuvərhwélm] 동 압도하다, 제압하다

1790

overtake
[òuvərtéik]
overtook – overtaken

동 추월하다, 따라잡다

The alligator easily **overtook** and brought ashore the prey.
악어는 먹이를 쉽게 따라잡았고 육지로 끌어 올렸다.

1791

oppress
[əprés]

동 **억압하다, 압박감을 주다**

Those awful policies have been enacted to **oppress** minorities.

그 지독한 정책들은 소수자들을 억압하기 위해 제정되어 왔다.

1792

compress
[kəmprés]

동 **압축하다, 요약하다**

I tried to **compress** the files using the free online tool.

나는 인터넷에서 무료 툴을 사용하여 파일들을 압축하려고 했다.

◎ **compression** 명 압축, 압착

1793

suppress
[səprés]

동 **진압하다, 억제하다**

The only way to prevent this effect is to **suppress** such representations. 수능

이러한 영향을 막는 유일한 방법은 그와 같은 표현을 억누르는 것이다.

◎ **put down** 무력으로 진압하다

1794

surround
[səráund]

동 **둘러싸다, 에워싸다**

Surrounded by cheering friends, she enjoyed her victory full of joy. 모의

환호하는 친구들에게 둘러싸여 그녀는 기쁨으로 가득 찬 승리를 즐겼다.

1795

pursue
[pərsúː]

동 **추구하다, 계속하다, 뒤쫓다**

I cannot accept your offer because I have decided to **pursue** another opportunity. 모의

저는 다른 기회를 추구하기로 결정해서 당신의 제안을 받아들일 수 없습니다.

함께 외우는 유의어

continue [kəntínjuː] 동 계속하다
maintain [meintéin] 동 지속하다, 유지하다
follow [fálou] 동 뒤쫓아 가다
aim for ~을 목표로 하다

1796

sprain
[sprein]

동 (발목·팔목 등을) 삐다, 접지르다

Jim got a chance to play in the last 30 seconds of the championship game when a starting player **sprained** his ankle. 모의

Jim은 선발 선수가 발목을 삐었을 때 챔피언 결정전의 마지막 30초 동안 경기를 할 기회를 얻었다.

1797

behave
[bihéiv]

동 (~하게) 행동하다, 처신하다

Simply knowing they are being observed may cause people to **behave** differently. 수능

자신들이 관찰되고 있음을 아는 것만으로도 사람들은 다르게 행동할지도 모른다.

1798

misbehave
[mìsbihéiv]

동 못된 짓을 하다, 품행이 좋지 않다

Children often **misbehave** to get attention from their parents.

아이들은 종종 부모의 관심을 받으려고 못되게 군다.

시험 빈출 혼동 단어

1799

afflict
[əflíkt]

동 괴롭히다, 피해를 입히다

An estimated 5.7 million Americans are **afflicted** by Alzheimer's disease, including 10 percent of those over sixty-five.

약 570만 명의 미국인이 알츠하이머병으로 고통받고 있으며, 65세 이상 인구의 10%가 포함되어 있다.

1800

inflict
[inflíkt]

동 (괴로움 등을) 가하다, (벌을) 주다

The police arrested the protesters who **inflicted** damage on shops and engaged in stone-throwing.

경찰은 상점에 피해를 입히고 돌팔매질에 가담한 시위자들을 구속했다.

DAY 46

5회독 체크

1801

average
[ǽvəridʒ]

명 평균(값) 형 평균의, 보통의

He always pursues challenging goals that may be outside the reach of the **average** person. 모의

그는 항상 평균적인 사람들이 닿는 범위 밖에 있을 수도 있는 도전적인 목표를 추구한다.

1802

spur
[spəːr]

명 박차, 원동력

Religious faith can be a powerful **spur** to action.

종교적 신념은 행동의 강력한 원동력이 될 수 있다.

1803

inability
[ìnəbíləti]

명 무능, 불능

Unfortunately, many individuals struggle with reaching goals due to an **inability** to prioritize their own needs. 모의

안타깝게도, 많은 사람들이 자기가 필요한 사항에 우선순위를 매기는 데에 무능해서 목표 달성에 어려움을 겪는다.

◎ **ability** 명 능력, 재능

1804

mortgage
[mɔ́ːrgidʒ]

명 대출(금), 융자(금) 동 저당잡히다

The long-term **mortgage** rates were little changed this week.

이번 주 장기 대출률은 거의 변동이 없었다.

1805

loan
[loun]

명 대출(금), 대여 동 빌려주다, 대여하다

However, there were bank **loans** for and taxes on the land. 모의

그러나 그 땅에 대한 은행 대출과 세금이 있었다.

1806

polarity
[poulǽrəti]

명 **양극성, 극성**

The students were curious about how to determine the **polarity** of magnets.
학생들은 자석의 극성을 어떻게 알아내는지 궁금해 했다.

● **polar** 형 극지의

1807

opposite
[ápəzit]

형 **정반대의, 맞은편의** 명 **반대**

The two of you should stand at diagonally **opposite** corners of the space, facing the wall. 모의
여러분 두 사람은 그 공간에서 대각선으로 맞은편 구석에 벽을 보고 서 있어야 한다.

1808

dimension
[diménʃən]

명 **[1]치수, 크기, 규모 [2]차원**

The rollercoaster makes you feel as if you were flying in a different **dimension**.
롤러코스터는 당신을 다른 차원으로 날아가는 것처럼 느끼게 만든다.

1809

spite
[spait]

(In spite of로) ~에도 불구하고

In spite of the verbal comment, the lack of expressive enthusiasm suggests that the plan isn't viewed very positively. 모의
구두로 한 그 평가에도 불구하고, 표출된 열정이 부족한 것은 그 계획을 그다지 긍정적으로 간주하지 않음을 암시한다.

1810

strenuous
[strénjuəs]

형 **몹시 힘든, 불굴의, 완강한**

The main character seems happy even though he is under **strenuous** circumstances.
주인공은 몹시 힘든 상황에 처해 있는데도 행복해 보인다.

1811

stubborn
[stʌ́bərn]

형 완고한, 고집스러운

My daughter is very **stubborn** about what she will eat and won't eat.
내 딸은 무엇을 먹을지와 먹지 않을지에 관해 매우 고집스럽다.

1812

gulf
[gʌlf]

명 [1]만 [2]깊은 구멍 [3]격차

Cod in Canada's **Gulf** of St. Lawrence begin to reproduce at around four. 수능
캐나다의 세인트로렌스 만에 사는 대구는 네 살쯤 되었을 때 번식을 시작한다.

1813

treaty
[tríːti]

명 조약, 협정

The Ganghwa **Treaty** was an unequal agreement as it restricted Korea's sovereignty.
강화도 조약은 한국의 주권을 제한했기 때문에 불평등한 협정이었다.

1814

trial
[tráiəl]

명 [1]재판 [2]실험, 시험

We have been developing our products by **trial** and error based on experience that we have accumulated thus far.
우리는 지금까지 우리가 쌓아 온 경험을 바탕으로 시행착오를 겪으며 제품을 발전시켜 왔다.

trial and error 시행착오

1815

outbreak
[áutbrèik]

명 (전쟁·질병 등의) 발생, 발발

Over 20,000 people have been infected with the virus since the **outbreak** began.
발병이 시작되고 나서 2만 명이 넘는 사람들이 그 바이러스에 감염되었다.

함께 외우는 유의어

epidemic [èpidémik] 명 유행병, 유행
beginning [bigíniŋ] 명 시작, 시초
explosion [iksplóuʒən] 명 급증, 폭발적 증가

1816

fame

[feim]

명 **명성, 평판**

The actor gained his **fame** as the comedic character in the situation comedy.

그 배우는 시트콤에서 우스꽝스러운 캐릭터로 명성을 얻었다.

1817

mammal

[mǽməl]

명 **포유동물**

The Kermode bear is a rare kind of bear known to be the official **mammal** of British Columbia. 모의

커모드 곰은 브리티시컬럼비아주의 공식 포유동물로 알려진 희귀종 곰이다.

1818

preconceived

[prìːkənsíːvd]

형 **선입견의**

Stand up for what you believe in against all **preconceived** notions and stereotypes.

모든 선입견과 고정 관념에 맞서 당신이 믿는 것을 옹호하라.

1819

antibiotic

[æ̀ntibaiάtik]

명 **항생제, 항생물질**

The bacteria prevail until doctors discover an **antibiotic** that exposes a weakness in the bacteria and kills most of them. 모의

박테리아는 의사가 박테리아의 약점을 찾아내서 그들 대부분을 죽일 항생물질을 발견할 때까지 활개친다.

1820

sculpture

[skʌ́lptʃər]

명 **조각, 조소, 조각품**

The **sculpture** is famous for the big bodily gestures.

그 조각은 큰 몸짓으로 유명하다.

1821

certificate

[sərtífikət]

명 **증명서, 자격증, 면허** 동 **증명서를 교부하다**

Students who complete a course receive a **certificate**.

강좌를 완료한 학생은 증명서를 받는다.

● **certify** 동 증명하다, 증명서를 교부하다

1822 ●●●●●

lunar
[lú:nər]

형 **달의**

People around the world watched on TV when Armstrong set foot on the **lunar** surface.
전 세계 사람들이 암스트롱이 달 표면에 착륙할 때 TV를 보았다.

1823 ●●●●●

mere
[miər]

형 **겨우 ~의, 단지 ~에 불과한**

However, language offers something more valuable than **mere** information exchange. 수능
그러나 언어는 단순한 정보의 교환보다 더 가치 있는 것을 제공한다.

● **merely** 부 그저, 단지

1824 ●●●●●

plow
[plau]

명 **쟁기, 경작** 동 **갈다, 경작하다**

My grandfather showed me how to use the **plow**.
할아버지는 쟁기를 어떻게 사용하는지 내게 보여주셨다.

1825 ●●●●●

weed
[wi:d]

명 **잡초** 동 **잡초를 뽑다**

My family planned to **weed** the garden this weekend.
우리 가족은 이번 주말에 정원의 잡초를 뽑기로 계획했다.

1826 ●●●●●

appreciate
[əprí:ʃièit]

동 **[1]진가를 알아보다 [2]고마워하다 [3]인식하다**

African American culture **appreciates** a greater flexibility of gender roles. 모의
아프리카계 미국 문화는 성 역할의 더 큰 유연성을 인식한다.

● **depreciate** 동 가치를 떨어뜨리다, 경시하다

함께 외우는 유의어

acknowledge [æknálidʒ] 동 인정하다, 감사하다
recognize [rékəgnàiz] 동 인정하다
value [vælju:] 동 가치 있게 생각하다

1827

valor
[vǽlər]

명 용기, 용맹

The soldier's **valor** is legendary and still people invoke his name.
그 군인의 용맹함은 전설적이고 사람들은 여전히 그의 이름을 입에 올린다.

◎ **valiant** 형 용맹한, 단호한

1828

inform
[infɔ́ːrm]

동 [1]알리다, 알아내다 [2]영향을 미치다

We need to be cautious about thinking of war and the image of the enemy that **informs** it in an abstract and uniform way. 수능
우리는 전쟁과 그것에 영향을 미치는 적의 이미지를 추상적이고 획일적인 방식으로 생각하는 것에 대해 주의할 필요가 있다.

◎ **inform *A* of *B*** A에게 B를 알려주다

1829

deteriorate
[ditíəriərèit]

동 악화되다, 더 나빠지다

The smartphone makes your vision **deteriorate**.
스마트폰은 시력을 악화시킨다.

◎ **deterioration** 명 악화

1830

preserve
[prizə́ːrv]

동 지키다, 보존하다, 보호하다

Clues to past history are well **preserved** in many different kinds of materials.
과거의 역사에 관한 단서들은 여러 다양한 종류의 자료들로 잘 보존되어 있다.

1831

perplex
[pərpléks]

동 당혹하게 하다

He was **perplexed** by the unexpected response.
그는 예상하지 못한 반응에 당황했다.

◎ **perplexity** 명 당혹감

함께 외우는 유의어

bewilder [biwíldər] 동 당황하게 하다, 어리둥절하게 하다
confuse [kənfjúːz] 동 혼란시키다, 당황하게 하다

1832

resemble
[rizémbl]

동 닮다, 비슷하다

The baby **resembles** both his father and mother.
그 아기는 아버지와 어머니를 모두 닮았다.

1833

absorb
[æbsɔ́:rb]

동 흡수하다, 빨아들이다

A carbon sink is a natural feature that **absorbs** or stores more carbon than it releases. 모의
카본 싱크(이산화탄소 흡수계)는 배출하는 양보다 더 많은 탄소를 흡수하거나 저장하는 천연 지형이다.

1834

retreat
[ritrí:t]

동 후퇴하다, 물러가다 명 후퇴, 철수, 도피

The commander ordered his troops to **retreat** due to the bombs.
지휘관은 폭탄 때문에 그의 부대에 후퇴하라고 명령했다.

1835

mock
[mɑk]

동 놀리다, 무시하다

His new idea was being laughed at and openly **mocked**.
그의 새로운 아이디어는 웃음거리가 되었고 공개적으로 놀림을 받았다.

1836

combine
[kəmbáin]

동 결합시키다, 겸비하다

All the five countries spent over seven percent of their GDP on direct expenditures on education for all institutions **combined**. 모의
5개국 전체는 모든 교육기관을 합하여 교육에 대한 직접 지출에 GDP의 7%가 넘는 비용을 들였다.

◎ **combination** 명 결합, 조합

함께 외우는 유의어

merge [mə:rdʒ] 동 합병하다
integrate [íntəgrèit] 동 통합하다
unite [ju:náit] 동 결합하다

1837

amend
[əménd]

동 (법안 등을) 개정하다, 수정하다

This is one of more than 200 new or **amended** laws passed by lawmakers earlier this year.
이것은 올해 초 국회의원들이 통과시킨 200개가 넘는 새로운 법률 또는 개정된 법률 중 하나입니다.

◎ **amendment** 명 수정, 개정

1838

rationalize
[rǽʃənəlàiz]

동 합리화하다

He tried to **rationalize** everything that he had done in his way.
그는 자기 방식으로 자신이 한 모든 일을 합리화하려 했다.

◎ **rational** 형 합리적인, 이성적인

시험 빈출 반의어

1839

proper
[prάpər]

형 적절한, 제대로 된

With the **proper** training, you will be able to perform CPR quickly and effectively. 모의
적절한 훈련을 받으면 당신은 심폐소생술을 빠르고 효과적으로 수행할 수 있을 것이다.

1840

improper
[imprάpər]

형 부적절한, 부당한

Improper posture is the main cause of stress on the neck and back. 수능
부적절한 자세는 목과 등에 가해지는 긴장의 주원인이다.

바로 테스트

DAY 45-46

정답 441쪽

영어는 우리말로, 우리말은 영어로 쓰세요.

01 perplex
02 pervade
03 deteriorate
04 appreciate
05 stubborn
06 fragile
07 mock
08 breakthrough
09 absorb
10 overcome
11 overtake
12 autonomy
13 transact
14 loan
15 keen
16 compress
17 suppress
18 prestige
19 outbreak
20 preserve
21 초자연적인
22 선입견의
23 무능, 불능
24 평균(값); 평균의
25 후퇴하다
26 의미 있는, 중요한
27 닮다, 비슷하다
28 합리화하다
29 못된 짓을 하다
30 맞은편의; 반대
31 이주해 오다
32 응결하다, 압축하다
33 (의무를) 이행하다
34 증명서, 자격증
35 알리다, 알아내다
36 개정하다
37 격리하다
38 추구하다
39 10년
40 은유, 비유

괄호 안에서 알맞은 말을 고르세요.

41 Many people are (afflicted / inflicted) with an eating disorder in modern society.

42 It is important that each worker is equipped with (proper / improper) protective equipment.

5회독 체크

1841

immune
[imjúːn]

형 면역성이 있는

Like stress, these negative emotions can damage the **immune** response. 모의
이런 부정적인 감정은 스트레스처럼 면역 반응을 손상시킬 수 있다.

immunity 명 면역력

1842

integral
[íntigrəl]

형 1필수적인 2완전한

Inside a law court the precise location of those involved in the legal process is an **integral** part of the design. 수능
법정 안에서 법적 절차에 관련된 사람들의 정확한 위치는 설계의 필수적인 부분이다.

함께 외우는 유의어

essential [isénʃəl] 형 필수적인
indispensable [ìndispénsəbl] 형 없어서는 안될, 필수적인
fundamental [fʌ̀ndəméntl] 형 근본적인, 핵심적인

1843

congestion
[kəndʒéstʃən]

명 혼잡, 밀집

They asserted that those local festivals caused traffic **congestion**.
그들은 그 지역 축제들이 교통 혼잡을 일으킨다고 주장했다.

1844

confusion
[kənfjúːʒən]

명 혼란, 혼동, 당황

A group of animals fleeing from a predator can create **confusion**. 모의
포식자에게서 달아나는 동물 무리는 혼란을 일으킬 수 있다.

1845

poise
[pɔiz]

명 **침착, 균형**

The model looked wonderful because of her confidence and **poise**.
그 모델은 자신감과 침착함 때문에 멋져 보였다.

1846

proof
[pruːf]

명 **증거**

The scientist says that the **proof** of global warming exists all around the world.
그 과학자는 지구온난화의 증거가 전 세계적으로 존재한다고 말한다.

1847

infrastructure
[ínfrəstrʌ̀ktʃər]

명 **공공 기반 시설**

They called for measures to protect the region's **infrastructure** against flooding better.
그들은 홍수에 대비해 그 지역 공공 기반 시설을 더 잘 보호하기 위한 조치를 요구했다.

1848

stir
[stəːr]

동 **젓다, 섞다**

Then simply mix together the lemon juice, sugar, and water in a jug, and **stir**. 모의
그런 다음에 레몬즙, 설탕, 물을 주전자에서 그냥 섞어서 저어라.

◎ **stirring** 형 감동시키는, 활발한

1849

spit
[spit]

동 **뱉다, 침을 뱉다**

Slade giggled and tried to **spit** biscuit all over Dad. 모의
Slade는 키득거리며 비스킷을 몽땅 아빠를 향해 뱉어 버리려고 했다.

1850

robbery
[rɑ́bəri]

명 **강도, 약탈**

The gang have committed four recent bank **robberies**.
그 무리가 최근 네 건의 은행 강도를 저질렀다.

1851

virtual
[vɔ́ːrtʃuəl]

형 사실상의, 가상의

Users use the **virtual** keyboard to enter the password.
사용자들은 비밀번호를 입력하기 위해 가상 키보드를 사용한다.

- **virtually** 부 사실상, 가상으로

1852

virtue
[vɔ́ːrtʃuː]

명 선, 선행, 미덕

Patience is clearly an important **virtue**, yet so many people stand in front of their microwaves thinking "Hurry up!" 수능
인내는 명백하게 중요한 미덕이지만, 많은 사람들이 "빨리!"라고 생각하며 전자레인지 앞에 서 있는다.

- **virtuous** 형 고결한

1853

contract
[kɑ́ntrækt]

동 [1]줄어들다 [2]계약하다 명 [1]수축 [2]계약

Did you receive the **contract** I sent to you this morning? 수능
제가 오늘 아침에 당신에게 보낸 계약서를 받았나요?

1854

metropolis
[mitrɑ́pəlis]

명 주요 도시, 수도

Young people want to start their career in the **metropolis**.
젊은 사람들은 그들의 직업 경력을 대도시에서 시작하기를 원한다.

- **metropolitan** 형 대도시의

1855

ingredient
[ingríːdiənt]

명 재료, 구성 요소

Throwing a quick meal together is easy if you have some basic **ingredients**. 수능
당신에게 기본적인 재료가 있다면 식사를 빨리 차려 내는 것은 쉽다.

1856

sentiment
[séntəmənt]

명 **정서, 감정**

Negative **sentiment** includes emotions like grief, guilt, resentment, and anger.
부정적인 감정은 비통함, 죄의식, 분함, 그리고 분노와 같은 감정을 포함한다.

1857

nursery
[nə́:rsəri]

명 **육아실, 탁아소, 보육 학교**

Ms. White brings her son to the **nursery** at 8 every morning.
White 씨는 매일 아침 8시에 아들을 어린이집에 데려다 준다.

1858

fluent
[flú:ənt]

형 **유창한, 능숙한**

He is **fluent** in Spanish and he helps translate at the meetings.
그는 스페인어가 유창해서 회의에서 번역을 돕는다.

1859

stain
[stein]

명 **얼룩, 오점** 동 **얼룩지게 하다, 더럽히다**

He laughed and wiped away the tear **stains** from my face. 모의
그는 웃으면서 내 얼굴의 눈물 자국을 닦아 주었다.

- **stainless** 형 얼룩지지 않는

1860

suck
[sʌk]

동 **빨아 먹다, 빨다**

Trees and plants **suck** carbon dioxide from the air.
나무와 식물은 공기 중의 이산화탄소를 빨아들인다.

1861

psychiatrist
[saikáiətrist]

명 정신과 의사

I am counseling with a **psychiatrist** regularly.
나는 정기적으로 정신과 의사와 상담을 하고 있다.

1862

incentive
[inséntiv]

명 장려책, 동기, 격려

Sometimes the awareness that one is distrusted can provide the necessary **incentive** for self-reflection. 모의
때로는 신임을 얻지 못한다는 인식이 자기 성찰에 필요한 동기를 제공할 수 있다.

1863

pronunciation
[prənʌ̀nsiéiʃən]

명 발음

The speech requires perfect **pronunciation**, smooth breath control, and correct emphasis.
그 연설에는 완벽한 발음, 부드러운 호흡 조절, 그리고 정확한 강조가 필요하다.

◎ **pronounce** 동 발음하다

1864

artificial
[ɑ̀:rtəfíʃəl]

형 인공적인, 인조의

There was a wooden table on which was placed a bouquet of **artificial** flowers.
조화로 만든 꽃다발이 놓여 있는 나무 탁자가 있었다.

1865

artifact
[ɑ́:rtəfæ̀kt]

명 인공물, 공예품

I was enjoying searching for priceless **artifacts** in the flea market.
나는 벼룩시장에서 귀중한 공예품을 찾는 것을 즐기고 있었다.

1866

ounce
[auns]

명 온스(= oz), 아주 적은 양

Stir together 8 **ounces** of cream cheese and a cup of sugar powder until they are smooth.
8온스의 크림치즈와 한 컵의 설탕 가루를 부드러워질 때까지 한데 저어라.

1867

commit
[kəmít]

동 [1](죄를) 저지르다 [2]맡기다, 전념하다

He was sentenced to life in prison for **committing** a murder.[1]
그는 살인을 저지른 죄로 종신형을 선고 받았다.

However, some animal fathers also **commit** themselves to parenting.[2] 모의
하지만 일부 동물의 아빠들도 육아에 헌신한다.

● **commitment** 명 약속, 헌신

1868

designate
[dézignèit]

동 지정하다, 지명하다

They should also put the flyers on the **designated** bulletin boards. 모의
또한 광고물은 지정된 게시판에 붙여야 한다.

1869

enact
[inǽkt]

동 [1](법을) 제정하다 [2](극을) 상연하다

The government's plan to **enact** the legislation drove tens of thousands of citizens to the streets.
그 법안을 제정하려는 정부의 계획은 수만 명의 시민들을 거리로 뛰쳐 나오게 했다.

● **enactment** 명 법률 제정, 법규

1870

spectacular
[spektǽkjulər]

형 장관의, 극적인

The sunset from the cliff was **spectacular**.
절벽에서 보는 일몰은 장관이었다.

1871

predict

[pridíkt]

동 예측하다, 예견하다

Many stores can now accurately **predict** which customers will buy what products. 모의

많은 상점들이 이제 어느 고객이 무슨 상품을 살지 정확히 예측할 수 있다.

1872

enforce

[infɔ́:rs]

동 (법률 등을) 집행하다, 실시하다

Composers and music publishers founded a society to **enforce** their performing rights. 모의

작곡가들과 음악 발행인들이 자신들의 공연 권리를 행사하기 위해 협회를 설립했다.

함께 외우는 유의어

force [fɔ:rs] 동 강요하다
implement [ímpləmənt] 동 시행하다
execute [éksəkjù:t] 동 실행하다

1873

despair

[dispɛ́ər]

명 절망, 낙담 동 절망하다

My father always found some faults with the ponies, leaving me in **despair**. 모의

아버지는 늘 그 조랑말들에게서 어떤 결점을 찾아내서 나를 절망에 빠지게 하셨다.

1874

burst

[bə:rst]

동 터지다, 갑자기 (들어)오다 명 파열, 돌발

Bursting with happiness, I spent the rest of the day brushing my pony in the stable. 모의

행복감으로 터질 듯한 상태로 나는 마구간에서 내 조랑말을 솔질하면서 남은 하루를 보냈다.

● **burst into** 갑자기 ~하다

1875

destroy

[distrɔ́i]

동 파괴하다

The birds were savagely **destroyed** by humans until almost all were gone. 모의

그 새들은 거의 모두가 사라질 때까지 인간에 의해 잔혹하게 죽임을 당했다.

1876

toll

[toul]

명 ¹통행료 ²사상자 수

Riding the shuttles is free, but you still have to pay the highway **toll**.

셔틀버스 탑승은 무료이지만 고속도로 통행료는 내야 한다.

1877

forbid

[fərbíd]

동 금지하다, 허락하지 않다

The Department of Transport **forbids** riding an electric scooter on the road.

교통국은 도로에서 전기자전거를 타는 것을 금지하고 있다.

1878

dedicate

[dédikèit]

동 바치다, 전념하다, 헌신하다

She was very **dedicated** to helping students, so she even worked on weekends.

그녀는 학생들을 돕는 데 매우 헌신적이어서, 심지어 주말에도 일했다.

시험 빈출 혼동 단어

1879

complement

명 [kámpləmənt]
동 [kámpləmènt]

명 ¹보완물 ²보어 동 보완하다, 보충하다

The sweetness of the tomato **complemented** the taste of the meat sauce.

토마토의 달콤함이 미트 소스의 맛을 보완했다.

○ **complementary** 형 보충하는

1880

compliment

명 [kámpləmənt]
동 [kámpləmènt]

명 칭찬, 찬사 동 칭찬하다

She knew it was hard to get **compliments** from Megan and couldn't hide her smile. 모의

그녀는 Megan에게서 칭찬을 받기가 어렵다는 것을 알고 있어서 미소를 감출 수가 없었다.

○ **complimentary** 형 1. 칭찬하는 2. 무료의, 초대의

DAY 48

5회독 체크

1881

stitch
[stitʃ]

명 바늘땀 동 바느질하다, 꿰매다

The boy put his heart into every **stitch** to make his Halloween costume.
그 소년은 그의 핼러윈 의상을 만드는 한 땀 한 땀에 정성을 쏟았다.

1882

superb
[suːpə́ːrb]

형 최고의, 대단히 훌륭한

Andrew's grandfather was inspired by his **superb** victory. 모의
Andrew의 할아버지는 그의 훌륭한 승리에 고무됐다.

1883

majesty
[mǽdʒəsti]

명 1 위엄, 장엄 2 주권, 통치권

The article described the **majesty** of the lunar mountains.
그 기사는 달의 산들의 장엄함을 묘사했다.

Your / His / Her Majesty 폐하

1884

magnificent
[mægnífisənt]

형 장엄한, 훌륭한

Visitors to the zoo may observe and admire the creature, its amazing bone structure, and its **magnificent** coat. 모의
동물원의 방문객들은 그 동물과 그 동물의 놀라운 골격, 그리고 근사한 털가죽을 관찰하며 감탄할 것이다.

1885

overdue
[òuvərdjúː]

형 (지불·반납 등의) 기한이 지난

These books from the library are a week **overdue**.
도서관에서 빌린 이 책들은 한 주 연체되었다.

1886

approximately
[əprɑ́ksəmətli]

부 거의, 대략

The Roman Empire had an incredible variety of trademarks. Roman potters alone used **approximately** 6,000 trademarks. 모의

로마 제국에는 놀랍도록 다양한 상표들이 존재했다. 로마의 도공만 하더라도 거의 6,000개의 상표를 사용했다.

◎ **approximate** 형 근사치인, 가까운

1887

knot
[nɑt]

명 매듭

Every climber should know how to tie the essential **knots**.

모든 등반가들은 필수적인 매듭 묶는 방법을 알아야 한다.

1888

kinship
[kínʃip]

명 친족, 연대감

Most of us feel **kinship** with the people we grow up with.

우리 대부분은 함께 자란 사람에게 연대감을 느낀다.

1889

patron
[péitrən]

명 후원자, 홍보 대사

During the Renaissance, many musicians had to depend on wealthy **patrons** for support.

르네상스 시대에는 많은 음악가들이 부유한 후원자들에게 의존하여 지원을 받아야 했다.

1890

sacred
[séikrid]

형 성스러운, 종교적인

Ancient people considered the mountain to be a **sacred** place.

고대 사람들은 그 산을 성스러운 장소라고 여겼다.

1891

premium
[príːmiəm]

명 [1]할증금 [2]상, 상여금　형 고급의, 우수한

They are willing to pay a **premium** for organic meats and vegetables.
그들은 유기농 육류와 채소에 추가 금액을 지불할 의향이 있다.

1892

prior
[práiər]

형 사전의, 우선하는

Contact our office to reserve the elevator one week **prior** to moving. 모의
이사 일주일 전에 저희 사무실에 연락해서 엘리베이터를 예약하십시오.

1893

affluent
[ǽfluənt]

형 부유한, 풍족한

The concept of thrift emerged out of a more **affluent** money culture. 모의
설약이라는 개념은 보다 부유한 금전 문화로부터 등장했다.

◎ **affluence** 명 풍족, 부

함께 외우는 유의어

wealthy [wélθi] 형 부유한
prosperous [práspərəs] 형 번영하는, 부유한

1894

relish
[réliʃ]

동 즐기다　명 즐거움, 흥미

She is **relishing** the challenges of new things.
그녀는 새로운 것에 도전하는 것을 즐긴다.

◎ **relishable** 형 맛있는, 재미있는

1895

offense
[əféns]

명 [1]위법 행위, 범죄 [2]모욕

Sometimes you are given merely a warning for a minor **offense**.
때로 경범죄에 대해서는 경고만 받기도 한다.

◎ **No offense.** 내 말에 기분 상해 하지 마.

1896

transparent
[trænspέərənt]

형 투명한, 명쾌한

They said they would be honest and **transparent** about their process and decision-making.
그들은 절차와 의사 결정에 관해 정직하고 투명할 것이라고 말했다.

1897

transcribe
[trænskráib]

동 기록하다, 필기하다

A well-trained monk could **transcribe** around four pages of text per day. 수능
잘 훈련된 수도승은 하루에 약 4쪽의 문서를 필사할 수 있었다.

- **transcript** 명 글로 옮긴 기록

1898

dread
[dred]

동 몹시 두려워하다 명 두려움

Jeremy became so stressed that he even **dreaded** going into his classroom. 수능
Jeremy는 너무 스트레스를 받아서 심지어 교실에 들어가기가 두려웠다.

- **dreadful** 형 두려운, 끔찍한

1899

statesman / stateswoman
[stéitsmən] / [stéitswùmən]

명 정치가

The book *Utopia* was written by English **statesman** and philosopher Thomas More.
책 〈유토피아〉는 영국 정치가이자 철학자인 토머스 모어에 의해 쓰였다.

- **statesperson** statesman과 stateswoman을 대체하는 중립적 단어

1900

contrast
[kάntræst]

명 대조, 차이, 명암

In **contrast** to the diversity it is applied to, the meaning of the term “artist” continues to be mostly based on Western views and values. 모의
그것이 적용되는 다양성과는 대조적으로 ‘예술가’라는 말의 의미는 대체로 서양의 관점과 가치에 계속해서 기반을 둔다.

- **in contrast** ~와 대조적으로

1901

ailment
[éilmənt]

명 질병

Depression is a serious **ailment** in modern society.
현대사회에서 우울증은 심각한 질병이다.

1902

landscape
[lǽndskèip]

명 풍경, 풍경화

There were Impressionist painters who used a photograph in place of the **landscape** they were painting. 수능
그들이 그리고 있는 풍경 대신 사진을 사용하는 인상파 화가들이 있었다.

1903

rash
[ræʃ]

형 성급한, 무분별한 명 발진

You are responsible for your **rash** behavior.
너는 네 성급한 행동에 책임을 져야 한다.

I think this facial cleanser has given me an itchy red **rash** on my face.
나는 이 세안제 때문에 내 얼굴에 가렵고 붉은 발진이 생긴 것 같다.

1904

threat
[θret]

명 협박, 위협

These symptoms are not a **threat** to your health, but they can have a substantial impact on your quality of life.
이 증상들이 건강에 위협이 되지는 않지만, 삶의 질에 상당한 영향을 줄 수 있다.

1905

stale
[steil]

형 신선하지 않은, 오래된

The air in the basement is really **stale** and stuffy.
지하실의 공기는 정말 퀴퀴하고 답답하다.

1906

concentrate
[kάnsəntrèit]

동 집중하다, 전념하다

She is unable to **concentrate** and is feeling exhausted. 수능
그녀는 집중할 수가 없고 지친 기분이다.

1907

erase
[iréis]

동 지우다, 없애다

He **erased** the data on the computer permanently.
그는 컴퓨터에서 그 데이터를 영구적으로 지웠다.

◎ **erasure** 명 삭제

1908

escape
[iskéip]

동 탈출하다, 벗어나다

Some people try to **escape** an emotional experience by preoccupying themselves with eating. 모의
어떤 사람들은 먹는 것에 몰두함으로써 감정적인 경험에서 벗어나려 한다.

함께 외우는 유의어

flee [fli:] 동 달아나다, 도망치다
evade [ivéid] 동 피하다, 모면하다
avoid [əvɔ́id] 동 피하다, 막다

1909

implicate
[ímplikèit]

동 1관련시키다 2함축하다

The celebrity is **implicated** in a bad situation.
그 유명인사는 좋지 않은 상황에 연루되었다.

◎ **implication** 명 1. 연루 2. 함축

1910

identify
[aidéntəfài]

동 1확인하다 2동일시하다

By using this definition, it is easy to **identify** media as old or new. 수능
이 정의를 사용하면 매체가 구식인지 신식인지를 확인하는 것이 쉽다.

1911

leap
[liːp]

동 뛰다, 뛰어오르다

Afraid of getting wet, she **leaped** across the stream.
젖는 것이 걱정돼서 그녀는 개울을 뛰어 넘었다.

1912

propose
[prəpóuz]

동 [1]제안하다 [2]계획하다, 작정하다

Technicians **proposed** a new method for the production of renewable energy.
기술자들은 재생 가능한 에너지를 생산하는 새로운 방법을 제안했다.

함께 외우는 유의어

suggest [səgdʒést] 동 제안하다
submit [səbmít] 동 제시하다, 제출하다
intend [inténd] 동 의도하다, 의미하다

1913

provide
[prəváid]

동 제공하다, 주다

Fortunately, the outer layers of the Sun **provide** a sort of blanket that protects us from its inner fires. 모의
다행히도, 태양의 외층은 내부의 불로부터 우리를 보호하는 일종의 담요를 제공한다.

1914

revalidate
[rìːvǽlideit]

동 재확인하다, 갱신하다

The agent quickly issued a **revalidated** ticket to the woman, and then arranged for another flight for my friend. 수능
직원은 서둘러 갱신된 비행기표를 그 여자에게 발급해 주었고, 그런 다음 내 친구를 위해 다른 비행 편을 마련해 주었다.

1915

quantify
[kwάntəfài]

동 양을 나타내다, 수량화하다

It is hard to **quantify** the risks associated with the new policy.
그 새 정책에 관련된 위험 요인을 수량화하기는 어렵다.

1916

obstruct
[əbstrʌ́kt]

동 막다, 방해하다

In the theater, you should not **obstruct** the view of the people behind you.
극장에서 뒤에 있는 사람들의 시야를 방해하면 안 된다.

1917

rehabilitate
[rìːhəbílətèit]

동 [1]재활 치료를 하다 [2]명예를 회복시키다

The baseball player left the team to continue **rehabilitating** his left knee.
그 야구선수는 왼쪽 무릎의 재활 치료를 계속하기 위해 팀을 떠났다.

◎ **rehabilitation** 명 1. 복귀, 복직 2. 부흥

1918

tilt
[tilt]

동 기울다 명 경사, 기울어짐

The public opinion is **tilting** to one direction.
여론은 한쪽 방향으로 기울어지고 있다.

1919

deploy
[diplɔ́i]

동 [1](군대·무기를) 배치하다 [2]효율적으로 사용하다

The rest of the troops are to be **deployed** for air defense.
나머지 병력은 방공을 위해 배치될 것이다.

◎ **deployment** 명 배치

시험 빈출 다의어

1920

utter
[ʌ́tər]

1 형 (강조의 의미로) 완전한

Those reports this morning were **utter** nonsense.
오늘 아침의 보고서는 완전히 터무니없었다.

2 동 입밖에 내다, 말하다

You have a right to **utter** your thoughts.
너는 네 생각을 발언할 권리가 있다.

바로 테스트

정답 441쪽

영어는 우리말로, 우리말은 영어로 쓰세요.

01 forbid
02 virtual
03 contrast
04 congestion
05 majesty
06 affluent
07 designate
08 overdue
09 dedicate
10 commit
11 enact
12 predict
13 stale
14 rehabilitate
15 revalidate
16 obstruct
17 superb
18 relish
19 identify
20 integral
21 재료, 구성 요소
22 투명한
23 침착, 균형
24 성스러운, 종교적인
25 공공 기반 시설
26 유창한
27 면역성이 있는
28 터지다; 파열
29 관련시키다, 함축하다
30 집중하다
31 몹시 두려워하다
32 정서, 감정
33 선, 미덕
34 인공적인
35 수량화하다
36 제안하다, 계획하다
37 탈출하다
38 줄어들다, 계약하다
39 뱉다, 침을 뱉다
40 절망; 절망하다

괄호 안에서 알맞은 말을 고르세요.

41 The guests (complemented / complimented) the beautiful garden around the house.

42 No one in the room dared to **utter** a word. (완전한 / 말하다)

DAY 49

5회독 체크

1921

terminate

[tə́ːrmənèit]

통 끝내다, 종결시키다

When subjects either could predict when the burst of noise would occur or had the ability to **terminate** the noise with a "panic button," the negative effects disappeared. 수능

피실험자들이 갑작스러운 소음이 일어날 것을 예측할 수 있거나 소음을 '비상 단추'로 없앨 수 있었을 때 그러한 부정적인 효과는 사라졌다.

함께 외우는 유의어

cease [siːs] 동 중단되다, 중지하다
abolish [əbáliʃ] 동 (법·제도 등을) 폐지하다
put an end to ~을 끝내다

1922

conscience

[kánʃəns]

명 양심

They will keep the promises on their **conscience**.

그들은 양심을 걸고 약속을 지킬 것이다.

1923

sheer

[ʃiər]

형 1순전한 2섞인 것이 없는 3얇은

Don't worry. They will respond with **sheer** delight.

걱정하지 마라. 그들은 순수한 즐거움으로 반응할 것이다.

1924

trustworthy

[trʌ́stwə̀ːrði]

형 신뢰할 만한, 믿을 수 있는

Search users saying that the information found using search engines is accurate or **trustworthy** account for less than five percent. 수능

검색 엔진을 사용해서 찾은 정보가 정확하거나 신뢰할 만하다고 말하는 검색 사용자들은 5퍼센트 미만을 차지한다.

함께 외우는 유의어

reliable [riláiəbl] 형 믿을 수 있는
credible [krédəbl] 형 믿을 수 있는

1925

implement
[ímpləmənt]

통 실행하다, 이행하다 명 기구, 도구

Steps to protect forest areas should be **implemented** without further delay.
산림지역을 보호하기 위한 조치를 더 이상 지체하지 않고 이행해야 한다.

◎ **implementation** 명 실행, 이행

1926

opponent
[əpóunənt]

명 상대, 반대자

He decided to select his **opponent** randomly. 수능
그는 자신의 상대를 무작위로 선택하기로 했다.

1927

counterpart
[káuntərpɑ̀ːrt]

명 상대, 대응 관계에 있는 사람[것]

There's a direct **counterpart** to pop music in the classical song, more commonly called an "art song," which does not focus on the development of melodic material. 모의
고전 성악에는 대중음악에 직접 상응하는 음악이 있는데, 더 일반적으로 '예술가곡'이라고 불리며 멜로디 내용의 전개에 초점을 맞추지 않는다.

1928

weird
[wiərd]

형 기이한, 기묘한, 기괴한

Putting seaweed on pizza is **weird**.
피자에 해초를 올리는 것은 이상하다.

◎ **weirdness** 명 기이함
◎ **weirdo** 명 괴짜, 별난 사람

1929

wither
[wíðər]

통 시들다, 약해지다

I was watching the flames **wither** and fade.
나는 불길이 약해지고 사그러드는 것을 보고 있었다.

1930

unanimity
[jùːnənímәti]

명 만장일치

The suggestion was adopted with **unanimity**.
그 제안은 만장일치로 채택되었다.

◎ **unanimous** 형 만장일치의 **unanimously** 부 만장일치로

1931

scarce
[skɛərs]

형 부족한, 드문 부 간신히

In traditional societies where resources continued to be **scarce**, consumption was more seasonally and communally orientated. 모의
자원이 계속해서 부족했던 전통 사회에서는 소비가 보다 계절적이고 공동체 지향적이었다.

◎ **scarcity** 명 부족, 결핍

1932

humid
[hjúːmid]

형 습한, 눅눅한

It was also so hot and **humid** that I could not enjoy the tour fully. 수능
너무 덥고 습해서 나는 그 여행을 충분히 즐길 수 없었다.

1933

marsh
[mɑːrʃ]

명 습지, 늪

Alligators normally live in freshwater and **marshes**.
악어들은 보통 민물과 습지에 산다.

1934

literary
[lítərèri]

형 문학의, 문학적인

Do you think reading **literary** works will help improve my imagination? 모의
문학 작품을 읽는 것이 내 상상력을 향상시키는 데 도움이 될 것이라고 생각하니?

◎ **literature** 명 문학

1935

literal

[lítərəl]

형 **문자 그대로의, 직역의**

The **literal** meaning of the word "yoga" is union.

'요가'라는 단어의 문자 그대로의 의미는 결합이다.

1936

unveil

[ʌnvéil]

동 **덮개를 벗기다, (비밀 등을) 밝히다**

Humans have been trying to **unveil** the secret of the universe.

인류는 우주의 비밀을 밝히기 위해 노력해오고 있다.

함께 외우는 유의어

display [displéi] 동 드러내다, 전시하다
disclose [disklóuz] 동 드러내다, 폭로하다
reveal [riví:l] 동 드러내다, 폭로하다

1937

adverse

[ædvə́:rs]

형 **반대하는, 부정적인, 불리한**

Taking too much medicine at the same time can have an **adverse** effect.

너무 많은 양의 약을 한꺼번에 먹으면 부작용이 일어날 수 있다.

함께 외우는 유의어

negative [négətiv] 형 부정적인
harmful [há:rmfəl] 형 해로운
hostile [hástl] 형 적대적인

1938

veterinarian

[vètərənέəriən]

명 **수의사(= vet)**

The farmer called for a **veterinarian** to check on his horses.

농부는 그의 말들을 진찰하기 위해서 수의사를 불렀다.

1939

row

[rou]

명 **열, 줄**

I prefer to sit in the front **row** for concentration in classes.

나는 수업에 집중하기 위해서 앞줄에 앉는 것을 선호한다.

◎ **in a row** 연이어

1940

warehouse
[wέərhàus]

명 창고, 저장소, 도매점

This old **warehouse** is currently being used as an art gallery.
이 오래된 창고는 최근 미술 전시관으로 사용되고 있다.

1941

species
[spíːʃiːz]

명 종, 종류

Many **species** of trees are now endangered because of urbanization.
많은 종의 나무가 지금 도시화로 인해 멸종 위기에 놓여 있다.

1942

specimen
[spésəmən]

명 견본, 표본

This tomb is a fine **specimen** of ancient culture.
이 무덤은 고대 문화의 좋은 표본이다.

1943

sway
[swei]

동 흔들리다

They were standing in a field of reeds **swaying** in a gentle breeze.
그들은 산들바람에 흔들리는 갈대밭에 서 있었다.

1944

trim
[trim]

동 다듬다, 손질하다 명 다듬기

Trim rough edges with a sharp knife.
매끈하지 않은 가장자리는 날카로운 칼로 다듬어라.

1945

portray
[pɔːrtréi]

동 그리다, 나타내다, 연기하다

The writer vividly **portrayed** the lives of people in 17th century France.
그 작가는 17세기 프랑스 사람들의 삶을 생생하게 묘사했다.

◎ **portrayal** 명 묘사, 기술

1946

condemn

[kəndém]

통 규탄하다, 형을 선고하다

These shameful displays must be **condemned** by all.

이런 부끄러운 전시물들은 모두에게 규탄받아야 한다.

1947

indicate

[índikèit]

통 나타내다, 내비치다, 가리키다

They adjust themselves to any signal that **indicates** appropriate or inappropriate behavior. 수능

그들은 적절한 또는 부적절한 행위를 나타내는 어떠한 신호에도 스스로를 맞춘다.

함께 외우는 유의어

suggest [səgdʒést] 통 암시하다

signify [sígnəfài] 통 의미하다

1948

invoke

[invóuk]

통 [1](법을) 적용하다 [2]언급하다 [3]기원하다

The ego is **invoked** as the fundamental measure against which behaviors are to be evaluated. 모의

자아는 행동 평가의 기준이 되는 본질적인 척도로 언급된다.

1949

lean

[li:n]

통 기울다, (몸을) 숙이다 형 군살이 없는, 수확이 적은

They shared with their neighbors in **lean** times.

그들은 수확이 적은 시기에는 이웃과 자기 것을 나누었다.

1950

recede

[risí:d]

통 물러나다, 희미해지다

One day, the sea **receded** so far that fish were hopping on the ground.

어느날, 바닷물이 멀리 빠지자 물고기들이 바닥에서 파닥거리고 있었다.

1951

inquire
[inkwáiər]

동 ~을 묻다, 질문을 하다

The interviewer **inquired** about my background based on my résumé.
면접관은 내 이력서를 바탕으로 나의 배경에 관해 물었다.

◎ **inquiry** 명 질문, 조사, 연구

1952

apologize
[əpɑ́lədʒàiz]

동 사과하다

He **apologized** as the phone rang once again. 모의
전화벨이 다시 한번 울리자 그는 사과했다.

1953

boast
[boust]

동 뽐내다, 자랑하다 명 자랑, 허풍

He **boasted** about a new portrait of himself.
그는 자기 새 초상화에 대해 자랑했다.

1954

precedent
[présədənt]

명 선례, 판례

There is plenty of **precedent** for this kind of dilemma.
이런 종류의 딜레마에 대한 많은 선례가 있다.

◎ **precede** 동 앞서다, 앞장서다 **precedence** 명 앞섬, 선행

1955

contact
[kɑ́ntækt]

명 연락, 접촉 동 연락하다, 접촉하다

When two cultures come into **contact**, they do not exchange every cultural item. 수능
두 문화가 접촉할 때, 그 두 문화가 모든 문화 사항을 교환하지는 않는다.

함께 외우는 유의어

reach [ri:tʃ] 동 연락하다
approach [əpróutʃ] 동 접근하다, 접촉하다
get in touch with ~와 연락하다

1956

resent
[rizént]

동 **분개하다, 억울하게 여기다**

Big words are **resented** by those who don't understand them.

과장된 말을 이해하지 못하는 사람들은 그 말에 분개한다.

1957

bulk
[bʌlk]

명 **부피, 대부분, (큰) 규모** 형 **대량의**

The supermarket is giving an unbelievable discount on **bulk** purchasing.

그 슈퍼마켓은 대량 구매에 믿을 수 없을 정도의 할인을 제공하고 있다.

bulky 형 (부피·덩치가) 큰

1958

cease
[siːs]

동 **그치다, 그만두다, 중지하다**

As the waiter served the food, she finally **ceased** her endless monologue.

종업원이 음식을 나르자, 그녀는 마침내 끝없는 독백을 멈췄다.

시험 빈출 반의어

1959

mortal
[mɔ́ːrtl]

형 **영원히 살 수 없는, 치명적인**

All humans are **mortal**.

모든 인간은 죽는다.

mortality 명 죽음을 피할 수 없는 운명, 사망률

1960

immortal
[imɔ́ːrtl]

형 **죽지 않는, 불멸의**

The singer's great songs and performances will remain **immortal**.

그 가수의 멋진 노래와 공연들은 불멸로 남을 것이다.

immortality 명 불멸

DAY 50

5회독 체크

1961

blast
[blæst]

명 폭발, 돌풍

The video captured on a citizen's camera shows the moment the **blast** happened.
시민의 카메라에 포착된 영상은 폭발이 일어난 순간을 보여준다.

1962

assault
[əsɔ́:lt]

명 폭행(죄), 습격, 맹비난

He was charged and arrested for a serious **assault**.
그는 심각한 폭행으로 기소되어 구속되었다.

1963

nuisance
[njú:sns]

명 성가심, 귀찮은 존재, (불법) 방해

The online crimes affected a large number of people and resulted in not only **nuisance** but threats.
온라인 범죄는 많은 사람에게 영향을 끼쳤고 성가심 뿐만 아니라 위협을 초래했다.

1964

limb
[lim]

명 1팔[다리] 2큰 나뭇가지

The patient is learning to use the new artificial **limb** after the accident.
그 환자는 사고 후에 새 의수[의족]를 사용하는 법을 배우고 있다.

1965

privilege
[prívəlidʒ]

명 특권, 특혜, 특별 허가

Ordinary people could not have the **privilege** to view the confidential document.
일반인들은 그 기밀문서를 볼 권한을 가질 수 없었다.

1966

excess
[iksés]

명 초과(량), 지나침, 과도 형 초과한, 여분의

She is trying to get rid of **excess** fat and calories for her health.
그녀는 건강을 위해 과도한 지방과 칼로리를 제거하려고 노력하고 있다.

함께 외우는 유의어

surplus [sə́ːrplʌs] 명 과잉, 나머지
extravagance [ikstrǽvəgəns] 명 사치, 낭비
overflow [óuvərflòu] 명 과다, 과잉

1967

recruit
[rikrúːt]

동 모집하다 명 신병, 신입 사원

The school official said they were planning to aggressively **recruit** applicants for the new campus.
학교 관계자는 새로운 캠퍼스의 지원자를 적극적으로 모집할 계획을 하고 있다고 말했다.

1968

prompt
[prɑmpt]

형 즉각적인, 신속한

Prompt action is required when the earthquake occurs.
지진이 발생하면 즉각적인 행동이 요구된다.

1969

addict
[ǽdikt]

명 중독자 동 ~에 빠지게 하다, 중독시키다

People will refer to themselves as mystery book **addicts** or cookie **addicts**. 모의
사람들은 스스로를 미스터리 책 중독자나 쿠키 중독자라고 부를 것이다.

be addicted to ~에 빠지다, 중독되다

1970

momentous
[mouméntəs]

형 중대한

We sat in front of the TV to watch the **momentous** occasion.
우리는 중대한 행사를 보기 위해 TV 앞에 앉았다.

1971

deficit
[défəsit]

명 적자, 부족액, 결손

The huge recent federal **deficits** have pushed the federal debt to levels not seen since the 1940s.
최근의 막대한 연방 재정 적자는 1940년대 이후 볼 수 없었던 수준으로 연방 정부의 부채를 밀어올렸다.

◎ **deficiency** 명 결핍, 결점

1972

finance
[finǽns]

명 자금, 재정 동 자금을 조달하다

During 2009–2010, nearly 40 percent of federal expenditures were **financed** by borrowing. 모의
2009년~2010년 동안에 연방 정부 지출의 거의 40퍼센트는 대출에 의해 자금이 충당되었다.

◎ **financial** 형 금융의, 재정의

1973

cathedral
[kəθíːdrəl]

명 대성당

The stone mason is inspired by building a great **cathedral** for the ages. 모의
그 석공은 후세에 길이 남을 훌륭한 대성당을 건설하는 데에 고무된다.

1974

pitiful
[pítifəl]

형 측은한, 가련한

It was **pitiful** that the team was losing by a big margin.
그 팀은 큰 점수 차이로 지고 있어서 매우 측은했다.

1975

indispensable
[ìndispénsəbl]

형 없어서는 안될, 필수적인

Each player is important and everyone is **indispensable**.
각각의 선수들은 중요하고 모두가 다 없어서는 안 된다.

1976

dispensable

[dispénsəbl]

형 없어도 되는, 불필요한

Computers have made the calculator **dispensable**.

컴퓨터는 계산기를 불필요하게 했다.

1977

shallow

[ʃǽlou]

형 얕은, 얄팍한

The classic explanation proposes that trees have deep roots while grasses have **shallow** roots. 모의

전형적인 설명에 의하면 나무는 뿌리가 깊지만 풀은 뿌리가 얕다.

함께 외우는 유의어

surface [sə́ːrfis] 형 표면의

superficial [sùːpərfíʃəl] 형 피상적인

meaningless [míːniŋlis] 형 무의미한

1978

unemployed

[ʌ̀nimplɔ́id]

형 실직한, 실업자의

Millions were still **unemployed**, doubtful about ever finding work again.

수백만 명이 아직 실직 상태로 다시 일을 찾을 수 있을지 의문이었다.

1979

interior

[intíəriər]

명 ¹내부, 실내 ²내정 형 ¹내부의, 안쪽의 ²국내의

There will be a special lecture on **interior** design.

실내 디자인에 관한 특별 강좌가 있을 예정이다.

◎ **exterior** 명 외부 형 외부의, 대외적인

1980

divine

[diváin]

형 신성한, 아주 훌륭한

The villagers believed that the man had been cured by **divine** power.

마을 사람들은 그 남자가 신성한 힘에 의해 치유되었다고 믿었다.

1981

naive
[nɑːíːv]

형 **순진한, 고지식한**

"Art" is a term that is too loaded to take at face value and use in a **naive** way in the study of our own society. 모의
'예술'은 우리의 사회를 연구할 때 액면 그대로 받아들여서 고지식하게 사용하기에는 의미가 너무 많은 용어이다.

◎ **naively** 부 순진하게

1982

habitat
[hǽbitæ̀t]

명 **서식지, 거주지**

A proportion of agricultural land is left completely uncultivated to provide a **habitat** for a wide range of species. 모의
일정 비율의 농지를 전혀 경작하지 않고 놓아두어 넓은 범위의 종들의 서식지를 제공한다.

1983

absurd
[əbsə́ːrd]

형 **불합리한, 터무니없는**

The whole situation is just **absurd**.
상황이 전체적으로 터무니없다.

◎ **absurdity** 명 부조리, 불합리

함께 외우는 유의어

ridiculous [ridíkjuləs] 형 터무니없는
unreasonable [ʌnríːzənəbl] 형 불합리한
irrational [irǽʃənl] 형 불합리한

1984

sensible
[sénsəbl]

형 **분별 있는, 현명한**

We figured the **sensible** thing to deal with the problem was to wait.
우리는 그 문제를 처리하는 현명한 방법은 기다리는 것이라고 생각했다.

1985

moderate
[mɑ́dərət]

형 **보통의, 온건한, 알맞은** 동 **완화하다, 조정하다**

An individual characteristic that **moderates** the relationship with behavior is self-efficacy. 모의
행동과의 관계를 조정하는 개인적인 특징은 자기 효능감이다.

1986

modest
[mádist]

형 겸손한, 적당한, 수수한

Despite his popularity, the singer has stayed **modest**.
인기에도 불구하고 그 가수는 겸손함을 유지해 왔다.

◎ **immodest** 형 자만하는

1987

defect
[dí:fekt]

명 결함, 단점

I think it is wholly the company's responsibility to correct the **defect**. 수능
나는 그 결함을 고치는 것은 전적으로 회사의 책임이라고 생각한다.

1988

drawback
[drɔ́:bæ̀k]

명 결점, 문제점

The biggest **drawback** of anger is that it destroys your inner peace.
화의 가장 큰 문제점은 당신의 마음의 평화를 깬다는 것이다.

1989

steer
[stiər]

동 조종하다, 움직이다, 몰고 가다

The captain was slowly **steering** south to avoid the iceberg.
선장은 빙산을 피하기 위해서 천천히 남쪽으로 조종하고 있었다.

◎ **steering wheel** (자동차의) 핸들

1990

stun
[stʌn]

동 기절시키다, 아연하게 만들다

I was **stunned** when I heard the news.
나는 그 소식을 듣고 아연해졌다.

◎ **stunning** 형 굉장히 아름다운, 깜짝 놀랄

1991

substitute
[sʌ́bstətjùːt]

명 대리인, 대용품, 교체 선수 동 대신하다

Jim never became a starter, but he was always the first **substitute** to go in the game. 모의

Jim은 결코 선발 선수는 되지 못했지만 항상 경기에 처음으로 교체되어 들어가는 선수였다.

1992

subtle
[sʌ́tl]

형 미묘한, 감지하기 힘든

People pay close attention to a leader's **subtle** expressions of emotion through body language and facial expression. 모의

사람들은 신체 언어와 얼굴 표정을 통한 지도자의 미묘한 감정 표현에 세심한 주의를 기울인다.

◎ **subtly** 부 미묘하게, 교묘하게   **subtlety** 명 미묘함, 교묘함

1993

accord
[əkɔ́ːrd]

명 합의, 일치 동 부합하다, 일치시키다

The latest study **accords** with the rapid job growth in the renewable energy field.

최신의 연구는 재생 에너지 분야에서의 급격한 일자리 증가와 부합한다.

◎ **accordance** 명 일치, 부합, 조화

◎ **according to** ~에 따라

1994

activate
[ǽktəvèit]

동 작동시키다, 활성화하다

Please **activate** your device and follow the instruction.

장치를 작동시키고 지시사항을 따르십시오.

1995

attempt
[ətémpt]

명 시도 동 시도하다, 꾀하다

Praise your children for **attempting** a task, even if it was unsuccessful. 모의

당신의 자녀가 비록 성공하지 못했더라도 어떤 과업을 시도한 것에 대해서 칭찬해라.

1996

compile

[kəmpáil]

동 [1]편집하다, 엮다 [2](컴퓨터) 명령어를 번역하다

To make a new program, we need to **compile** the information by using existing data.

새로운 프로그램을 만들기 위해서는 기존 데이터를 사용하여 정보를 편집해야 한다.

◎ **compilation** 명 편집, 모음집

1997

convert

[kənvə́ːrt]

동 전환하다, 개조하다

Such change has often occurred because a minority has **converted** others to its point of view. 수능

소수 집단이 다른 사람들을 자신의 관점으로 바꿔 놓았기 때문에 그러한 변화가 종종 일어났다.

1998

firm

[fəːrm]

명 회사 형 단단한

A **firm** grasp is that the forces applied by the fingers balance each other. 모의

단단히 붙잡는 것은 손가락에 의해 가해진 힘이 서로 균형을 이룬다는 것이다.

시험 빈출 혼동 단어

1999

primary

[práimeri]

형 [1]주된, 주요한 [2]최초의, 초등의

The **primary** aim of our program is to help children build self-esteem.

우리 프로그램의 주된 목표는 아이들이 자부심을 형성하도록 돕는 것이다.

2000

primitive

[prímətiv]

형 원시적인, 원시 사회의

The hunters, armed only with **primitive** weapons, were no real match for an angry mammoth. 모의

원시적인 무기로만 무장한 사냥꾼들은 화난 매머드의 실제 적수가 되지 못했다.

바로 테스트

DAY 49-50

정답 441쪽

영어는 우리말로, 우리말은 영어로 쓰세요.

01	conscience	**21**	특권, 특혜
02	adverse	**22**	불합리한, 터무니없는
03	subtle	**23**	규탄하다
04	substitute	**24**	상대, 반대자
05	portray	**25**	성가심, 귀찮은 존재
06	indicate	**26**	자금, 재정
07	invoke	**27**	측은한, 가련한
08	naive	**28**	신뢰할 만한
09	implement	**29**	작동시키다
10	indispensable	**30**	만장일치
11	sway	**31**	문학의
12	moderate	**32**	뽐내다, 자랑하다
13	momentous	**33**	전환하다
14	accord	**34**	적자, 부족액
15	cease	**35**	초과(량), 지나침
16	shallow	**36**	기이한, 기괴한
17	steer	**37**	종결시키다
18	recede	**38**	분개하다
19	attempt	**39**	덮개를 벗기다
20	wither	**40**	견본, 표본

괄호 안에서 알맞은 말을 고르세요.

41 We will never forget their noble and (mortal / immortal) sacrifice.

42 He was the first librarian whose (primary / primitive) contribution was in mathematics.

ANSWERS

ANSWERS

DAY 01-02 바로 테스트

p. 24

01 현상, 경이
02 외교(술), 외교 수완
03 건설하다, 구성하다
04 연금술, 신비한 힘
05 가늠하다, 평가하다
06 피난, 도피
07 격분, 난폭
08 유명 인사, 명성
09 암송하다, 나열하다
10 항의하다; 항의
11 위험, 유해함
12 반감
13 (~하는) 경향이 있다
14 측정하다; 조치
15 머무르다, 견디다
16 구경꾼, 행인
17 깜짝 놀라게 하다
18 정화하다
19 도래, 출현
20 이의, 반대
21 navigate
22 exotic
23 amid
24 install
25 ethic
26 mediate
27 fee
28 element
29 fluid
30 vapor
31 prolong
32 nurture
33 boundary
34 demand
35 surplus
36 underprivileged
37 discriminate
38 shudder
39 prestigious
40 imminent

41 weary
42 previous

DAY 03-04 바로 테스트

p. 41

01 합리적인, 이성적인
02 금지하다
03 전달하다, 운반하다
04 신중한
05 생태, 생태학
06 혐오하다, 질색하다
07 돌연변이의
08 피로
09 논란, 논쟁
10 조화시키다, 화해시키다
11 치명적인, 돌이킬 수 없는
12 동등한, 상응하는
13 임의의, 독단적인
14 가능성이 있는
15 뒤의, 뒤쪽에 있는
16 동요하는
17 높이다, 향상시키다
18 유독성의
19 온전한
20 통화, 통용
21 legitimate
22 protect
23 deduction
24 context
25 indulgent
26 regime
27 chronic
28 assign
29 refine
30 tension
31 accordance
32 fertile
33 refuse
34 internal
35 discourse
36 monetary
37 abstain
38 boost
39 assure
40 scorn

41 alternative
42 confirmed

DAY 05-06 바로 테스트

p. 58

01 아주 좋은, 멋진
02 매달다, 걸다
03 투표; 투표하다
04 슬퍼하다; 애도
05 분쟁; 반박하다
06 진공
07 피하다, 막다
08 지형, 지역
09 자애로운, 인자한
10 혼란스럽게 하다
11 이루다, 성취하다
12 연장하다
13 이루다, 성취하다
14 의사, 내과의사
15 ~에도 불구하고
16 전염병
17 고용하다
18 떠나다, 출발하다
19 못된, 끔찍한
20 초목, 식물
21 praise
22 tolerate
23 fling
24 assume
25 basis
26 salvage
27 await
28 dictate
29 ascent
30 optimal
31 neutral
32 discouraged
33 remedy
34 famine
35 influence
36 reluctant
37 deficient
38 proficient
39 agriculture
40 diffuse

41 emit
42 blend

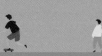

DAY 07-08 바로 테스트

p. 75

01 부담스러운, 고된
02 싸우다; 전투
03 찬성하다, 승인하다
04 괴롭히다
05 통합시키다
06 편견, 선입견
07 생리학, 생리
08 입장; 접속하다
09 광학
10 ~하기 쉬운
11 전략, 전술
12 익다, 숙성시키다
13 유전
14 성가신, 귀찮은
15 외진, 먼
16 불법화하다
17 개척자, 선구자
18 가짜의; 위조하다
19 방해하다
20 영구적인
21 thrive
22 inward
23 tame
24 bound
25 evaporate
26 shed
27 decay
28 vigor
29 enormous
30 shield
31 consolation
32 budget
33 outlast
34 insurance
35 cohesive
36 mislead
37 unstable
38 verify
39 coherence
40 range

41 progresses
42 규율

DAY 09-10 바로 테스트

p. 92

01 격식에 얽매이지 않는
02 정반대, 역
03 속도, 회전율
04 조각, 파편
05 예비의; 사전 준비
06 역경, 불행
07 조심하다
08 언어의, 언어학의
09 잠깐 봄; 힐끗 보다
10 조성하다
11 정복, 점령지
12 유산, 유전(되는 것)
13 추진하다
14 삼가다
15 결백, 순진
16 심리학, 심리
17 불화, 불일치
18 잡히지 않는
19 조종하다
20 들러붙다
21 lifespan
22 prescribe
23 frost
24 shred
25 suspect
26 infant
27 notion
28 prescription
29 bilingual
30 verge
31 responsible
32 deposit
33 correlate
34 stare
35 adhesive
36 epidemic
37 cultivation
38 imitate
39 deviant
40 counteract

41 revised
42 shrank

DAY 11-12 바로 테스트

p. 109

01 일관성 있는
02 자격을 주다
03 ~을 위하여
04 절제하는, 온건한
05 반짝반짝 빛나다
06 갈등, 충돌
07 알아차리다
08 수반하다, 함의하다
09 타협, 절충안
10 연합하다
11 유지하다
12 소란, 동요
13 엄청난, 심오한
14 결과의
15 의무적인
16 자격이 있는
17 해고하다, 방출하다
18 손상시키다
19 가능하게 하다
20 연민, 동정심
21 prospect
22 compound
23 reserve
24 leak
25 ignorance
26 portion
27 athlete
28 hostage
29 donor
30 appeal
31 enrich
32 exclusive
33 reservoir
34 social
35 deliver
36 distort
37 distribute
38 sequence
39 implore
40 supervise

41 Compulsory
42 predecessor

DAY 13-14 바로 테스트

p. 126

01 상속인, 계승자
02 (정신이) 산만해진
03 아는 사람, 지인
21 bypass
22 remark
23 vacant

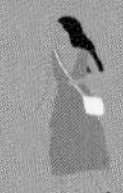

04	방해하다, 혼란시키다	24	substantial
05	동정적인	25	passive
06	발효시키다	26	irrigation
07	재생하다, 복제하다	27	reference
08	지지하다, 확인하다	28	illumination
09	유명한, 두드러지는	29	linear
10	추론하다	30	shift
11	착취하다, 이용하다	31	coincidence
12	대신하다, 바꾸다	32	respective
13	만연하다, 승리하다	33	testify
14	양립할 수 없는	34	fraction
15	방해하다	35	accumulate
16	수단, 방법	36	depress
17	오류	37	compatible
18	시골의, 지방의	38	supplement
19	상품, 일용품	39	float
20	융통성 없는	40	figure

41 stimulate
42 계약

DAY 15-16 바로 테스트

p. 143

01	즉각, 곧	21	vessel
02	합성한, 종합적인	22	aesthetic
03	관세, 요금	23	barter
04	비만, 비대	24	detach
05	평결, 결정	25	aggressive
06	패배하다; 패배	26	generosity
07	추정하다, 간주하다	27	supremacy
08	악화시키다	28	kidnap
09	흠이 없는, 완벽한	29	choke
10	발생시키다	30	scatter
11	위조하다, 구축하다	31	necessity
12	때이른, 조숙한	32	launch
13	일반적인, 포괄적인	33	mature
14	통근하다	34	inject
15	졸업장, 수료증	35	solidify
16	흐릿한, 모호한	36	degenerate
17	충돌; 격돌하다	37	panic
18	결심하다, 결정하다	38	liberal

19	필연적인, 불가피한	39	compare
20	뛰어나다, 능가하다	40	rebel

41 surrender
42 majority

DAY 17-18 바로 테스트

p. 160

01	의존적인	21	reputation
02	망명, 추방	22	accept
03	부정하다, 모순되다	23	stick
04	땀, 발한	24	enclose
05	지렛대, 수단	25	approach
06	동일시하다	26	tide
07	끊임없는	27	disclose
08	마음껏 하다	28	permission
09	강력한	29	dismiss
10	요약하다	30	pave
11	지리상의	31	location
12	(어떤 생각을) 품다	32	react
13	긴장, 부담	33	bribe
14	절약하는, 간소한	34	soar
15	꽉 쥐다, 파악하다	35	blunt
16	처참한, 형편없는	36	render
17	대칭, 균형	37	deny
18	진짜의, 진품의	38	sanitation
19	비난, 치욕	39	profit
20	폐렴	40	invert

41 invalid
42 archaeology

DAY 19-20 바로 테스트

p. 177

01	겪다, 견디다	21	tyranny
02	~에 앞서다	22	impersonal
03	동반하다	23	tangible
04	풀을 뜯다, 방목하다	24	afford
05	참사, 재앙	25	trade
06	혼자의, 외딴	26	radical
07	열렬한	27	scheme
08	발버둥치다, 투쟁하다	28	collapse

09 줄어들다
10 익명의, 특색 없는
11 지지하다; 지지자
12 녹슨
13 명령; 필수적인
14 극복하다
15 (숨을) 들이마시다
16 풀어주다, 발표하다
17 흉내를 내다
18 외부의; 겉
19 공정한
20 기발한 재주, 독창성
29 accuracy
30 deceive
31 erode
32 drastic
33 torture
34 assent
35 intuition
36 possess
37 undertake
38 embark
39 adjust
40 reap

41 assent
42 inhabit

DAY 21-22 바로 테스트

p. 194

01 그 동안에, 한편
02 회복시키다
03 확대하다, 과장하다
04 검열
05 창안하다, 고안하다
06 위반하다, 제약하다
07 작동되다, 가동하다
08 유아기, 초창기
09 겁먹게 하다
10 급류, 빗발침
11 통합하다
12 확신시키다
13 고려하다
14 의무
15 지탱하다
16 쫓아버리다
17 증명하다
18 함축적인, 맹목적인
19 오염시키다
20 화석
21 calculate
22 detect
23 overestimate
24 acute
25 ambiguous
26 realm
27 blame
28 duration
29 perspective
30 restore
31 survive
32 carve
33 incur
34 trigger
35 abandon
36 unification
37 oppose
38 nourish
39 sue
40 manufacture

41 inflate
42 기르다

DAY 23-24 바로 테스트

p. 211

01 재개하다
02 상업의
03 섞다, 섞이다
04 주장하다, 단언하다
05 관리하다
06 떼어놓을 수 없는
07 형제자매
08 극도의; 극단
09 외향적인
10 가뭄
11 이해시키다
12 제한하다
13 논박하다
14 처형하다
15 평행한
16 개념, 구상
17 특징, 특성
18 평형, 균형
19 개입하다
20 직관에 의한
21 alert
22 denial
23 adore
24 anchor
25 undermine
26 hire
27 spread
28 humble
29 abuse
30 swear
31 motivate
32 impose
33 admit
34 invader
35 penetrate
36 intense
37 punish
38 constraint
39 degrade
40 decode

41 commenced
42 egocentric

DAY 25-26 바로 테스트

p. 228

01 밀려들다
02 싹이 나다; 새싹
03 정교한
04 경멸하다
05 꾸짖다, 비난하다
06 분류하다
07 보온성이 좋은
08 이민을 가다
09 지[illegible]
10 반대되는
11 입자, 미립자
12 합병하다
13 나오다
21 equipment
22 expand
23 skim
24 strict
25 exclude
26 storage
27 sensitive
28 hospitality
29 disposable
30 estimate
31 outgoing
32 atom
33 rescue

ANSWERS

14 자포자기한
15 기구, 장치
16 위태롭게 하다
17 편견
18 할당하다
19 대도시의, 수도의
20 철저한
34 mobility
35 clarify
36 require
37 secure
38 soothe
39 reject
40 respect

41 전설
42 superior

DAY 27-28 바로 테스트

p. 245

01 미신
02 점검하다
03 드러내다
04 평온함
05 등록하다
06 환경, 상황
07 시간을 지키는
08 철학자
09 진압하다
10 활용하다
11 사라지다
12 짜내다, 꽉 쥐다
13 변호하다
14 능력, 적성
15 가라앉다
16 반면에
17 절연 처리를 하다
18 비유, 유사점
19 활발한, 격렬한
20 감염시키다
21 fierce
22 conservative
23 adolescence
24 royal
25 vulnerable
26 traitor
27 retention
28 grumble
29 halt
30 twilight
31 reasonable
32 frantic
33 remnant
34 whirl
35 instinct
36 shatter
37 found
38 justify
39 vital
40 casualty

41 commended
42 decline

DAY 29-30 바로 테스트

p. 262

01 혁신, 쇄신
02 지각하다
03 법적 책임이 있는
04 숙고하다
05 일시적인, 임시의
06 서로의, 상호간의
07 난폭한, 부당한
08 물러나다, 인출하다
09 충분한, 적절한
10 증폭시키다
11 철거하다
12 전략, 전술
13 고집하다
14 뛰어난
15 연기하다
16 견뎌내다
17 수정하다
18 산출하다, 굴복하다
19 매년의, 연간의
20 변호사, 대리인
21 negotiate
22 pungent
23 shove
24 extravagance
25 optimistic
26 furious
27 statistic
28 pessimism
29 delicate
30 legacy
31 ethnic
32 shrug
33 contempt
34 requisite
35 sewage
36 retrieve
37 ruin
38 emission
39 rapidity
40 confer

41 horizontal
42 adapting

DAY 31-32 바로 테스트

p. 279

01 먹을 수 있는
02 직업, 점령
03 포옹하다
04 함축, 내포
05 독백
06 확신, 보증
07 차지하다
08 아첨하다
09 문명, 문명 사회
10 입증하다
11 표준, 기준
12 탄원, 간청
13 ~할 자격이 있다
14 기쁨
15 견디다, 인내하다
16 환각, 착각
17 특허권
18 경도
21 durable
22 sincere
23 frustrate
24 recurrent
25 vain
26 trespass
27 cynical
28 handle
29 oblivious
30 besiege
31 wage
32 chemical
33 tremble
34 eliminate
35 state
36 probability
37 atmosphere
38 consistent

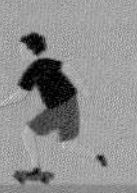

19 가속화하다
20 난민, 망명자
39 aspire
40 marvel

41 aptitude
42 aroused

DAY 33-34 바로 테스트

p. 296

01 분리[차별] 정책
02 이상한, 특유의
03 증거, 증언
04 탄성, 회복력
05 주택, 거주지
06 알아보다
07 분할, 분할된 부분
08 많이 있다
09 중요한, 유명한
10 수사하다
11 양육권, 구류
12 종속된; 하급자
13 권위, 권한
14 유발하다
15 분출하다
16 소매; 소매하다
17 아끼다, 보호하다
18 탐험, 원정
19 보증, 보증서
20 가치 있는
21 jealous
22 orbit
23 confess
24 aspect
25 recur
26 empirical
27 snatch
28 authentic
29 individual
30 clue
31 sophisticated
32 deprive
33 aim
34 consume
35 obedient
36 encourage
37 liability
38 slant
39 essence
40 fundamental

41 evoked
42 값을 부르다

DAY 35-36 바로 테스트

p. 313

01 적대적인
02 추론
03 추측하다, 투기하다
04 진화
05 포함하다, 아우르다
06 잔인한, 악랄한
07 선언하다
08 소환하다
09 저명한, 탁월한
10 소리치다
11 결합력, 응집력
12 사소한, 하찮은
13 때, 기회
14 숙달, 능숙
15 논쟁, 주장
16 흔들리다
17 궁극적인
18 감각, 느낌
19 충실한
20 기소하다
21 quest
22 intermediate
23 prosperity
24 illiterate
25 devote
26 accommodate
27 subjective
28 opportunity
29 erosion
30 persuade
31 aware
32 extent
33 hypothesis
34 prophetic
35 turnover
36 combination
37 predator
38 intrude
39 applicant
40 enchant

41 disinterested
42 dominant

DAY 37-38 바로 테스트

p. 330

01 지친
02 절차, 수술
03 강화하다, 증강하다
04 괴롭힘
05 인정하다
06 정복하다
07 구현하다, 포함하다
08 강요하다
09 지각, 인식
10 고결한, 귀족의
11 자산, 재산
12 변하기 쉬운; 변수
13 여러 가지의
14 봉하다
15 추상적인
16 정의하다
17 나타내다
18 고장
19 번창하다
20 상호 작용을 하다
21 prolific
22 glare
23 conscious
24 spontaneous
25 associate
26 humiliation
27 drowsy
28 reside
29 ban
30 interval
31 revolve
32 forefather
33 engross
34 refer
35 logic
36 suburban
37 consensus
38 tempt
39 swift
40 detest

41 eradicated
42 successive

ANSWERS

DAY 39-40 바로 테스트

p. 347

01 구성 요소, 성분
02 동경하다
03 운명
04 복잡한, 난해한
05 어설픈, 서투른
06 사로잡다
07 고통; 괴롭히다
08 규제하다
09 갑작스러운
10 음모를 꾸미다
11 고무하다
12 음울한, 황량한
13 절약
14 이동; 표류하다
15 수행하다
16 영원한
17 맞서다
18 구성하다
19 막다, 예방하다
20 버리다; 버린 것
21 cognition
22 complementary
23 establish
24 merit
25 encounter
26 transform
27 mandatory
28 replicate
29 cooperate
30 static
31 exaggerate
32 advance
33 ally
34 overwhelm
35 feminine
36 notify
37 charity
38 conceal
39 confine
40 vocation

41 wandered
42 understate

DAY 41-42 바로 테스트

p. 364

01 유창한
02 지루한, 싫증나는
03 설득하다
04 위반하다
05 현저한, 두드러진
06 관대한
07 분명한, 솔직한
08 원칙, 원리
09 비치하다, 제공하다
10 분개한
11 취급, 치료
12 추방하다
13 해방시키다
14 빈곤하게 하다
15 피하다, 모면하다
16 넘다, 초과하다
17 파산한
18 (가치·명예가) 떨어지다
19 의미하다, 중요하다
20 기억해 내다
21 nutrition
22 subconscious
23 mental
24 abnormal
25 exemplify
26 overlook
27 oversee
28 commemorate
29 suitable
30 pledge
31 strive
32 fade
33 commission
34 gross
35 receptive
36 earnest
37 roam
38 subscribe
39 duplicate
40 compensate

41 empathize
42 welfare

DAY 43-44 바로 테스트

p. 381

01 뒤바꾸다; 반대
02 전문 지식
03 비롯되다, 발명하다
04 내재하는
05 상기시키다
06 존경
07 능률적인
08 구식인
09 침체되다
10 친밀한, 사적인
11 관점, 전망
12 분명한, 외관상의
13 구성하다, 작곡하다
14 위조하다, 조작하다
15 충분한
16 살금살금 가다
17 각인시키다
18 토론, 논쟁
19 추측하다, 가정하다
20 분명한
21 empathy
22 declare
23 eventual
24 offend
25 sweep
26 contribute
27 priority
28 clarification
29 diversity
30 immediate
31 dwell
32 export
33 import
34 anticipate
35 consent
36 extinct
37 accordingly
38 loyal
39 align
40 obstacle

41 vague
42 confident

DAY 45-46 바로 테스트

p. 398

01 당혹하게 하다
02 만연하다
03 악화되다
04 진가를 알아보다
05 완고한
06 부서지기 쉬운
07 놀리다
08 돌파구
09 흡수하다
10 극복하다
11 추월하다
12 자치권
13 거래하다
14 대출(금), 대여
15 열망하는, 날카로운
16 압축하다
17 진압하다
18 위신, 명망
19 발생, 발발
20 지키다, 보존하다
21 supernatural
22 preconceived
23 inability
24 average
25 retreat
26 meaningful
27 resemble
28 rationalize
29 misbehave
30 opposite
31 immigrate
32 condense
33 fulfill
34 certificate
35 inform
36 amend
37 isolate
38 pursue
39 decade
40 metaphor

41 afflicted
42 proper

DAY 47-48 바로 테스트

p. 415

01 금지하다
02 사실상의, 가상의
03 대조, 차이, 명암
04 혼잡, 밀집
05 위엄, 주권
06 부유한, 풍족한
07 지정하다, 지명하다
08 기한이 지난
09 바치다, 전념하다
10 (죄를) 저지르다
11 제정하다, 상연하다
12 예측하다, 예견하다
13 신선하지 않은
14 재활 치료를 하다
15 재확인하다
16 막다, 방해하다
17 최고의
18 즐기다; 즐거움
19 확인하다
20 필수적인, 완전한
21 ingredient
22 transparent
23 poise
24 sacred
25 infrastructure
26 fluent
27 immune
28 burst
29 implicate
30 concentrate
31 dread
32 sentiment
33 virtue
34 artificial
35 quantify
36 propose
37 escape
38 contract
39 spit
40 despair

41 complimented
42 말하다

DAY 49-50 바로 테스트

p. 432

01 양심
02 반대하는, 부정적인
03 미묘한
04 대리인; 대신하다
05 그리다, 나타내다
06 나타내다, 가리키다
07 (법을) 적용하다
08 순진한
09 실행하다, 이행하다
10 없어서는 안될
11 흔들리다
12 보통의; 완화하다
13 중대한
14 합의, 일치
15 그치다, 그만두다
16 얕은, 얄팍한
17 조종하다
18 물러나다
19 시도
20 시들다
21 privilege
22 absurd
23 condemn
24 opponent
25 nuisance
26 finance
27 pitiful
28 trustworthy
29 activate
30 unanimity
31 literary
32 boast
33 convert
34 deficit
35 excess
36 weird
37 terminate
38 resent
39 unveil
40 specimen

41 immortal
42 primary

표제어 INDEX

A

- [ ] abandon 182
- [ ] abbreviate 16
- [ ] abhor 38
- [ ] abide 20
- [ ] abnormal 358
- [ ] abolish 21
- [ ] abound 294
- [ ] abrupt 332
- [ ] absorb 396
- [ ] abstain 28
- [ ] abstract 315
- [ ] absurd 428
- [ ] abundant 26
- [ ] abuse 208
- [ ] accelerate 276
- [ ] accept 149
- [ ] access 64
- [ ] accommodate 303
- [ ] accompany 167
- [ ] accomplish 252
- [ ] accord 430
- [ ] accordance 35
- [ ] accordingly 365
- [ ] account 225
- [ ] accumulate 123
- [ ] accuracy 163
- [ ] accurate 163
- [ ] accuse 55
- [ ] achieve 55
- [ ] acknowledge 327
- [ ] acquaintance 118
- [ ] acquire 328
- [ ] acquisition 199
- [ ] activate 430
- [ ] active 102
- [ ] acute 181
- [ ] adapt 261
- [ ] addict 425
- [ ] adequate 250
- [ ] adhere 81
- [ ] adhesive 81
- [ ] adjust 167
- [ ] administer 207
- [ ] admission 202
- [ ] admit 202
- [ ] adolescence 240
- [ ] adopt 261
- [ ] adorable 189
- [ ] adore 207
- [ ] advance 343
- [ ] advantage 18
- [ ] advent 16
- [ ] adverse 419
- [ ] adversity 87
- [ ] advocacy 36
- [ ] advocate 163
- [ ] aesthetic 131
- [ ] affair 299
- [ ] affect 372
- [ ] affiliate 267
- [ ] affirm 30
- [ ] affirmative 32
- [ ] afflict 389
- [ ] affluent 409
- [ ] afford 168
- [ ] agency 10
- [ ] agent 10
- [ ] aggravate 141
- [ ] aggressive 137
- [ ] agitated 37
- [ ] agony 187
- [ ] agriculture 42
- [ ] ailment 411
- [ ] aim 293
- [ ] alchemy 11
- [ ] alert 209
- [ ] alien 204
- [ ] align 371
- [ ] allocate 227
- [ ] allot 193
- [ ] ally 336
- [ ] alter 31
- [ ] alternative 32
- [ ] altitude 270
- [ ] altruism 68
- [ ] ambiguity 182
- [ ] ambiguous 182
- [ ] ambition 110
- [ ] amend 397
- [ ] amid 18
- [ ] amplify 260
- [ ] analogy 230
- [ ] analyze 294
- [ ] ancestor 204
- [ ] anchor 208
- [ ] anecdote 113
- [ ] announce 140
- [ ] annoy 260
- [ ] annual 257
- [ ] anonymous 164
- [ ] anthropology 159
- [ ] antibiotic 393
- [ ] anticipate 371
- [ ] antipathy 8
- [ ] antonym 241
- [ ] apologize 422
- [ ] apparatus 221
- [ ] apparent 377
- [ ] appeal 99
- [ ] appear 337
- [ ] applaud 354
- [ ] appliance 221
- [ ] applicant 308
- [ ] application 308
- [ ] apply 308
- [ ] appreciate 394
- [ ] apprentice 251
- [ ] approach 157
- [ ] appropriate 84
- [ ] approve 64
- [ ] approximately 408
- [ ] apt 37
- [ ] aptitude 270
- [ ] arbitrary 39
- [ ] archaeology 159
- [ ] architect 323
- [ ] architecture 289
- [ ] archive 29
- [ ] Arctic 120
- [ ] arise 278
- [ ] arouse 278
- [ ] arrange 310
- [ ] array 352
- [ ] arrogant 214
- [ ] artery 271
- [ ] artifact 403
- [ ] artificial 403
- [ ] ascent 43
- [ ] aspect 282
- [ ] aspire 268
- [ ] assault 424
- [ ] assemble 123
- [ ] assent 168
- [ ] assert 200
- [ ] assess 13
- [ ] asset 324
- [ ] assign 38
- [ ] assist 265
- [ ] assistant 298
- [ ] associate 327
- [ ] assume 55

- ☐ assurance 267
- ☐ assure 38
- ☐ asthma 369
- ☐ astonish 13
- ☐ astronomy 196
- ☐ athlete 95
- ☐ atmosphere 271
- ☐ atom 215
- ☐ attach 361
- ☐ attack 76
- ☐ attain 55
- ☐ attempt 430
- ☐ attend 72
- ☐ attorney 255
- ☐ attract 77
- ☐ attribute 370
- ☐ auction 321
- ☐ authentic 281
- ☐ authority 280
- ☐ authorize 72
- ☐ autograph 132
- ☐ autonomy 384
- ☐ availability 335
- ☐ avenge 320
- ☐ average 390
- ☐ avoid 47
- ☐ await 47
- ☐ award 44
- ☐ aware 300
- ☐ awareness 44
- ☐ awkward 334

B

- ☐ bald 274
- ☐ ballot 48
- ☐ ban 314
- ☐ banish 352
- ☐ bankrupt 350
- ☐ barbaric 46
- ☐ barely 188
- ☐ barrier 214
- ☐ barter 136
- ☐ basis 50
- ☐ bearable 45
- ☐ behalf 206
- ☐ behave 389
- ☐ beneath 35
- ☐ benefit 144
- ☐ benevolent 51
- ☐ besiege 268
- ☐ beware 89
- ☐ bewilder 53
- ☐ bewitch 253
- ☐ bias 65
- ☐ bid 295
- ☐ bilingual 84
- ☐ biology 61
- ☐ blame 183
- ☐ bland 57
- ☐ blast 424
- ☐ blend 57
- ☐ blunt 145
- ☐ blurred 135
- ☐ blush 253
- ☐ boast 422
- ☐ bold 63
- ☐ boost 35
- ☐ border 268
- ☐ bother 66
- ☐ bothersome 71
- ☐ bound 68
- ☐ boundary 18
- ☐ breakthrough 384
- ☐ breed 286
- ☐ bribe 156
- ☐ bribery 156
- ☐ brief 95
- ☐ brilliant 9
- ☐ brutal 301
- ☐ budget 59
- ☐ bulk 423
- ☐ bump 127
- ☐ burdensome 61
- ☐ burst 405
- ☐ bury 370
- ☐ bypass 115
- ☐ by-product 70
- ☐ bystander 17

C

- ☐ calculate 193
- ☐ canal 340
- ☐ candidate 385
- ☐ capable 333
- ☐ capacity 119
- ☐ caption 64
- ☐ career 278
- ☐ carve 192
- ☐ cast 156
- ☐ casualty 240
- ☐ catastrophe 162
- ☐ category 63
- ☐ cater 236
- ☐ cathedral 426
- ☐ cease 423
- ☐ celebrity 20
- ☐ cellular 155
- ☐ censorship 179
- ☐ ceremonial 62
- ☐ certificate 393
- ☐ certify 183
- ☐ chamber 385
- ☐ chant 328
- ☐ chaos 247
- ☐ character 199
- ☐ charity 339
- ☐ cheat 301
- ☐ chemical 264
- ☐ chemistry 265
- ☐ cherish 73
- ☐ choke 133
- ☐ chore 255
- ☐ chronic 25
- ☐ circulate 286
- ☐ circumstance 232
- ☐ cite 327
- ☐ civilization 264
- ☐ civilize 264
- ☐ claim 302
- ☐ clan 35
- ☐ clarification 365
- ☐ clarify 219
- ☐ clash 134
- ☐ classify 219
- ☐ clue 282
- ☐ clumsy 341
- ☐ coexist 106
- ☐ cognition 341
- ☐ coherence 67
- ☐ coherent 95
- ☐ cohesion 308
- ☐ cohesive 63
- ☐ coincidence 114
- ☐ collaborate 106
- ☐ collapse 174
- ☐ colleague 271
- ☐ collide 174
- ☐ colony 12
- ☐ combat 60
- ☐ combatant 323

표제어 INDEX

- [ ] combination 298
- [ ] combine 396
- [ ] comfort 311
- [ ] command 236
- [ ] commemorate 353
- [ ] commence 202
- [ ] commend 236
- [ ] comment 202
- [ ] commerce 205
- [ ] commercial 205
- [ ] commission 356
- [ ] commit 404
- [ ] committee 356
- [ ] commodity 119
- [ ] commute 139
- [ ] compact 125
- [ ] companion 121
- [ ] compare 133
- [ ] compartment 214
- [ ] compassion 96
- [ ] compatible 117
- [ ] compel 329
- [ ] compensate 353
- [ ] compete 191
- [ ] competence 241
- [ ] competitive 191
- [ ] compile 431
- [ ] complement 406
- [ ] complementary 342
- [ ] complex 246
- [ ] complicated 246
- [ ] compliment 406
- [ ] component 332
- [ ] compose 377
- [ ] compound 96
- [ ] compress 388
- [ ] comprise 234
- [ ] compromise 100
- [ ] compulsive 100
- [ ] compulsory 100
- [ ] conceal 338
- [ ] conceited 216
- [ ] conceive 159
- [ ] concentrate 412
- [ ] conception 197
- [ ] concern 369
- [ ] conclude 276
- [ ] concrete 366
- [ ] condemn 421
- [ ] condense 383
- [ ] conduct 346
- [ ] confer 252
- [ ] confess 285
- [ ] confident 380
- [ ] confidential 380
- [ ] configure 72
- [ ] confine 344
- [ ] confirm 40
- [ ] conflict 97
- [ ] conform 40
- [ ] confront 336
- [ ] confusion 399
- [ ] congestion 399
- [ ] congregate 378
- [ ] congress 26
- [ ] connotation 268
- [ ] conquer 327
- [ ] conquest 76
- [ ] conscience 416
- [ ] conscious 317
- [ ] consecutive 101
- [ ] consensus 325
- [ ] consent 369
- [ ] consequence 101
- [ ] consequent 101
- [ ] conservative 231
- [ ] conserve 294
- [ ] considerable 45
- [ ] consistent 263
- [ ] consolation 69
- [ ] console 69
- [ ] conspire 346
- [ ] constant 152
- [ ] constitute 337
- [ ] constraint 203
- [ ] construct 13
- [ ] consult 304
- [ ] consume 293
- [ ] contact 422
- [ ] contagious 53
- [ ] contain 337
- [ ] contaminate 183
- [ ] contemplate 192
- [ ] contemporary 26
- [ ] contempt 250
- [ ] contend 56
- [ ] contention 306
- [ ] context 25
- [ ] contract 401
- [ ] contradict 148
- [ ] contrary 215
- [ ] contrast 410
- [ ] contribute 370
- [ ] controversial 25
- [ ] controversy 25
- [ ] convention 43
- [ ] converse 77
- [ ] convert 431
- [ ] convey 31
- [ ] convict 14
- [ ] convince 191
- [ ] cooperate 345
- [ ] coordinate 29
- [ ] copper 138
- [ ] correlate 79
- [ ] corridor 206
- [ ] cosmic 80
- [ ] counteract 80
- [ ] counterpart 417
- [ ] county 222
- [ ] courteous 82
- [ ] coverage 178
- [ ] creak 82
- [ ] credulous 83
- [ ] creek 377
- [ ] creep 235
- [ ] criterion 240
- [ ] crude 232
- [ ] cuisine 172
- [ ] cultivation 89
- [ ] currency 27
- [ ] curriculum 206
- [ ] custody 292
- [ ] cynical 275

D

- [ ] damage 47
- [ ] dare 276
- [ ] debate 378
- [ ] debt 45
- [ ] decade 384
- [ ] decay 62
- [ ] deceive 174
- [ ] decent 222
- [ ] deception 174
- [ ] declare 378
- [ ] decline 244
- [ ] decode 209
- [ ] decorate 31
- [ ] decrease 324
- [ ] dedicate 406

- deduction 28
- defeat 139
- defect 429
- deficient 45
- deficit 426
- define 327
- deflate 185
- defy 14
- degenerate 140
- degrade 200
- delay 353
- delegate 295
- delete 319
- deliberate 73
- delicate 256
- delight 267
- deliver 106
- demand 14
- democracy 135
- demolish 259
- demonstrate 268
- demonstration 342
- denial 206
- dense 38
- deny 148
- depart 47
- depend 144
- dependent 144
- depict 74
- deplete 39
- deploy 414
- deposit 80
- depress 125
- deprive 286
- derive 55
- descend 169
- descriptive 80
- deserve 277
- designate 404
- despair 405
- desperate 222
- despise 225
- despite 54
- destroy 405
- detach 134
- detail 94
- detect 183
- detergent 131
- deteriorate 395
- determine 137
- detest 320
- detract 363
- devastate 49
- deviant 77
- devise 179
- devote 304
- diabetes 138
- dialect 121
- dictate 56
- dictator 352
- diffuse 44
- dignity 86
- dimension 391
- dine 39
- diploma 139
- diplomacy 10
- disastrous 150
- discard 343
- discern 96
- discharge 106
- discipline 74
- disclose 150
- discord 89
- discouraged 50
- discourse 28
- discriminate 20
- disgusting 90
- disinterested 304
- dismal 333
- dismiss 148
- disobey 287
- dispatch 59
- dispel 378
- dispensable 427
- displace 124
- disposable 223
- dispose 363
- dispute 48
- disrupt 122
- dissent 168
- distinguished 121
- distort 106
- distracted 113
- distraction 43
- distress 338
- distribute 107
- disturbance 98
- diversity 368
- divine 427
- domestic 312
- dominant 312
- donor 97
- doom 269
- dormant 190
- dose 229
- draft 376
- drain 241
- drastic 170
- drawback 429
- dread 410
- dreary 104
- drift 333
- drought 196
- drowsy 324
- dual 288
- duplicate 353
- durable 271
- duration 190
- dwell 378
- dwindle 175
- dynamic 256
- dynasty 231

E

- eager 172
- earnest 350
- eccentric 210
- ecology 37
- economic 283
- edible 263
- edit 48
- efficient 368
- egocentric 210
- elaborate 215
- elastic 324
- elect 48
- electronic 293
- element 19
- elevate 56
- eligible 104
- eliminate 269
- eloquent 349
- elusive 83
- embark 168
- embarrass 208
- embassy 265
- embed 96
- embody 319
- embrace 277
- emerge 219
- emigrate 218

표제어 INDEX

- [ ] eminent 299
- [ ] emission 248
- [ ] emit 49
- [ ] empathize 355
- [ ] empathy 374
- [ ] emphasize 355
- [ ] empirical 288
- [ ] enable 345
- [ ] enact 404
- [ ] enchant 310
- [ ] enclose 150
- [ ] encompass 310
- [ ] encounter 336
- [ ] encourage 295
- [ ] endeavor 39
- [ ] endure 269
- [ ] enforce 405
- [ ] engage 56
- [ ] engross 321
- [ ] enhance 39
- [ ] enlighten 202
- [ ] enormous 68
- [ ] enrich 101
- [ ] enroll 286
- [ ] ensure 295
- [ ] entail 97
- [ ] enterprise 171
- [ ] entitle 102
- [ ] environment 233
- [ ] epidemic 78
- [ ] equate 158
- [ ] equation 197
- [ ] equator 197
- [ ] equilibrium 197
- [ ] equipment 212
- [ ] equity 210
- [ ] equivalent 26
- [ ] era 36
- [ ] eradicate 321
- [ ] erase 412
- [ ] erect 227
- [ ] erode 175
- [ ] erosion 306
- [ ] errand 110
- [ ] erupt 294
- [ ] escape 412
- [ ] essence 284
- [ ] essential 365
- [ ] establish 345
- [ ] estate 335
- [ ] esteem 379
- [ ] estimate 218
- [ ] eternal 334
- [ ] ethic 17
- [ ] ethnic 249
- [ ] evacuate 159
- [ ] evade 361
- [ ] evaluate 13
- [ ] evaporate 66
- [ ] eventual 376
- [ ] evidence 309
- [ ] evident 377
- [ ] evoke 287
- [ ] evolution 309
- [ ] evolve 112
- [ ] exaggerate 338
- [ ] excavate 40
- [ ] exceed 361
- [ ] excel 141
- [ ] excellent 9
- [ ] excess 425
- [ ] exchange 192
- [ ] exclaim 302
- [ ] exclude 218
- [ ] exclusive 103
- [ ] excursion 358
- [ ] execute 201
- [ ] exemplify 362
- [ ] exert 32
- [ ] exhale 162
- [ ] exhausted 323
- [ ] exhibit 31
- [ ] exile 147
- [ ] exodus 147
- [ ] exotic 10
- [ ] expand 224
- [ ] expedition 280
- [ ] expel 48
- [ ] experiment 343
- [ ] expert 375
- [ ] expertise 375
- [ ] explicitly 112
- [ ] explode 192
- [ ] exploit 115
- [ ] explore 30
- [ ] export 380
- [ ] expose 184
- [ ] exquisite 78
- [ ] extend 56
- [ ] extent 297
- [ ] exterior 176
- [ ] external 32
- [ ] extinct 370
- [ ] extract 147
- [ ] extraordinary 257
- [ ] extravagance 257
- [ ] extreme 203
- [ ] extrovert 210
- [ ] extroverted 210

F

- [ ] fabulous 116
- [ ] facilitate 107
- [ ] faculty 280
- [ ] fade 362
- [ ] faithful 307
- [ ] fake 69
- [ ] fallacy 122
- [ ] falsify 379
- [ ] falter 304
- [ ] fame 393
- [ ] famine 51
- [ ] fancy 78
- [ ] farewell 164
- [ ] fatal 28
- [ ] fate 343
- [ ] fatigue 27
- [ ] favorable 121
- [ ] feat 220
- [ ] feature 107
- [ ] federal 105
- [ ] fee 12
- [ ] feminine 342
- [ ] ferment 122
- [ ] fertile 38
- [ ] fetch 370
- [ ] fierce 230
- [ ] figure 111
- [ ] finance 426
- [ ] firm 431
- [ ] flatter 277
- [ ] flavor 145
- [ ] flawless 135
- [ ] flee 30
- [ ] flexible 113
- [ ] fling 54
- [ ] flip 249
- [ ] float 124
- [ ] flock 10
- [ ] flourish 320
- [ ] flu 152

- fluent 402
- fluid 20
- flush 236
- foe 52
- fold 311
- fond 231
- forbid 406
- forefather 318
- foremost 123
- foretell 90
- forge 129
- formal 76
- formidable 129
- formula 373
- formulate 373
- forthwith 130
- fortify 124
- fortress 376
- fossil 191
- foster 81
- found 242
- fraction 120
- fragile 382
- fragment 88
- frantic 231
- fraud 205
- fraught 132
- freight 225
- frequent 84
- friction 307
- frontier 307
- frost 90
- frown 360
- frugal 153
- frustrate 269
- fulfill 386
- fume 277
- fundamental 288
- funeral 77
- furious 257
- furnish 360
- furthermore 80
- fuse 277
- futile 11

G

- garment 124
- gaze 241
- generate 140
- generic 136
- generosity 137
- genetic 147
- genuine 148
- geographical 149
- geological 154
- gigantic 157
- glare 328
- glimpse 84
- glitter 104
- gloomy 360
- grasp 14
- gratify 82
- graze 161
- grieve 162
- grin 164
- gross 355
- grumble 234
- guardian 111
- gulf 392

H

- habitat 428
- halt 229
- handle 267
- harassment 323
- hardship 117
- harsh 85
- harvest 261
- hasten 165
- haunt 141
- haunted 64
- hazardous 54
- headquarters 72
- heir 111
- hence 94
- herd 10
- heredity 69
- heritage 79
- hesitate 226
- hinder 68
- hire 201
- holy 60
- hook 105
- horizontal 253
- horn 12
- hospitality 223
- hostage 99
- hostile 299
- humble 195
- humid 418
- humiliation 317
- hygiene 145
- hypothesis 299

I

- identify 412
- identity 122
- ideology 341
- ignoble 190
- ignorance 103
- ignore 149
- illiterate 306
- illuminate 116
- illumination 116
- illusion 263
- illustrate 175
- imitate 83
- immature 142
- immediate 369
- immense 155
- immigrate 387
- imminent 9
- immortal 423
- immune 399
- impact 199
- impair 107
- impartial 161
- impel 294
- imperative 171
- impersonal 174
- implement 417
- implicate 412
- implicit 178
- implore 99
- imply 114
- import 380
- impose 201
- impoverish 354
- impress 125
- imprint 369
- improper 397
- improvise 326
- impulse 385
- inability 390
- inborn 33
- incentive 403
- incident 170
- incline 244
- include 218

표제어 INDEX

- incompatible 117
- incorporate 312
- increase 326
- incur 178
- indeed 375
- indicate 421
- indifferent 257
- indignant 358
- indispensable 426
- individual 288
- induce 363
- indulge 149
- indulgent 29
- inevitable 132
- infancy 181
- infant 86
- infect 242
- infer 114
- inference 306
- inferior 227
- infinite 127
- inflame 183
- inflate 185
- inflation 299
- inflexible 113
- inflict 389
- inflow 186
- influence 47
- inform 395
- informal 76
- infrastructure 400
- infringe 188
- ingenuity 169
- ingredient 401
- inhabit 176
- inhale 162
- inherent 367
- inheritance 79
- inhibit 176
- initial 102
- inject 140
- injure 90
- innate 33
- innocence 86
- innovation 255
- inquire 422
- insecure 213
- inseparable 195
- insight 240
- insist 234
- insomnia 359
- inspect 235
- inspire 346
- install 21
- instinct 239
- institute 387
- insulate 235
- insult 49
- insurance 71
- intact 34
- integral 399
- integrate 65
- intend 114
- intense 203
- interact 319
- interfere 226
- interior 427
- intermediate 301
- intermingle 197
- internal 32
- interpret 184
- interrupt 123
- interval 325
- intervene 209
- intimate 368
- intolerable 188
- intricate 335
- intrigue 259
- intriguing 87
- introvert 209
- introverted 209
- intrude 312
- intuition 169
- intuitive 204
- invader 206
- invalid 151
- invert 150
- invest 166
- investigate 291
- invoke 421
- involve 112
- inward 59
- irony 386
- irrational 358
- irrelevant 115
- irrigation 121
- irritate 184
- isolate 387

J

- jealous 290
- jeopardize 213
- judge 242
- judicial 132
- jury 237
- justify 242

K

- keen 384
- kidnap 140
- kinship 408
- knot 408

L

- laboratory 343
- lament 47
- landscape 411
- latitude 334
- launch 138
- leak 108
- lean 421
- leap 413
- lease 260
- legacy 250
- legalize 21
- legend 219
- legible 53
- legislate 21
- legitimate 28
- lengthen 371
- lever 150
- liability 284
- liable 256
- liberal 135
- liberate 354
- lifespan 88
- limb 424
- limp 337
- linear 111
- linger 361
- linguistic 87
- literal 419
- literary 418
- literate 306
- liver 292
- loan 390
- location 153
- lodge 344
- logic 318
- longevity 315
- longitude 270

- loom 11
- loyal 372
- lump 352
- lunar 394
- lure 243

M

- machinery 315
- magnet 360
- magnificent 407
- magnify 191
- magnitude 283
- maintain 108
- majesty 407
- majority 142
- malfunction 316
- malnutrition 349
- mammal 393
- manage 216
- mandatory 333
- manifest 329
- manipulate 90
- manufacture 184
- manuscript 84
- marble 79
- margin 181
- marsh 418
- martial 386
- marvel 278
- masculine 43
- mass 255
- masterpiece 53
- maternity 107
- mature 142
- meadow 305
- meaningful 384
- means 119
- meanwhile 179
- measure 17
- mechanic 324
- mediate 15
- medieval 50
- meditation 152
- Mediterranean 51
- melancholy 220
- melt 354
- memorial 350
- mental 350
- mention 123
- merchandise 232
- merchant 111
- mere 394
- merge 219
- merit 331
- metaphor 383
- metropolis 401
- metropolitan 217
- microscope 263
- mighty 184
- migrant 264
- mimic 171
- minister 153
- minority 142
- misbehave 389
- mischievous 178
- miserable 237
- mislead 73
- misplace 73
- moan 116
- mob 152
- mobility 220
- mock 396
- moderate 428
- modest 429
- modify 261
- mold 266
- molecule 342
- momentous 425
- monarchy 376
- monetary 27
- monologue 274
- monopoly 274
- monotonous 215
- monument 350
- mortal 423
- mortgage 390
- moss 19
- motivate 201
- mourn 243
- multiple 267
- mustache 239
- mutant 33
- mutual 247

N

- naive 428
- nasty 42
- navigate 14
- necessity 137
- negative 178
- neglect 173
- negotiate 259
- nerve 12
- neutral 51
- nevertheless 52
- noble 314
- nomad 340
- nominate 65
- nonetheless 273
- norm 266
- normal 229
- notable 154
- notify 334
- notion 85
- nourish 185
- novelty 224
- novice 259
- nuisance 424
- numerous 146
- nursery 402
- nurture 11
- nutrition 349

O

- obedient 287
- obesity 138
- obey 287
- object 274
- objection 19
- obligation 189
- obligatory 104
- oblige 104
- oblivious 271
- obscure 128
- observation 67
- obsess 345
- obstacle 376
- obstruct 414
- obvious 62
- occasion 305
- occupation 273
- occupy 273
- offend 379
- offense 409
- offer 195
- offspring 318
- omit 49
- operate 193
- operation 357

표제어 INDEX

- opponent 417
- opportunity 307
- oppose 185
- opposite 391
- oppress 388
- optics 67
- optimal 42
- optimism 258
- optimistic 258
- option 323
- oral 17
- orbit 283
- organism 333
- organization 179
- oriental 233
- origin 280
- originate 379
- ornament 67
- orphan 93
- ounce 404
- outbreak 392
- outcome 18
- outdated 373
- outdo 73
- outgoing 213
- outlast 70
- outlaw 74
- outlook 373
- output 358
- outrage 18
- outrageous 246
- outstanding 259
- outweigh 70
- overcome 387
- overdue 407
- overestimate 187
- overflow 305
- overlap 344
- overlook 355
- oversee 355
- overstate 346
- overtake 387
- overwhelm 344

P

- paddle 162
- panel 258
- panic 138
- paradox 172
- parallel 196
- paralysis 26
- parasitic 307
- parliament 19
- participate 22
- particle 215
- particular 282
- passion 86
- passive 119
- paste 351
- pastime 282
- pasture 351
- pat 98
- patch 382
- patent 278
- patriot 131
- patrol 303
- patron 408
- pave 146
- pavement 146
- peasant 188
- peculiar 289
- pedestrian 146
- peer 305
- penalty 314
- penetrate 207
- peninsula 223
- perceive 253
- perception 317
- perform 234
- peril 19
- perish 22
- permanent 72
- permission 151
- permit 151
- perpetual 46
- perplex 395
- persist 251
- personal 93
- perspective 187
- perspiration 152
- persuade 303
- persuasive 12
- peruse 375
- pervade 386
- pessimism 258
- pessimistic 258
- pest 274
- pesticide 290
- petition 282
- pharmacy 60
- phase 252
- phenomenal 67
- phenomenon 9
- philosopher 230
- phrase 273
- physician 53
- physicist 365
- physiology 61
- pinch 57
- pioneer 74
- pitch 321
- pitiful 426
- plague 52
- plain 359
- plea 272
- plead 243
- pledge 352
- plot 52
- plow 394
- plumber 131
- plunge 158
- pneumonia 151
- poise 400
- poisonous 222
- polarity 391
- politician 195
- politics 195
- poll 181
- pollute 380
- ponder 260
- populate 319
- portion 94
- portrait 148
- portray 420
- possess 175
- posterior 34
- postpone 250
- potent 154
- potential 34
- poverty 16
- praise 57
- preach 303
- precede 175
- precedent 422
- precise 372
- preconceived 393
- predator 305
- predecessor 108
- predicate 321
- predict 405
- prefer 81

- [ ] preference 189
- [ ] pregnant 222
- [ ] prehistoric 128
- [ ] prejudice 213
- [ ] preliminary 90
- [ ] premature 142
- [ ] premier 291
- [ ] premise 91
- [ ] premium 409
- [ ] preoccupy 273
- [ ] prescribe 89
- [ ] prescription 89
- [ ] preserve 395
- [ ] president 42
- [ ] pressure 11
- [ ] prestige 383
- [ ] prestigious 9[illegible]
- [ ] presume 139
- [ ] pretend 311
- [ ] prevail 125
- [ ] prevalent 348
- [ ] prevent 336
- [ ] preview 352
- [ ] previous 23
- [ ] priest 290
- [ ] primary 431
- [ ] primitive 431
- [ ] principal 284
- [ ] principle 359
- [ ] prior 409
- [ ] priority 375
- [ ] privacy 128
- [ ] private 128
- [ ] privilege 424
- [ ] probability 275
- [ ] probe 367
- [ ] procedure 322
- [ ] proceed 260
- [ ] proclaim 302
- [ ] produce 285
- [ ] profess 200
- [ ] profession 163
- [ ] professor 207
- [ ] proficiency 311
- [ ] proficient 43
- [ ] profile 341
- [ ] profit 144
- [ ] profound 101
- [ ] progress 66
- [ ] prohibit 30
- [ ] prolific 316
- [ ] prolong 15
- [ ] prominent 290
- [ ] promise 96
- [ ] promote 310
- [ ] prompt 425
- [ ] prone 69
- [ ] pronunciation 403
- [ ] proof 400
- [ ] propaganda 159
- [ ] propel 81
- [ ] proper 397
- [ ] property 383
- [ ] prophesy 243
- [ ] prophetic 300
- [ ] proportion 95
- [ ] propose 413
- [ ] prosecute 300
- [ ] prosecutor 98
- [ ] prospect 93
- [ ] prosper 320
- [ ] prosperity 309
- [ ] protect 30
- [ ] protest 13
- [ ] prove 285
- [ ] provide 413
- [ ] province 316
- [ ] provoke 285
- [ ] prudent 35
- [ ] psychiatrist 403
- [ ] psychology 87
- [ ] punctual 233
- [ ] pungent 251
- [ ] punish 201
- [ ] purchase 362
- [ ] purifier 316
- [ ] purify 22
- [ ] pursue 388

Q

- [ ] quantify 413
- [ ] quest 300
- [ ] quote 243

R

- [ ] racist 341
- [ ] radical 169
- [ ] radioactive 255
- [ ] rage 294
- [ ] ragged 164
- [ ] rally 269
- [ ] ranch 221
- [ ] range 63
- [ ] ransom 320
- [ ] rapidity 250
- [ ] rash 411
- [ ] ratio 204
- [ ] rational 27
- [ ] rationalize 397
- [ ] raw 301
- [ ] react 149
- [ ] realize 99
- [ ] realm 180
- [ ] reap 176
- [ ] rear 193
- [ ] reasonable 238
- [ ] rebel 136
- [ ] recall 361
- [ ] recede 421
- [ ] receptive 360
- [ ] recess 276
- [ ] recipient 135
- [ ] recite 22
- [ ] reckon 34
- [ ] recognize 293
- [ ] recommend 156
- [ ] reconcile 29
- [ ] recruit 425
- [ ] recur 286
- [ ] recurrent 263
- [ ] refer 329
- [ ] reference 110
- [ ] refine 31
- [ ] reflect 23
- [ ] reflex 290
- [ ] reform 225
- [ ] refrain 82
- [ ] refuge 16
- [ ] refugee 264
- [ ] refund 251
- [ ] refuse 40
- [ ] refute 200
- [ ] regard 170
- [ ] regime 29
- [ ] register 235
- [ ] regress 66
- [ ] regretful 198
- [ ] regulate 344
- [ ] rehabilitate 414
- [ ] rehearse 251

표제어 INDEX

- reign 292
- reinforce 328
- reject 217
- relate 362
- release 166
- relevant 115
- relief 166
- relieve 166
- relish 409
- reluctant 51
- rely 82
- remain 337
- remark 112
- remedy 50
- remind 371
- remnant 238
- remote 70
- remove 133
- render 158
- renew 208
- renovate 225
- renowned 154
- repel 193
- replace 124
- replicate 336
- representative 17
- reproach 157
- reproduce 122
- reprove 226
- reptile 385
- reputation 146
- require 227
- requisite 256
- rescue 216
- resemble 396
- resent 423
- reserve 103
- reservoir 103
- reside 319
- residence 292
- resident 153
- resign 345
- resilience 280
- resist 134
- resolve 132
- respect 221
- respective 116
- respond 141
- responsible 77
- restore 192
- restrain 97
- restrict 200
- resume 208
- retail 293
- retain 94
- retention 237
- retire 311
- retreat 396
- retrieve 247
- retrospect 27
- revalidate 413
- reveal 244
- revenge 130
- revenue 374
- revere 328
- reverse 366
- review 16
- revise 83
- revive 83
- revoke 287
- revolt 168
- revolution 78
- revolve 326
- reward 248
- ridicule 187
- rigid 105
- rigorous 105
- riot 64
- ripen 66
- ritual 203
- roam 362
- roar 214
- robbery 400
- rod 366
- rot 167
- routine 85
- row 419
- royal 236
- ruin 257
- rural 118
- rush 217
- rusty 169

S

- sack 91
- sacred 408
- sake 103
- salient 349
- salute 23
- salvage 52
- sanitation 145
- sarcastic 46
- satire 25
- savage 188
- saw 165
- scale 179
- scan 303
- scarce 418
- scatter 133
- scent 136
- scheme 170
- scoop 288
- scope 196
- scorn 40
- scream 302
- screw 165
- scrub 292
- sculpture 393
- seal 318
- secretary 62
- section 335
- secure 213
- segmentation 283
- segregation 284
- seize 157
- sensation 297
- sensible 428
- sensitive 223
- sentiment 402
- separate 37
- sequence 98
- sermon 61
- settle 270
- sew 114
- sewage 247
- shabby 164
- shallow 427
- shatter 235
- shed 65
- sheer 416
- shelter 128
- shield 65
- shift 115
- shove 261
- shred 87
- shrink 91
- shrug 252
- shudder 21
- shuffle 217
- sibling 198
- significant 351

- signify 351
- simulate 117
- simultaneous 133
- sincere 272
- situation 198
- skeletal 33
- skeptical 212
- skid 272
- skim 218
- slam 331
- slant 282
- slaughter 187
- slave 20
- slight 301
- slope 366
- slumber 289
- snatch 289
- sneak 366
- sniff 203
- soak 180
- soar 158
- sob 180
- social 108
- sociologist 230
- solemn 144
- solidify 141
- solitary 171
- solitude 171
- soothe 220
- sophisticated 281
- sophomore 314
- sorrow 54
- souvenir 93
- sovereign 239
- spacious 86
- span 88
- spare 275
- sparkle 198
- spear 314
- species 420
- specimen 420
- spectacle 212
- spectacular 404
- spectrum 212
- speculate 312
- sphere 266
- spine 33
- spit 400
- spite 391
- splash 298
- split 297
- spontaneous 322
- spouse 289
- sprain 389
- spread 198
- sprint 232
- sprout 221
- spur 390
- squeeze 232
- stability 71
- stable 71
- stack 54
- stagnate 367
- stain 402
- stale 411
- stall 139
- stance 34
- staple 297
- stare 79
- startle 59
- starve 94
- state 275
- statesman / stateswoman 410
- static 331
- stationery 223
- statistic 254
- status 254
- steady 59
- steep 180
- steer 429
- stereotype 172
- sterile 379
- stern 275
- stick 153
- stimulate 117
- stink 79
- stir 400
- stitch 407
- stock 377
- storage 224
- stout 322
- strain 157
- strangle 155
- strategy 60
- strength 325
- strengthen 325
- strenuous 391
- strict 220
- stride 181
- strife 163
- string 266
- strip 308
- strive 349
- stroke 249
- structure 154
- struggle 165
- stubborn 392
- stumble 339
- stun 429
- sturdy 180
- subconscious 358
- subdue 244
- subjective 297
- submerge 281
- submission 110
- submit 110
- subordinate 281
- subscribe 348
- subsequent 23
- subside 244
- substance 118
- substantial 118
- substitute 430
- subtle 430
- subtract 331
- suburban 326
- successful 329
- successive 329
- successor 108
- suck 402
- sue 186
- suffer 186
- sufficient 367
- suggest 22
- suicide 165
- suit 359
- suitable 359
- suite 367
- sum 155
- summarize 155
- summit 339
- summon 302
- superb 407
- superficial 113
- superior 227
- supernatural 385
- superstition 230
- supervise 102
- supplement 118
- supply 373
- support 315

표제어 INDEX

- suppose 374
- suppress 388
- supremacy 127
- supreme 127
- surge 226
- surgeon 342
- surgery 357
- surmount 166
- surpass 8
- surplus 8
- surrender 134
- surround 388
- survey 332
- survive 182
- suspect 88
- suspend 46
- suspicious 88
- sustain 182
- swallow 102
- swap 325
- swarm 167
- sway 420
- swear 196
- sweep 368
- swell 91
- swift 315
- symmetry 147
- sympathetic 112
- symptom 248
- synonym 36
- synthetic 131

T

- tablet 217
- taboo 240
- tact 248
- tactic 249
- tame 60
- tangible 176
- tangle 226
- tariff 136
- tedious 353
- telecommute 97
- telegraph 99
- temper 100
- temperate 100
- temporary 246
- tempt 316
- tenant 326
- tend 15
- tender 199
- tension 37
- term 368
- terminal 368
- terminate 416
- terrain 50
- terrific 44
- terrify 186
- territory 335
- testify 119
- testimony 291
- textile 283
- texture 283
- theory 173
- thermal 224
- thermometer 224
- thieve 207
- thorough 216
- thoughtful 239
- thread 239
- threat 411
- thrift 339
- thrive 61
- throne 36
- through 199
- thrust 272
- tick 272
- tide 156
- tilt 414
- timber 298
- tissue 130
- tolerant 354
- tolerate 57
- toll 406
- torment 85
- torrent 189
- torture 172
- toxic 36
- trade 172
- tragic 298
- trail 348
- trait 204
- traitor 233
- tranquility 238
- transact 382
- transcribe 410
- transfer 129
- transform 332
- transit 129
- translate 332
- transmit 382
- transparent 410
- transportation 356
- tread 252
- treatment 348
- treaty 392
- tremble 266
- tremendous 186
- trespass 270
- trial 392
- tribe 129
- tribute 93
- trigger 189
- trim 420
- trivial 309
- troop 247
- trustworthy 416
- tuition 44
- turnover 309
- twilight 229
- tyranny 161

U

- ultimate 309
- ultraviolet 331
- unanimity 418
- unanimous 127
- unaware 300
- unconscious 317
- undergo 173
- underlie 205
- undermine 205
- underneath 130
- underprivileged 8
- understate 346
- undertake 173
- undo 185
- unemployed 427
- unification 190
- unify 190
- uninterested 304
- unite 98
- unstable 71
- unveil 419
- uphold 120
- upright 339
- uproot 120
- upset 161
- urban 356
- urge 173

☐ utensil 241
☐ utilize 242
☐ utmost 317
☐ utter 414

V

☐ vacant 120
☐ vacation 121
☐ vacuum 45
☐ vague 372
☐ vain 276
☐ valid 151
☐ valor 395
☐ valueless 372
☐ vanish 238
☐ vanity 68
☐ vapor 23
☐ variable 322
☐ various 322
☐ vegetation 42
☐ vein 134
☐ velocity 78
☐ ventilation 366
☐ verbal 351
☐ verdict 137
☐ verge 85
☐ verify 73
☐ verse 383
☐ versus 216
☐ vertical 253
☐ vessel 130
☐ veterinarian 419
☐ via 383
☐ vibrate 374
☐ vice 233
☐ vicious 334
☐ victim 162
☐ vigor 62
☐ vigorous 234
☐ violate 357
☐ violent 357
☐ virtual 401
☐ virtue 401
☐ vital 238
☐ vivid 46
☐ vocation 340
☐ vogue 154
☐ volunteer 318
☐ vomit 167
☐ vow 265
☐ vulnerable 229

W

☐ wage 265
☐ wagon 246
☐ wander 338
☐ warehouse 420
☐ warfare 363
☐ warrant 291
☐ warranty 291
☐ warrior 145
☐ wary 15
☐ weary 15
☐ weave 63
☐ weed 394
☐ weird 417
☐ welfare 363
☐ whereas 231
☐ whip 237
☐ whirl 237
☐ whole 214
☐ wicked 214
☐ wield 105
☐ wilderness 249
☐ withdraw 255
☐ wither 417
☐ withhold 254
☐ withstand 254
☐ wonder 338
☐ worship 70
☐ worthwhile 284
☐ wound 357
☐ wreck 374
☐ wrench 386
☐ wretched 95
☐ wrinkle 340

Y

☐ yearn 340
☐ yield 248

MEMO